W9-CDA-161

LES PARENTS
MANIPULATEURS

Éditrice : Pascale Mongeon
Infographie : Chantal Landry
Révision : Brigitte Lépine
Correction : Joëlle Bouchard

Catalogage avant publication de Bibliothèque et Archives nationales du Québec et Bibliothèque et Archives Canada

Nazare-Aga, Isabelle

Les parents manipulateurs

Comprend des références bibliographiques.

ISBN 978-2-7619-3883-9

1. Manipulation (Psychologie). 2. Parents et enfants adultes. 3. Enfants adultes de familles inadaptées. I. Titre.

BF632.5.N393 2014 158.2 C2013-942790-2

02-14

Dépôt légal : 2014
Bibliothèque et Archives nationales du Québec

ISBN 978-2-7619-3883-9

DISTRIBUTEURS EXCLUSIFS :

Pour le Canada et les États-Unis :
MESSAGERIES ADP*
2315, rue de la Province
Longueuil, Québec J4G 1G4
Téléphone : 450-640-1237
Télécopieur : 450-674-6237
Internet : www.messageries-adp.com
* filiale du Groupe Sogides inc.,
filiale de Québecor Média inc.

Pour la France et les autres pays :
INTERFORUM editis
Immeuble Paryseine, 3, allée de la Seine
94854 Ivry CEDEX
Téléphone : 33 (0) 1 49 59 11 56/91
Télécopieur : 33 (0) 1 49 59 11 33
Service commandes France Métropolitaine
Téléphone : 33 (0) 2 38 32 71 00
Télécopieur : 33 (0) 2 38 32 71 28
Internet : www.interforum.fr
Service commandes Export – DOM-TOM
Télécopieur : 33 (0) 2 38 32 78 86
Internet : www.interforum.fr
Courriel : cdes-export@interforum.fr

Pour la Suisse :
INTERFORUM editis SUISSE
Case postale 69 – CH 1701 Fribourg – Suisse
Téléphone : 41 (0) 26 460 80 60
Télécopieur : 41 (0) 26 460 80 68
Internet : www.interforumsuisse.ch
Courriel : office@interforumsuisse.ch
Distributeur : OLF S.A.
ZI. 3, Corminboeuf
Case postale 1061 – CH 1701 Fribourg – Suisse
Commandes :
Téléphone : 41 (0) 26 467 53 33
Télécopieur : 41 (0) 26 467 54 66
Internet : www.olf.ch
Courriel : information@olf.ch

Pour la Belgique et le Luxembourg :
INTERFORUM BENELUX S.A.
Fond Jean-Pâques, 6
B-1348 Louvain-La-Neuve
Téléphone : 32 (0) 10 42 03 20
Télécopieur : 32 (0) 10 41 20 24
Internet : www.interforum.be
Courriel : info@interforum.be

Gouvernement du Québec – Programme de crédit d'impôt pour l'édition de livres – Gestion SODEC – www.sodec.gouv.qc.ca

L'Éditeur bénéficie du soutien de la Société de développement des entreprises culturelles du Québec pour son programme d'édition.

Conseil des Arts du Canada **Canada Council for the Arts**

Nous remercions le Conseil des Arts du Canada de l'aide accordée à notre programme de publication.

Nous reconnaissons l'aide financière du gouvernement du Canada par l'entremise du Fonds du livre du Canada pour nos activités d'édition.

ISABELLE NAZARE-AGA

LES PARENTS MANIPULATEURS

Une société de Québecor Média

L'auteur du présent ouvrage organise des stages thérapeutiques d'affirmation et d'estime de soi à Paris et des séminaires intitulés « Faire face aux manipulateurs » en Europe et au Québec. Veuillez vous adresser à :

Email : isanazareaga@gmail.com
www.isabellenazare-aga.com

Isabelle Nazare-Aga
28, rue Félicien David
75016 Paris
France

Téléphone : (+33) (0) 1 40 50 60 40

Introduction

Au cours de ma carrière, j'ai publié deux ouvrages destinés au grand public sur le thème des manipulateurs. Les deux fois, le sujet a eu l'effet d'une bombe ! Des centaines de milliers de gens se sont reconnus immédiatement dans la description d'une relation aussi toxique que destructrice, qu'elle soit amoureuse, familiale, amicale ou encore professionnelle. Depuis environ 20 ans, j'ai répertorié les différentes raisons pour lesquelles autant de gens peuvent rester dans des relations nocives avec des individus pathologiques, sans qu'aucune amélioration ne se produise. J'analyse deux questions essentielles : « Pourquoi tolère-t-on la relation avec un manipulateur ? » mais aussi : « Comment a-t-on pu demeurer aussi longtemps aveugle alors que les faits nous montraient chaque jour la folie de cet individu ? »

Les manipulateurs, hommes ou femmes, ont la particularité de ne pas montrer leur vrai visage lorsqu'ils sont en société. En revanche, leurs conjoints et leurs enfants vivent au quotidien, et durant de longues années, un traumatisme sourd qui engendre, pour la plupart d'entre eux, des symptômes physiques, psychologiques et comportementaux tout d'abord incompréhensibles. Les victimes ont d'ailleurs tendance à se poser beaucoup de questions sur elles-mêmes, alors que la problématique réside justement chez l'autre.

Certes, les manipulateurs répondent tous à un minimum de 14 caractéristiques sur les 30 que j'ai définies dans mon premier livre en 1997, mais leurs comportements, leurs propos et leurs attitudes varient selon la sphère où ils exercent leur emprise. J'ai déjà écrit, en 2000, sur leur manière d'être lorsqu'ils sont en couple, mariés ou non, avec ou sans enfant. Or, un autre schéma stéréotypé se dégage également du point de vue des enfants. C'est l'objet du présent livre.

Quel en est le but ? Fournir suffisamment d'informations, grâce aux témoignages des uns et des autres, pour que ceux et celles qui auraient un parent manipulateur puissent enfin mettre des mots sur la problématique qu'ils vivent. D'autre part, il me semble intéressant de reconnaître l'existence de ces profils d'un point de vue clinique. Je pense particulièrement aux professionnels de la santé, du domaine social et du monde juridique.

Lorsque j'ai fait un appel à témoins sur la présence d'un manipulateur ou d'une manipulatrice dans la famille en général, quelle ne fut pas ma surprise d'obtenir *cinq fois* plus de témoignages sur les mères manipulatrices que sur tout autre membre de la famille !

Il serait hâtif d'en déduire qu'il y a plus de mères que de pères manipulateurs (sauf pour le *pervers de caractère,* qui concerne à 90 % la gent masculine). En effet, ayons la prudence de ne pas confondre le nombre de dénonciations et les faits. Ce n'est pas parce que les gens dénoncent un phénomène ou des personnalités pathologiques qu'il en existe davantage dans notre société.

Alors pourquoi avoir reçu tant de confidences sur les mères manipulatrices ? Il semble que la mémoire traumatique et émotionnelle soit encore très active lorsqu'il s'agit de réaliser combien une mère a failli à son devoir d'amour inconditionnel. Ce qu'on conçoit normalement comme l'instinct maternel se révèle absent chez une femme manipulatrice, qu'on appelle en psychiatrie la personnalité *narcissique*. Jusqu'à aujourd'hui, ces constats sont douloureux et difficiles à faire tant le sujet du manque d'amour parental ou même de la maltraitance psychologique est encore tabou dans nos sociétés. Nous continuons à entendre : «Tous les parents aiment leurs enfants», «Tous les parents veulent le mieux pour leurs enfants»... Malheureusement, cela dépend du profil du parent!

Dans cet ouvrage, les enfants de ces pères ou mères vont identifier un grand nombre de comportements, de propos et d'intentions qu'ils ont relevés sans savoir qu'ils étaient propres à une pathologie de personnalité. Les lecteurs qui n'ont pas ce vécu pourraient être troublés de découvrir cette réalité pernicieuse sous toutes ses facettes.

Une partie des témoins adultes a demandé à ce que leurs prénoms soient conservés, contrairement à la coutume. En cela, ils souhaitent faire reconnaître à leur entourage leurs souffrances tues. L'autre motivation est celle de se sentir utiles et de rendre la société plus attentive au vécu des enfants mal-aimés et victimes de parents toxiques parfois pervers. Certains en ont ressenti un grand soulagement alors que d'autres ont écrit «la boule au ventre»... Tous les témoignages qui nourrissent mes propos sont d'une incroyable précision. Certaines anecdotes datent pourtant de plus de 40 ans.

Les règles du «politiquement correct» voudraient que l'on dise que la pathologie se retrouve dans tous les milieux, mais les faits nous montrent que les hypernarcissiques, avides de pouvoir sur autrui, n'évoluent pas dans n'importe quelle sphère sociale. Ils aiment plus que tout leur image et... l'argent. Leurs enfants ne sont pas leur première préoccupation. En revanche, ils les utilisent pour augmenter leur sentiment narcissique et se rassurer sur eux-mêmes. Comment procèdent-ils? Et avant tout, comment les repère-t-on?

Cet ouvrage relève les indices typiques et fréquents des dysfonctionnements causés par la présence d'un parent manipulateur dans la famille. Parmi les manifestations systématiques de la manipulation parentale, on peut noter la tension qui règne à chaque fête familiale, la façon qu'a le parent de ne pas accueillir les joies et bonheurs de ses enfants, ainsi que sa tentative d'éloigner ces derniers de ceux qui les aiment. Ses propos dévalorisants sont ici mis à jour, car ils sont rarement prononcés en public.

Le parent manipulateur attaque à la base l'estime de soi de l'un ou l'autre de ses enfants. Or, il peut aussi offrir des privilèges ou, à l'inverse, faire subir le rejet de façon différente à chacun de ses enfants. Les témoignages qui émaillent mon analyse proviennent d'enfants jeunes, mais aussi d'adultes. Ce n'est qu'avec le recul que ces derniers prennent conscience d'une profonde radinerie ou d'une étrange mesquinerie qui a même pu, dans certains cas, mettre en péril la poursuite de leurs études universitaires, par exemple.

Aussi, le manque d'empathie du parent manipulateur envers sa progéniture est incompréhensible puisqu'il semble en avoir pour autrui. Les individus ayant cette personnalité ont la faculté de contrôler certains aspects d'eux-mêmes en public, alors qu'ils se relâchent totalement dans la sphère privée. Quel leurre… L'entourage n'a que peu idée combien leurs propos peuvent être dégradants, incohérents et irrationnels, ni combien leurs comportements sont aberrants. Une des raisons de cet aveuglement est la capacité du manipulateur à mentir, à faire des cachotteries, ou à affirmer des choses avec un tel aplomb que personne ne pense à les remettre en doute.

Une autre caractéristique typique du parent manipulateur est sa réaction d'indifférence, voire de doute, face à une maladie grave qui affligerait son enfant. En revanche, la mère manipulatrice (particulièrement) a tendance à exagérer son moindre souci de santé et se dit constamment « fatiguée ».

Je décrypterai également les différentes manières dont use le parent manipulateur pour se nourrir, grâce à ses enfants, de tout ce qui peut abreuver son besoin narcissique immense.

Des cas plus extrêmes sont moins fréquents mais malheureusement trop nombreux. Ceux-ci surviennent lorsque le parent manipulateur est également pervers de caractère. Je relaterai quelques récits troublants qui illustrent le règne de terreur que font subir de tels parents à leur progéniture.

Enfin, je tournerai le miroir du côté de la victime. Quelles sont les conséquences à long terme de la cohabitation avec un parent manipulateur ? Comment panser les blessures, atténuer les séquelles et se protéger de futures attaques ? Il existe différents moyens de s'en sortir complètement, ou sinon, à tout le moins d'atténuer ou de neutraliser le champ d'action du parent manipulateur.

Mais tout d'abord, pour savoir réagir adéquatement aux propos et comportements d'un parent manipulateur, il importe d'en avoir bien cerné les caractéristiques et de comprendre sa personnalité. Je compte vous donner tous les outils pour faire ce repérage et enfin mettre un terme à une souffrance qui dure depuis trop longtemps.

Chapitre 1

Repérer un parent manipulateur

Une mère est-elle manipulatrice si elle culpabilise ses enfants de la laisser seule ? Un père qui insulte son fils ou le dénigre en public est-il un manipulateur ? Pas nécessairement. Culpabiliser, mentir, dissimuler, être de mauvaise foi, en résumé manipuler, ne signifient pas nécessairement que l'on est « manipulateur ».

La différence entre manipuler et être un parent manipulateur tient à la fréquence et à la diversité des moyens employés pour manipuler, utiliser et exploiter son enfant tout en le dévalorisant, plus ou moins subtilement. Dans le cas d'un parent manipulateur, il peut exercer son emprise sur son enfant, tantôt en fragilisant son estime de soi, tantôt en exigeant de lui une autonomie trop précoce. Dans tous les cas, l'enfant souffrira d'une carence affective. En outre, les attitudes ahurissantes émanant d'un parent qui fait croire à sa supériorité et à son bon droit génèrent de la confusion mentale chez sa victime et un sentiment de culpabilité. Le parent, lui, règne en roi et maître sur son entourage. Ses humeurs déterminent l'ambiance qui prévaut au sein du foyer familial. Même s'il est envahissant, le sentiment d'insécurité qui en résulte peut pourtant passer inaperçu.

Grandir avec un parent manipulateur est bien différent que d'en aimer un ou d'en côtoyer un dans son cercle social ou professionnel. Pour la progéniture, il n'y a pas un « avant » et un « après » la rencontre avec l'individu toxique. Au cours de son éducation, l'enfant sera confronté à des situations que ne vivront jamais les collègues de travail, les voisins, les amis et même les membres de la famille élargie du manipulateur. La relation avec un parent manipulateur est lentement mûrie et fait partie intégrante de l'identité de sa victime.

Cela étant dit, *tout le monde* n'est pas manipulateur, contrairement à ce qu'aiment dire les vrais manipulateurs ou ceux qui ignorent qu'il s'agit d'une pathologie ! Il est nécessaire de rassembler bien davantage d'indices et d'observer certaines attitudes pour définir l'état du manipulateur.

Les 30 caractéristiques du manipulateur[1]

Pour repérer un manipulateur, que ce soit un parent, un amoureux ou une personne de notre entourage, nous devrions identifier au moins 14 caractéristiques sur les 30 issues de la liste que j'ai publiée dans mon premier ouvrage, en 1997. Celles-ci sont stéréotypées chez tout manipulateur, homme ou femme, et quel que soit son âge. On peut reconnaître la plupart de ces individus

1. Cette liste est la même que celle figurant dans *Les manipulateurs sont parmi nous*, Éditions de l'Homme, 1997.
La liste des 30 caractéristiques a émergé de deux sources. La première fut une description succincte du *comportement* manipulateur sur 13 aspects, issue du livre des Québécois J.-M. Boisvert et M. Beaudry, *S'affirmer et communiquer*, paru aux Éditions de l'Homme. La seconde source, la plus importante en nombre de témoignages et de descriptions précises, fut celle des participants à mes stages de formation à l'hôpital, dans les collectivités locales et au sein d'autres entreprises et institutions, mais aussi parmi mes patients.

dans plus de 20 caractéristiques sur les 30 proposées ! Pour illustrer ces critères en fonction du sujet qui nous intéresse ici, je donnerai quelques exemples fournis par des témoins, fils ou filles, de mères et de pères manipulateurs.

1. **Il culpabilise les autres au nom du lien familial, de l'amitié, de l'amour, de la conscience professionnelle, etc.**

À l'adolescence, j'ai été très rebelle. Ma mère et moi discutions, nous nous disputions, mais je finissais toujours par abandonner mon projet quand elle avançait des arguments culpabilisants du style : « C'est d'accord, je cède, tu peux sortir, mais sache que je ne dormirai pas de la nuit et que ce sera de ta faute si je suis fatiguée demain. »

2. **Il reporte sa responsabilité sur les autres ou se démet de ses propres responsabilités.**

Ma mère me rendait coupable de beaucoup de choses. Voici un fait qui m'a marqué. Elle possédait une maison de campagne qu'elle avait héritée de ses parents. Lorsque j'étais jeune, je prenais plaisir à y aller et à aider au jardinage. Mais il est arrivé un moment où j'ai éprouvé le besoin de sortir davantage avec des amies et de voyager pendant mes vacances. Mon frère n'y allait presque jamais. Quand mon père approcha des 70 ans, elle pensa que cela devenait trop fatigant pour lui de faire le jardin, alors que c'était son grand plaisir. Elle me fit ce chantage : « Soit tu viens nous aider plus souvent, soit je vends ! » En me faisant porter la responsabilité d'entretenir leur jardin, elle me culpabilisait, car je savais que la perspective de la vente rendait mon père malheureux.

3. **Il ne communique pas clairement ses demandes, ses besoins, ses sentiments et ses opinions.**

« C'est bizarre qu'il ne la demande pas en mariage depuis le temps qu'ils sont ensemble, tu ne trouves pas ? On se demande s'il l'aime... »

4. **Il répond très souvent de façon floue.**

Quand j'appelle ma mère et que je lui propose de lui rendre visite, elle me répond : « Ce n'est pas moi qui le demande. Tu fais ce que tu veux. »

5. **Il change ses opinions, ses comportements, ses sentiments selon les personnes ou les situations.**

Elle m'a souvent exprimé des opinions et quand je les lui rappelais, elle réagissait en niant : « Non, je n'ai jamais dit ça, voyons ! Ça n'a pas de bon sens ! »

6. **Il invoque des raisons logiques pour déguiser ses demandes.**

Ma mère cherche à obtenir de moi des faveurs. Elle me dit, par exemple : « Si tu m'emmenais à la campagne, je pourrais continuer à enlever le lierre du mur ; tu sais, là où poussent tes petites plantes. J'ai peur que tu ne les trouves plus un de ces jours... Mais seulement si ça ne te dérange pas ; en attendant je peux toujours aller au square et bavarder avec la voisine. »

7. **Il fait croire aux autres qu'ils doivent être parfaits, qu'ils ne doivent jamais changer d'avis, qu'ils doivent tout savoir et répondre immédiatement aux demandes et aux questions.**

Déjà quand j'étais petite, ma mère m'obligeait à venir lui parler et il fallait que cela se fasse tout de suite. Il fallait lui donner des réponses et des explications. Actuellement, elle veut que je m'exprime alors que je ne suis pas prête. Je n'arrive pas à lui répondre correctement de façon à être bien comprise.

8. **Il met en doute les qualités, la compétence, la personnalité des autres : il critique sans en avoir l'air, dévalorise et juge.**

« Si tu ne peux pas comprendre à quel point tu es épuisante, combien tu es intolérante et capricieuse, alors un grand fossé continuera à se creuser entre nous deux. Nous ne vieillirons pas ensemble. »

9. **Il fait faire ses messages par autrui ou par des intermédiaires (il téléphone au lieu de dire les choses face à face, ou laisse des notes écrites).**

« Tu diras à ton frère avant qu'il vienne au repas que ce n'est pas la peine qu'il amène sa nouvelle copine ! »

10. **Il sème la zizanie et crée la suspicion, divise pour mieux régner et peut provoquer la rupture d'un couple.**

Les vacances en sa présence étaient forcément signe que mon mari et moi allions nous disputer, de façon parfois assez virulente, sans que nous comprenions la cause réelle : l'envahissement vicieux du manipulateur.

11. **Il sait se placer en victime pour qu'on le plaigne (maladie exagérée, entourage « difficile », surcharge de travail, etc.).**

« Je dois me protéger. Il en va de ma santé. Pour moi, actuellement, c'est une nécessité vitale. Je suis seule. C'est tout. Je n'ai plus mon fidèle compagnon pour me ramasser. »

12. Il ignore les demandes (même s'il dit s'en occuper).

J'ai demandé à ma mère de m'envoyer mon certificat de divorce que je lui avais confié. Comme par hasard, elle n'a pas pu le trouver après son déménagement en Angleterre. J'ai dû contacter l'avocate pour émettre un autre document officiel, au prix de 50 euros. Merci, maman ! Elle ne l'avait pas cherché et l'a retrouvé après coup…

13. Il utilise les principes moraux des autres pour assouvir ses besoins (notions d'humanité, de charité, racisme, « bonne » ou « mauvaise » mère, etc.)

Mon père utilise beaucoup le principe de respect, alors qu'il n'en a pas pour moi, afin de me faire abandonner mes petits projets pour m'occuper de lui, le servir, l'accompagner, ou même pour me faire taire lorsqu'une discussion le dérange.

14. Il fait des menaces déguisées ou un chantage ouvert.

Maman a régulièrement quitté la maison en larmes en disant : « Je vais me jeter dans le fleuve. » Pendant tout le temps que duraient ses absences, je guettais fiévreusement son retour. J'étais l'aînée et je me sentais responsable des autres…

15. Il change carrément de sujet au cours d'une conversation.

Dès que je confronte mon père sur un sujet qui le dérange, il change de niveau de conversation et m'accuse de divers défauts et de lacunes qui n'ont rien à voir avec notre sujet d'origine. Et cela, en moins de 30 secondes !

16. Il évite l'entretien ou la réunion, ou s'en échappe.

Alors que mon père me disait qu'il ne comprenait pas pourquoi ma mère l'avait quitté, je lui rappelai avec grande précaution qu'ils ne s'entendaient pas bien, qu'il passait souvent des jours entiers sans lui parler lorsqu'elle osait lui répondre. Il affirma le contraire. Je n'étais pas d'accord avec lui mais avant que je poursuive (calmement), il balaya le sujet en disant: «Eh bien, si tu n'es pas d'accord, ce n'est pas la peine d'aborder le sujet!»

17. Il mise sur l'ignorance des autres et fait croire à sa supériorité.

Mon père surveillait mes devoirs scolaires. Il a toujours fait croire qu'il comprenait les exercices qui m'étaient demandés autant en physique, en chimie, en mathématiques, en anglais, en allemand et en bien d'autres matières, mais je me suis aperçu plus tard qu'il avait un grand nombre de lacunes.

18. Il ment.

Mon père est capable de mentir sur des choses aussi banales que l'heure à laquelle nous avons convenu de prendre le bateau! Dans ces cas-là, il hurle que j'ai tort, alors que c'est l'inverse... Si j'insiste pour rétablir la vérité, il hurle encore plus fort ou bien il peut bouder pendant plusieurs jours.

19. Il prêche le faux pour savoir le vrai, déforme et interprète.

Ma mère, qui habite le même immeuble que moi, cherche régulièrement à obtenir des informations sur ma vie: «Tu t'es reposée ce week-end, j'espère? Tu le mérites bien.» J'étais partie deux jours sans le lui dire et comme elle s'en est douté, elle cherche à savoir où je suis allée. Alors que je suis revenue avec une mine bronzée, elle aurait pu, si elle n'avait pas été manipulatrice, me demander tout simplement où j'avais passé ma fin de semaine!

Un matin, ma mère se mit soudain à exprimer ce qu'elle appelait « les non-dits ». En réalité, elle passa son temps à m'accuser d'avoir dit à mes enfants telle ou telle chose terrible. Mes propos étaient reformulés avec un sens détourné. Elle revenait systématiquement sur le sujet qui la taraudait.

20. Il est égocentrique.

Mon père avait une double vie. Je m'en étais rendu compte à l'âge de 15 ans, mais ma mère n'en savait rien (ou ne voulait pas le savoir…) Mon père était souvent en déplacement pour son travail et dépensait beaucoup d'argent pour lui seul : restaurants, sorties, loisirs, motos, etc. Les comptes étant séparés, ma mère gérait tout ce qu'elle pouvait pour faire tourner la maison. Ils étaient toujours à découvert et ma mère devait faire des économies sur tout.

21. Il peut être jaloux, même s'il est un parent ou un conjoint.

Mon père était jaloux de ce que nous avions ma jeune femme et moi (voiture, appartement, etc.). Or, nous n'avions pas encore fini nos études et n'avions aucune situation professionnelle. Mon père me dit clairement : « Nous, à ton âge, nous avions déjà un travail et pas autant de choses que toi. »

22. Il ne supporte pas la critique et nie les évidences.

Elle a gardé mon fils de 13 heures à 16 h 30 environ. Je l'avais allaité à 13 heures. J'ai apporté des céréales à mélanger avec du lait spécifique et des fruits dans le cas où il aurait soif. Mon fils est intolérant au lactose. Et pourtant, elle m'a avoué avoir donné du lait entier (3,25 % de matières grasses). Elle voulait me prouver mordicus qu'il n'avait eu aucune réaction ! Bien évidemment, il a eu des coliques de 18 h 30 à 21 h 30… Ma mère n'était pas là pour le voir. Et lorsque je lui en ai parlé, elle m'a répondu : « Si je ne te l'avais pas dit, tu ne l'aurais pas su ! » À cela, elle a ajouté : « Arrête de te sentir coupable. » Je ne me sens pas coupable de l'intolérance de mon enfant. Elle nie tout simplement la réalité et veut même la changer !

23. Il ne tient pas compte des droits, des besoins et des désirs des autres.

Dans un premier temps, ma mère me disait que dès que nous récupérerions les montants bloqués sur des comptes à terme au nom de mon père décédé, dont elle n'avait pas besoin en totalité, elle procéderait à la transmission du financier, en divisant par quatre (elle, moi et ma fratrie) les sommes concernées. Puis le surlendemain, elle faisait état de travaux « futiles mais coûteux » qu'elle avait prévus avec notre père et qu'elle devait réaliser dès que possible ! Il n'était donc plus question de diviser quoi que ce soit avec ses enfants…

24. Il utilise très souvent le dernier moment pour demander, ordonner ou faire agir autrui.

Lorsque mon père promettait de faire une sortie avec moi, il avait toujours un bon prétexte pour se désister une heure ou une minute avant le départ prévu.

25. Son discours paraît logique ou cohérent, alors que ses attitudes, ses actes ou son mode de vie répondent au schéma opposé.

La grand-mère dit s'ennuyer de ses petits-enfants à qui veut bien l'entendre, mais quand ils sont présents (rarement, car elle ne les appelle pas et ne cherche pas à les voir), elle ne s'en occupe que 10 minutes, puis les confie à son mari ou à d'autres personnes, et s'en va dans la cuisine ou faire du ménage sans les reprendre par la suite.

26. Il utilise des flatteries pour nous plaire, fait des cadeaux ou se met soudain aux petits soins pour nous.

Alors que mon père s'est rarement intéressé à notre vie lorsque nous étions enfants ou adolescents, il s'est mis à nous offrir des objets électroniques coûteux depuis son divorce d'avec ma mère.

27. Il produit un état de malaise ou un sentiment de non-liberté (piège).

Quand, vers 20 ou 25 ans, je soulevai un petit coin du voile sur ma vie affective et sexuelle telle qu'elle était (rencontres sexuelles, espoir d'amour vite éteint), ma mère se mit à pleurer aussitôt ! Je n'avais pourtant pas raconté grand-chose… Je fus obligé de conclure qu'il ne fallait rien lui raconter.

28. Il est efficace pour atteindre ses propres buts, mais aux dépens d'autrui.

Je suis médecin, et pendant des années, ma mère m'a demandé (et j'ai accepté !) de lui donner régulièrement des ordonnances signées et vierges… Ainsi, elle se prescrivait les médicaments qu'elle voulait (à noter qu'elle connaît bien sûr mieux la médecine que moi et se permet de me contredire en famille sur des questions médicales). Ces ordonnances lui conféraient un grand pouvoir et elle faisait la maligne devant les pharmaciens, qui n'étaient pas dupes mais plutôt très embarrassés. En effet, si un pharmacien perçoit une anomalie sur une ordonnance qui lui fait penser à une fraude, il est de son devoir de ne pas délivrer les médicaments. Elle jouissait de leurs remarques et de leur dilemme, eux qui ne voulaient pas déplaire à leur cliente mais ne voulaient pas non plus commettre une faute.

Comment a-t-il été possible de me faire faire une chose pareille, à moi qui déteste être dans l'illégalité ? Si on m'avait demandé :

« Accepteriez-vous de signer des ordonnances en blanc ? » J'aurais répondu non de manière certaine. Mais ma mère n'y est pas allée aussi franchement : elle m'a d'abord demandé une prescription que j'ai accepté bien volontiers de faire, puis ce fut : « J'ai oublié de te faire écrire une boîte d'aspirine. Est-ce que je peux la rajouter ? » Ensuite : « Je ne veux pas te déranger chaque fois ; peux-tu me laisser une ordonnance vierge, comme ça, si j'ai besoin d'ajouter un médicament, ce sera la même écriture ? » Puis, plusieurs ordonnances… Et c'est ainsi que petit à petit, elle a endormi ma vigilance…

29. Il nous fait faire des choses que nous n'aurions probablement pas faites de notre propre gré.

Chaque année, je consacrais une semaine à 15 jours à mes parents, puis à mes beaux-parents. Mais la différence était évidente. Mes parents étaient toujours avec nous pour toutes nos sorties. Nous avons même décidé, il y a cinq ans, d'acheter un véhicule de sept places en prévision de ces balades !

30. Il est constamment l'objet de discussions entre les gens qui le connaissent, même s'il n'est pas là.

Avec mes sœurs, nous nous apercevions que nous parlions toujours de nos parents, allant même parfois jusqu'à gâcher nos rencontres de quelques heures. Ils disaient une chose à l'une et l'inverse à l'autre. Nous nous en étions aperçues et cela entraînait des discussions sans fin afin d'en comprendre le sens et le but…

Tel que mentionné, un individu que l'on qualifie de *manipulateur* agit *au moins* selon **14 caractéristiques** dans cette liste.

La liste de base des 30 caractéristiques d'un manipulateur reste la même pour un enfant (eh oui !) ou un adulte, un homme ou une femme. Certes, il me serait facile de la continuer. Or, certains aspects de leur pathologie semblent ne se manifester que dans un contexte particulier. Dans le couple, par exemple, le manipulateur va isoler son conjoint pour qu'il minimise ses contacts avec ceux qu'il aime et qu'il soit ainsi davantage sous son emprise; à mon avis, ce phénomène se produit 8 fois sur 10. Or, cette caractéristique n'a pas vraiment de sens dans le contexte social ou professionnel, même si dans ce dernier, on peut parfois parler de mise au placard. Dans ce cas, isoler la proie n'est pas pour le manipulateur un moyen de la garder auprès de lui, ni d'augmenter son emprise affective, mais, au contraire, de la faire partir. De même, le parent manipulateur va jouer sur l'argent pour récompenser ou punir ses enfants adultes selon l'affection qu'il reçoit, mais n'usera pas de ce ressort dans un contexte social de voisinage, par exemple.

Dans tous les cas, vous constatez que ces caractéristiques ne sont ni normales, ni matures, ni dignes d'un être équilibré.

Par ailleurs, que le manipulateur soit un père ou une mère, il n'y a pas de différences dans les caractéristiques susmentionnées. Parfois, leurs stratégies de manipulation diffèrent, comme nous le verrons tout au long de cet ouvrage. Tristement, on constate que ces agissements débutent très tôt dans la vie des enfants. La plupart des témoins commencent à graver des souvenirs dès l'âge de quatre ans.

Le manipulateur est-il pathologique?

Être manipulateur (et non user parfois de manipulation) est-il du domaine de la pathologie? Ma réponse est positive.

Depuis longtemps, les psychiatres connaissent le terme exact pour décrire cette pathologie: la PERSONNALITÉ NARCISSIQUE. Il s'agit d'un **trouble de personnalité** à différencier d'un trait de caractère, comme la timidité par exemple. La timidité et l'anxiété sociale se traitent. Les personnes qui en souffrent n'ont pas de troubles de la conscience à proprement parler. Ils sont gênés par leur handicap social et leur mauvaise estime personnelle le plus souvent. Ils reconnaissent et admettent leur trouble. S'ils savent que cela se traite (en thérapie comportementale et cognitive), ils consultent pour sortir de leurs difficultés.

En revanche, la personnalité narcissique ne reconnaît aucunement son trouble psychiatrique ! Quand bien même vous noteriez et enregistreriez ses propos et ses comportements, le manipulateur niera et n'hésitera pas à vous reprocher d'avoir fait ces observations, et pire, d'avoir accumulé des preuves *sans son accord* ! Tout manipulateur vous rendra fautif d'être observateur, intègre, logique et intelligent ! Si vous avez un jugement critique, cela lui est insupportable. Il suffit alors que vous n'ayez pas la certitude absolue de ce que vous voyez et entendez, que vous manquiez de confiance en vous, pour que le manipulateur se charge le plus naturellement du monde de vous « brouiller le cerveau ». L'expression semble étrange, mais les victimes de ces personnalités l'utilisent souvent. Votre raisonnement sera mis à mal et son but est de vous faire admettre des choses fausses, aberrantes ou folles.

Autrement dit, sa pathologie de conscience, sa déformation du réel, ses propos et les décisions qui en découlent deviennent la normalité au sein du clan qu'il a créé. Ce clan est celui de la famille. Cependant, il va en créer d'autres : au travail, dans un cercle social, une communauté, au sein d'un groupe d'amis… et devinez qui sous-tend les décisions du groupe ? C'est lui, tantôt de façon manifeste, tantôt discrètement…

Dans le DSM IV (*Diagnostic and Statistical Manual of Mental Disorders*), un ouvrage de référence des critères diagnostiques des troubles mentaux, on décrit la personnalité narcissique ainsi :

« Mode général de fantaisies ou de comportements grandioses, de besoin d'être admiré et de manque d'empathie qui apparaissent au début

de l'âge adulte et sont présents dans des contextes divers, comme en témoignent au moins cinq des manifestations suivantes :

- *Le sujet a un sens grandiose de sa propre importance (par exemple surestime ses réalisations et ses capacités, s'attend à être reconnu comme supérieur sans avoir accompli quelque chose en rapport) ;*
- *Il est absorbé par des fantaisies de succès illimité, de pouvoir, de splendeur, de beauté ou d'amour idéal ;*
- *Il pense être « spécial » et unique et ne pouvoir être admis ou compris que par des institutions ou des gens spéciaux et de haut niveau ;*
- *Il éprouve un besoin excessif d'être admiré ;*
- *Il pense que tout lui est dû : s'attend sans raison à bénéficier d'un traitement particulièrement favorable et à ce que ses désirs soient automatiquement satisfaits ;*
- *Il exploite l'autre dans les relations interpersonnelles : utilise autrui pour parvenir à ses propres fins ;*
- *Il manque d'empathie : n'est pas disposé à reconnaître ou à partager les sentiments et les besoins d'autrui ;*
- *Il envie souvent les autres, et croit que les autres l'envient ;*
- *Il fait preuve d'attitudes et de comportements arrogants et hautains. »*

En France, les psychanalystes n'utilisent pas en général ces références, qu'ils trouvent proches de l'étiquetage. Les professionnels de cette obédience (la psychanalyse) ne sont d'ailleurs pas nécessairement psychiatres ou psychologues et le vocable utilisé pour nommer les manipulateurs ou les personnalités narcissiques est PERVERS NARCISSIQUES (PN).

Pour ma part, je pense que le terme MANIPULATEUR, utilisé en Amérique du Nord, est plus explicite pour le grand public. Comprenez qu'il s'agit du même profil.

Volontairement, je continue d'utiliser le terme « manipulateur », qui est mondialement reconnu comme désignant un individu au fonctionnement pathologique qui provoque de nombreux dégâts autour de lui tout en faisant croire qu'il est un ange !

Les obstacles au repérage

La plupart des victimes de manipulateurs que je rencontre dans le cadre de mon métier et d'autres qui m'écrivent ont du mal à se pardonner de ne pas avoir vu plus tôt, compris plus tôt…

Hommes ou femmes, beaucoup de ces victimes ont fait preuve d'intelligence, de conscience, de persévérance dans divers domaines de leur vie. La plupart sont diplômées et exercent des professions ou des fonctions élevées, voire prestigieuses. Les témoins cités dans le présent ouvrage le sont aussi, par conséquent. Tous ont un point commun : ils ont ouvert les yeux à la lecture de mes deux précédents ouvrages sur le sujet des manipulateurs, à l'instar de Sabrina :

En quête d'un livre sur le sujet des manipulateurs dont un ami me parlait par hasard, je découvris votre travail. Le choc a été pour moi d'y lire la description de ma mère ! Ça a été un vrai déclic. J'avais enfin la sensation de pouvoir expliquer, du moins en partie, mon passé familial. La psychopathologie de ma mère expliquait nos difficultés relationnelles. Cette révélation a été mon moteur pour soigner mon propre état psychologique en psychothérapie, ce qui m'a fait progresser sur la voie de la guérison. Aujourd'hui, à 32 ans, je continue à lire régulièrement des livres sur la psychologie et à travailler chaque jour avec plus ou moins de succès à soigner les séquelles de mon enfance pour éviter de retomber dans mes travers.

Enfin des mots sur ce qu'elle vivait ! Des mots sur l'indicible… Le rideau s'ouvrait : « Bon sang ! Comment n'y avais-je pas pensé ? C'est l'autre qui est malade ! »

Les morceaux de puzzle étaient sur la table : il n'y avait qu'à les rassembler ! C'était si simple, si évident !

Eh bien non. Si c'était si évident, si clair à notre esprit, que ces attitudes, ces propos fous, aberrants, décalés, ces culpabilisations, ces dissimulations, etc. étaient tous des éléments du puzzle, nous aurions tous déjà eu l'idée qu'une image, qu'une représentation définie, précise et logique, devait en sortir. Même des victimes médecins, dont une part de la pratique est d'établir un diagnostic, n'ont pas réalisé qu'un signe pouvait faire partie d'un tout et qu'il fallait chercher les autres pièces.

Pourquoi tant d'aveuglement ?

Il y a plusieurs réponses à cette question. Voici les raisons que j'ai le plus souvent constatées au cours de mes 20 années de pratique.

Saviez-vous qu'ils étaient parmi nous ?

Qui, parmi vous, avait entre les mains la description de la personnalité narcissique du DSM IV, les 30 caractéristiques du manipulateur ou la description du pervers narcissique ? Qui savait, l'avait appris et n'en a pas tenu compte ?

Une partie de ma clientèle sont des professionnels de la santé mentale. Ils sont psychologues, médecins, psychiatres, paramédicaux, infirmiers, psy, mais personne ne savait... Pour ma part, je n'ai pas eu un enseignement sur les personnalités narcissiques. Jamais. Lors de mes études, les autres étudiants et moi n'avons pas été prévenus que nous allions recevoir en consultation des personnes profondément atteintes par la présence quotidienne d'une personnalité narcissique. Nous n'avons pas été alertés. Encore actuellement, des médecins, des psychologues, des psychothérapeutes et des psychiatres n'ont pas cette information. On ne leur a pas enseigné. Et malheureusement, seuls quelques-uns continuent de se former en lisant les ouvrages et les articles des confrères qui publient leurs découvertes et leurs réflexions. Les patients ne savent pas que tous les professionnels de la santé ne se mettent pas au courant des dernières découvertes.

Le manipulateur paraît normal...

Une autre réponse sérieuse qui explique l'aveuglement sur l'aspect psychopathologique de celui qui est censé vous aimer réside dans le mode typique de l'expression de cette pathologie, justement. Le manipulateur paraît tout à fait normal ! Un témoin en parle :

Ma mère n'est pas manipulatrice en permanence. Certains jours, elle peut se montrer parfaitement normale et naturelle, et donc je me demande si ce n'est pas moi qui me fais des idées. Je me dis alors que ce n'était pas la peine de s'arc-bouter ! J'arrive avec ma méfiance et puis je repars en doutant. Parfois, la pitié reprend le dessus...

La sphère intellectuelle et la sphère sociale ne sont pas endommagées dans la personnalité narcissique. Au contraire, les manipulateurs vont s'en servir !

Un manipulateur est normalement intelligent. Son quotient intellectuel n'est pas touché. Certains sont même surdoués. D'autres peuvent être un peu stupides (sans que leur entourage ne le décèle pendant des décennies). D'un point de vue social, tous les codes sont connus et intégrés chez un manipulateur, homme ou femme. Une femme manipulatrice sait coordonner son rouge à lèvres à la couleur de ses vêtements et l'homme manipulateur offrira des fleurs (et non une boîte à cigares) à une femme qu'il veut séduire ou remercier. Autrement dit, une personnalité narcissique, pourtant pathologique, est intégrée dans la société, « comme tout le monde » !

Pourquoi donc douter de sa normalité ? Les manipulateurs qui sembleraient non adaptés ont couramment un autre trouble associé. Soit un autre trouble de personnalité, comme la paranoïa par exemple, soit un trouble moins grave, tel que la phobie sociale ou le trouble obsessionnel compulsif (TOC). Mais cela ne concerne pas les sujets qui nous intéressent ici.

Ce à quoi vous voulez croire...

La question de vos croyances arrive en première ligne dans cette description des obstacles à votre lucidité. Je ne parle pas tant des croyances religieuses que des croyances sociales. Ces dernières sont certes induites par nos parents, qui nous transmettent ce à quoi ils croient, mais surtout par l'ensemble de la société dans laquelle nous sommes élevés. La nation, la culture, la religion, le milieu socioéconomique, l'époque et ses mœurs, les positions politiques de la famille et notre genre sexuel (homme ou femme) vont énormément influencer notre système de croyances. Évidemment, une ou des expériences personnelles peuvent aussi nous conduire à nous prononcer sur l'état du monde ou sur nous-mêmes, voire sur le futur...

Cet ensemble de croyances, de pensées automatiques, d'interprétations, de monologues et de dialogues intérieurs et de schémas se nomme **cognitions**. En bref, les cognitions représentent ce que nous nous disons, consciemment ou non, nos principes et croyances plus ou moins profondes.

Prenons l'exemple de Martine, qui a pris soin de noter ses émotions et ses pensées en cascade déclenchées par la situation suivante :

Je vois que j'ai reçu un message de ma mère sur ma boîte vocale alors que je n'ai pas pris de nouvelles depuis trois ou quatre jours. Avant l'écoute du message, je me sens anxieuse (intensité : 7/10), coupable (entre 8 et 9/10), mal à l'aise (7/10) et j'ai le sentiment de ne pas être libre (9/10).

Je me dis, en fait (cognitions) : « Ma mère va sûrement s'arranger pour savoir où je suis. Elle va prononcer une phrase pour me faire sentir coupable de ne pas la voir assez souvent. Elle va penser que je ne suis pas gentille. Elle va avoir des ressentiments à mon égard. Elle est peut-être triste et c'est de ma faute. Le pire, c'est le dimanche. Mon père ne l'aurait jamais gardée à distance ni négligée. Il était dévoué, compatissant, plein d'empathie. Je DOIS être comme lui, avoir pitié des personnes âgées, dépendantes, c'est obligé. Je ne dois pas penser à mon bonheur d'abord. Ma mère me guette pour deviner si je ne fais pas semblant, si je ne lui cache pas quelque chose. Elle se méfie. Je suis piégée. »

Le manipulateur connaît autant que vous les codes de bonne conduite en société. Il observe sans effort votre obéissance à ces règles. Il repère très vite ce qui vous tient à cœur. Il repère votre moralité, votre droiture, vos valeurs sociales et personnelles, vos principes, vos doutes, vos limites, votre propension à la culpabilité, votre peur de déranger, celle de vous mettre en avant, celle de juger. Il capte si vous êtes perfectionniste, si vous redoutez que les gens vous jugent mal, mais aussi si vous êtes sensible au malheur d'autrui, et bien d'autres traits de personnalité. La particularité de toute personnalité narcissique est qu'elle utilisera ses observations pour les retourner contre vous afin de se valoriser. Elle est capable d'affirmer des inepties à votre endroit totalement fausses afin de vous déstabiliser. Mais ce n'est pas le véritable objectif : vous dévaloriser, vous déstabiliser, vous rendre furieux, nerveux, anxieux, effondré n'est qu'un moyen ! Le fait qu'il soit capable de créer une telle réaction chez autrui (et dans des groupes familiaux, par exemple) rend cet individu puissant. Il ressent alors la jouissance du pouvoir d'influence. Il la recherche au détriment du calme, du bonheur, de la joie partagée et de l'harmonie… La personnalité narcissique a l'immense pouvoir de déséquilibrer tout cela et de créer des émotions négatives chez autrui en quelques secondes !

Pour quelles raisons ? Pour **se renforcer sur le plan narcissique**. Uniquement pour se donner l'illusion, temporaire malheureusement, qu'elle est supérieure aux autres, et ce, même vis-à-vis de son conjoint et de ses propres enfants…

Ainsi, pour en revenir aux croyances que distille la société, celles qui consistent à dire que « les parents veulent le meilleur pour leurs enfants» ou encore que «les parents souhaitent toujours que leurs enfants fassent mieux qu'eux» sont erronées dans ce contexte.

Nombreux sont les enfants ayant grandi sans remettre en question ces adages, malgré les multiples preuves de non-amour de la part d'un parent et de sabotage de leur réussite future. Vous pouvez passer des décennies à attendre une confirmation de votre croyance de base («Un parent est d'abord un parent. Il ne peut que vouloir le mieux pour ses enfants») sans jamais l'obtenir.

Les **schémas cognitifs** sont aussi des cognitions. Certains sont déjà formulés de façon à vous enfermer dans des registres stéréotypés et systématiques de comportements. Le schéma cognitif est profond et non conscient. Cela veut dire qu'il est sous-jacent à d'autres croyances, puis à d'autres pensées automatiques.

Deux de ces schémas cognitifs, répertoriés par Albert Ellis et repris dans l'excellent ouvrage de Lucien Auger[2], *S'aider soi-même*, sont des aimants à manipulateurs.

Le premier schéma, que je vais appeler le schéma n° 1, se formule ainsi: «**Il est indispensable pour un adulte d'être aimé, approuvé, estimé et apprécié par toutes (ou presque) les personnes, importantes ou pas, de son entourage.**»

Si vous avez eu ou si vous avez encore ce schéma de pensées, votre besoin de ne pas déplaire est aussi primordial. Imaginer qu'il faut être aimé par presque tout le monde (même des manipulateurs, donc) pour exister, vous fait obéir à une série d'autres croyances telles que:

- Plaire, c'est ne pas déplaire.
- Exprimer ses besoins propres, ses limites, ses refus, ses griefs, ses contre-arguments rend déplaisant.
- Si nous sommes déplaisants envers l'autre, cela lui est insupportable.

2. Lucien Auger, *S'aider soi-même*, Éditions de l'Homme, 1974.

- Ce qui est insupportable pour l'autre va générer un conflit.
- Un conflit va fort probablement mener à une rupture.
- Une rupture n'est pas supportable.
- Si l'on exprime ses besoins (demandes), ses refus, ses griefs (critiques), ses avis, cela est insupportable pour l'autre et la rupture n'est pas loin.

Quelle est la conséquence directe de ce schéma cognitif (n° 1) ? Vous n'osez pas (vous ne savez pas) vous affirmer. Tant mieux pour le manipulateur ! Il n'aura pas d'obstacles à ses *desiderata*…

Le deuxième schéma cognitif, qui est une vraie friandise pour les manipulateurs, se formule ainsi : « **Il faut être profondément compétent et capable d'atteindre ses objectifs dans tous ses aspects positifs pour pouvoir se considérer comme valable.** »

Il s'agit du schéma du perfectionnisme. Les véritables perfectionnistes sont très compétents dans leur domaine. Professionnellement, on peut s'attendre à ce qu'ils comblent les lacunes de leurs associés, collègues, collaborateurs ou supérieurs hiérarchiques. Le manipulateur fait croire qu'il est parfait en tout sans jamais avoir accompli de prouesses en rien ! Huit manipulateurs sur dix sont carrément incompétents, même dans leur travail ou à leur poste. Heureusement donc que quelques-uns de leurs proches sont, eux, de vrais perfectionnistes !

En famille, plus le manipulateur hurle sur son conjoint perfectionniste au moindre oubli ou à la moindre erreur exceptionnelle, plus il se donnera l'impression d'être lui-même parfait et donc incapable de produire une telle erreur. Le perfectionniste, lui, se sentant déjà coupable d'une quelconque maladresse, rentrera penaud dans sa coquille ou, au contraire, criera de plus belle pour se justifier et tenter de se défendre.

Les schémas résumés comme suit : « il faut absolument être aimé par tous » et « il faut être parfait pour être valable » sont déjà en eux-mêmes pénibles à vivre à cause de leurs conséquences au quotidien. Des parents qui se comporteraient selon ces schémas vont nécessairement les transmettre à leurs enfants. Ces derniers modélisent ce qu'ils observent et apprennent de leurs parents ou de l'un des deux. Un parent manipulateur incitera son enfant à se faire apprécier des autres (quels que soient ses besoins) plus que nécessaire. D'une part, cela sert son image de bon parent. D'autre part, l'enfant devient plus malléable et exploitable à souhait. Il en est de même avec le schéma du perfectionnisme.

Le comble est que le parent manipulateur ne se conforme, à mon avis, à aucun de ces deux schémas ! Par ses remarques désagréables, ses expressions appuyées d'étonnement si vous oubliez quelque chose, ses évaluations douteuses, il vérifie en quelques secondes si vous êtes détenteur de ces failles. Il peut faire penser que ces croyances font aussi partie de son système de valeurs, mais il n'en est rien. Alors qu'ils l'exigent de leur enfant, très peu de manipulateurs sont réellement perfectionnistes. Ils ont l'art de faire croire qu'ils ont de grandes exigences, mais si on les observe bien dans leur vie quotidienne, ils ne sont pas exigeants envers eux-mêmes ! Les proches, tels que le conjoint et les enfants, peuvent progressivement le découvrir.

Le manipulateur est doué pour exprimer de beaux propos généralistes, de grands principes humanistes, des règles sociales respectueuses d'autrui ou de l'environnement, et par ailleurs les mépriser. Le plus important reste son image sociale ! Il s'efforcera d'adopter des comportements appropriés en société afin de se faire apprécier sur le moment des gens de l'extérieur (des voisins, des parents d'élèves, lors d'une soirée, etc.) Cela se vérifie aussi pour les membres éloignés de sa famille.

Vous croyez que l'amour peut sauver l'autre

Un autre schéma de pensée, qui n'est pas source de tension cette fois, existe chez certaines victimes de manipulateurs : « Il faut se montrer aidant, disponible, à l'écoute de toute personne qui exprime de la détresse ou du malheur. » On appelle cela le **syndrome du sauveur.** Il n'est pas contextuel : il agit quelles que soient les circonstances et n'est pas une pathologie. Il s'agit d'un excès de compassion et d'empathie pour toutes les personnes et parfois même le monde animal. Celui ou celle qui est doté du syndrome du sauveur ne ressent pas comme un effort particulier le fait de s'occuper d'autrui dans le besoin.

Une fois que l'on s'est mis à la place de l'autre, le comportement logique est d'être présent physiquement, financièrement, émotionnellement ou d'une autre manière, auprès de tout individu qui semble nécessiteux. Manipulateurs compris ! Dans une famille, on peut ainsi se sacrifier pour aider un parent manipulateur. Ce dernier a tout loisir de sortir sa carte « je suis la victime » lorsqu'il lui semble opportun de le faire. Vous ne faites pas la différence entre un vrai besoin chez l'autre et un simple désir de soulagement. Vous rendez service, vous aidez, vous vous déplacez, vous suspendez votre repos, vous donnez de l'argent… Tout parent manipulateur abusera de ce potentiel énergétique positif que vous possédez. Il usera de propos plaintifs, voire culpabilisants, et osera avancer **la notion « d'abandon »** pour vous faire céder.

Dans ce cas fort fréquent, je vous recommande de vous poser alors une question de base par rapport à *l'abandon* : « Qu'est-ce qui définit un réel abandon ? » Selon le bon sens, nous pouvons dire que nous n'avons pas le droit d'abandonner consciemment tout enfant ou adulte incapable d'assumer seul ses soins d'hygiène et alimentaires ainsi que sa propre sécurité. Il existerait alors un risque vital si la personne qui requiert des soins et de l'attention restait totalement seule pendant plusieurs heures (un petit enfant, par exemple) ou plusieurs jours (un adulte qui ne peut se déplacer dans son domicile, ni pour se faire à manger ni pour aller aux toilettes, par exemple).

Ainsi, lorsqu'une personnalité narcissique n'hésite pas à vous accuser « d'abandon » de sa personne, posez-vous la question s'il s'agit vraiment d'un cas d'abandon comme nous venons de le décrire. Ce vocable est très significatif et il n'est pas utilisé par hasard.

Se libérer du syndrome du sauveur, c'est revendiquer le droit de vous occuper ailleurs et de vous préoccuper d'autres intérêts qui vous tiennent à cœur (votre profession, votre conjoint, vos propres enfants, l'intendance de la maison, votre temps de récupération, etc.).

Vous avez espoir que le beau temps revienne...

Le manipulateur crée le chaud et le froid ; si bien qu'après avoir eu une attitude anormale pendant deux heures, **il redevient soudain chaleureux et gentil**. Le principal de la manipulation se tient ici. Le principal de sa pathologie aussi !

Il subit un déséquilibre émotionnel constant. Ses discours opposés à quelques minutes ou quelques jours d'intervalle, ses attitudes chaleureuses et généreuses sont soudain entrecoupées de glacials épisodes comportementaux d'indifférence totale ou de rejets incompréhensibles...

Étrangement, les victimes ne détectent pas la **récurrence de ces cycles** sur des décennies. Une pathologie de personnalité n'est pas déclenchée par un stress, la météo ou un problème hormonal (en tout cas, ce n'est pas prouvé pour le moment). **Cette pathologie n'est pas temporaire.** Elle n'est pas liée à des éléments extérieurs (contrairement au fait que le manipulateur utilise comme arguments des justifications externes à son comportement et à ses décisions). **Son problème existe depuis longtemps** (depuis l'enfance, selon mes observations, et quel que soit le contexte de son éducation).

Une personnalité narcissique ne change pas fondamentalement. Elle passe d'un comportement appréciable à un autre détestable (ou qui nous interroge) mais elle ne se guérit pas avec les moyens psychiatriques ou médicaux que nous avons actuellement. Ni même religieux ou spirituels.

Les victimes n'ouvrent pas les yeux spontanément, elles ont besoin qu'on les éclaire. La raison est simple : elles gardent l'espoir que cette personne proche et qu'elles aimaient au départ change ! En effet, pourquoi ne pourrait-elle pas devenir définitivement calme, attentionnée, gentille, chaleureuse, aimante, sociable, aidante puisqu'elle sait l'être parfois ?

La réponse à cette question va peut-être vous surprendre : oui, ces personnes savent être tout ce qui est dit précédemment… mais elles en tirent à ce moment-là un bénéfice narcissique ! Elles ne sont pas généreuses spontanément. Elles savent l'être quand cela les arrange : elles savent à qui elles vont offrir un dîner dans un restaurant de fruits de mer et à qui elles vont proposer une pizzeria. Rien n'est gratuit quand un manipulateur se montre généreux. Ne vous en déplaise, il ne s'agit que d'un comportement fort facile à produire pour n'importe quelle personnalité de ce type (sans autre pathologie associée).

Les victimes ne réalisent souvent pas qu'il s'agit d'un problème constant qui va durer toute la vie du manipulateur parce qu'elles gèrent les difficultés au coup par coup, avec l'espoir qu'après le froid, le chaud revienne… Or, c'est exactement ce qui va se passer avec une personnalité narcissique !

Et ce cercle vicieux peut durer votre vie entière sans que vous vous aperceviez qu'il est destructeur puisque les cycles reviennent constamment.

Ils ont des qualités avantageuses

Par ailleurs, les personnalités narcissiques ont des qualités. Avez-vous remarqué qu'elles sont rarement liées aux efforts faits pour autrui ? Par exemple, leur profession est prestigieuse ou très rémunératrice, ils pourraient être de grands artistes, des personnes originales, très cultivées, intelligentes, poètes, qui savent bien s'exprimer, qui ont de la prestance, du charisme, qui sont de grands organisateurs, qui savent voyager, des intellectuels, etc. Et vous admirez ces aspects de leur personnalité...

Sans vous en rendre compte, vous allez vous accrocher à ces qualités en oubliant totalement les contreparties. Ne voyez-vous que ce que vous voulez voir ?

L'autre parent tolère la relation toxique

Les victimes ne se confirment pas la réalité pathologique d'une situation familiale quand un des parents est manipulateur et que l'autre parent reste ! Le caractère fou de la personne et de la situation n'est pas dénoncé par l'autre parent (qui doute lui-même de ce caractère anormal et qui, le plus souvent, s'attribue la faute du dysfonctionnement du couple, par manque d'estime personnelle). De plus, le caractère immature, voire infantile, du manipulateur, rend le conjoint moins prompt à plier bagage avec ses enfants !

Dans la perception des enfants, quand l'autre parent accepte cette situation, ils peuvent facilement interpréter que cela va suffisamment bien, que c'est ainsi dans toutes les familles (ou dans tous les couples) ou bien encore, que c'est supportable...

Gilles en témoigne :

Je m'occupais de mes enfants beaucoup plus que ma femme, et mes enfants discutaient davantage avec moi qu'avec elle. Elle en était jalouse. Elle est manipulatrice et je suis en instance de divorce depuis 11 mois. Depuis bientôt un an, je n'ai pas vu mes enfants car elle les a emmenés et m'accuse d'un crime d'inceste sur eux (elle l'a inventé) ! Je souffre de ne plus voir mes enfants. Et je souffre de plus en plus de réaliser qu'elle m'a toujours manipulé. Ma femme est atroce. Elle semble être contente de ce qu'elle me fait vivre. Pendant notre vie commune, elle disait : « Je te ferai payer tout ce que tu me fais vivre». Je cherche toujours de quoi elle voulait parler; me faire payer quoi? Comme un con, j'ai toujours essayé de faire comprendre à mes enfants que leur maman avait du travail, qu'elle était fatiguée et qu'il était normal qu'elle dorme en plein après-midi ou ne mange plus le soir avec nous... Quelle honte!

Une victime résiste avant de déclarer que l'autre est anormal ou pathologique parce qu'elle est engluée dans une énorme culpabilité. Parfois même sans le savoir. La culpabilisation est l'une des plus grosses ficelles des manipulateurs. Elle fonctionne toujours aussi bien à travers les âges et quelle que soit la culture. La culpabilisation est un moyen fort simple d'obtenir le comportement qu'on désire chez l'autre. Elle ne peut fonctionner qu'à une condition: que l'autre se sente coupable.

Or, dans une famille, un parent manipulateur a toute la latitude et tout le temps nécessaire pour «former» ses enfants à se culpabiliser. Puis un jour, à la préadolescence peut-être, l'enfant se culpabilisera de tout et de rien... tout seul! Le parent manipulateur aura ainsi accompli cette mission sans encombre. Un obstacle cependant peut surgir: si l'autre parent réalise l'usage de ce procédé et parle chaque fois à l'enfant pour empêcher le sentiment de culpabilité. Mais combien de conjoints ont ainsi réussi à protéger leurs enfants? La plupart des conjoints de personnalités narcissiques ont eux-mêmes une propension à la culpabilité. Ils peuvent aussi la transmettre par modélisation involontaire à leur progéniture.

Martine pense à l'influence de son père:

Ma mère n'est pas une manipulatrice méchante, mais je ressens sa manipulation plus forte qu'elle ne l'est en réalité. Mon père m'a si bien inculqué ses principes (qui venaient du cœur) de gentillesse, de pitié, d'assistance aux personnes plus faibles, de générosité, de famille soudée, de compassion, d'empathie et que sais-je... que ma situation (ou mon ressenti) de manipulée s'en est grandement aggravée. Mon père, qui était la bonté même, l'a complètement assistée toute sa vie. Elle a donc mené une vie totalement passive et inactive. Assistée au point que lorsque mon père est décédé, j'ai été désignée par la force des choses pour le remplacer dans la logistique matérielle et pratique de la famille. Ma mère a trouvé cela tout à fait naturel, étant donné son incapacité à tout. Si mon père n'avait pas autant ménagé et assisté ma mère, s'il l'avait bousculée, ma mère aurait peut-être évolué ? Et nous aurions eu un autre exemple parental. Mais il se peut qu'il ait essayé sans succès. Nous ne le saurons pas.

Un manque d'esprit critique ou une peur de l'assumer ?

Des victimes de parents manipulateurs ont cessé (ou peut-être n'ont jamais commencé) de faire confiance à leur esprit critique. Une petite anecdote vient de se produire devant moi lorsque j'écrivais au bord d'une piscine publique. Un enfant de 11 ans tentait de justifier une petite dispute avec son frère à son père. Ce dernier ne cessait de répéter en boucle, l'empêchant ainsi de s'exprimer : « Tais-toi ! Tu as tort ! Tu as tort ! De toute façon, tu as tort ! » L'enfant abandonna son argumentation assez rapidement et alla pleurer sur une chaise. Pendant les deux jours où je côtoyai cette famille, le père continua à communiquer avec ce fils sur le même registre. Ce dernier avait une explication personnelle à donner mais son père lui signifiait : « On s'en fiche, on ne veut pas de ton explication ! » La mère n'intervenait pas. Qui dit qu'un jour ce garçon, las de se battre pour s'exprimer, ne doutera pas systématiquement de ses perceptions ? Et peut-être grandira-t-il avec ce doute ?

Selon votre histoire personnelle, vous avez ou non développé votre esprit critique. Faites-vous confiance en vos propres perceptions ? Osez-vous assumer vos opinions ? Osez-vous dire que « ceci n'est pas normal » ? Car il s'agit effectivement bien de cela :

juger. Certains environnements sociaux, certaines religions, certaines philosophies embrassées au cours de la vie adulte vous ont peut-être appris qu'il était mal de juger...

Le comble est qu'un parent manipulateur peut vous élever en faisant montre de deux comportements contradictoires : il ne cesse de juger tout et tout le monde (à l'emporte-pièce, donc sans vraie argumentation logique) mais refuse votre propre jugement !

Ainsi, bon nombre de victimes de manipulateurs, quel que soit le contexte, craignent de mal juger si elles affirment : « Ceci est anormal ! » Ce livre a aussi l'objectif de combler cette lacune. Mon intention est de répertorier un certain nombre de choses totalement anormales dans une famille. Ma seule restriction est de ne parler que des critères liés aux parents manipulateurs (pervers de caractère inclus). Je ne décris pas les autres formes de maltraitance que les services sociaux connaissent bien.

Autrement dit, pour déceler une personnalité pathologique et dangereuse pour l'équilibre des individus qui se trouvent à proximité, vous devrez passer par deux étapes : **observer puis juger.**

Certes, les lectures sont sûrement indispensables pour comprendre des phénomènes perturbants, mais il n'en reste pas moins que votre introspection est la base de vos réponses à la question : « Pourquoi n'ai-je rien vu ni compris si longtemps ? » Ce que j'ai énoncé précédemment comme des raisons récurrentes chez les nombreuses personnes qui me consultent à ce sujet depuis plus de 20 ans, sont sûrement plausibles dans votre cas. Cependant, d'autres réponses judicieuses dans votre histoire vont émerger de votre conscience.

Récapitulons donc les diverses réponses possibles à la question : « Pourquoi tant d'aveuglement ? »

- On ignore l'existence de ces personnalités.
- Le manipulateur paraît normal.
- On donne de l'importance aux croyances sociales de respect, de soutien, d'engagement, de devoir et d'entraide, et on ressent le besoin de démontrer que l'on est une bonne personne.
- On ressent le besoin d'être apprécié par tous.
- On ressent le besoin d'être parfait en tout.
- On a le syndrome du sauveur.
- On cultive l'espoir que la personne change enfin.
- On est attaché aux qualités réelles que présente la personne.
- On ressent de la culpabilité sous diverses formes (se sentir redevable en est une).
- On voit que l'autre parent reste avec le parent toxique, comme si c'était supportable.
- On manque de confiance en nos perceptions.
- On a peur d'oser dire que « c'est anormal » (ce qui est une forme de culpabilité).

Selon moi, les deux raisons principales sont, d'une part, l'ignorance de l'existence d'une telle pathologie (ou bien l'envie de garder l'illusion que de telles pathologies psychiques n'existent pas !) et, d'autre part, vos croyances.

Votre niveau d'intelligence n'intervient en rien dans votre faculté à déceler les formes diverses de manipulation mentale qu'un parent peut exercer sur vous. Pour preuve, les personnes qui présentent un haut potentiel intellectuel (QI élevé) sont des proies courantes et malheureuses des personnalités narcissiques. Ce n'est qu'une fois que vous aurez été informé sur ce sujet que votre intelligence sera précieuse.

Le manipulateur surfe sur les cognitions sociales reconnues et acceptables. Il agit et interagit avec autrui sur un mode affectif. Il arbore des conceptions ou des attitudes si irrationnelles que vous avez de la difficulté à vous extraire rapidement de la confusion mentale dans laquelle il vous met. Il génère chez vous des émotions négatives puissantes, tout en faisant croire que vous les créez vous-même ! Il sait aussi générer des émotions positives, ce qui vous replace dans le doute de sa toxicité. Il y a autant de chances que vous réagissiez par l'émotion qu'il y a de proximité dans vos liens affectifs et sentimentaux.

Seule la distance affective vous sauvera. Pas votre intelligence, malheureusement…

CHAPITRE 2

L'art de détruire ce qui rend heureux

Les parents à personnalité narcissique partagent tous une émotion intrinsèque à leur état : la jalousie envers le bonheur de leurs enfants. Cette jalousie va se manifester de façon surprenante, violente, irrationnelle, mais aussi... détectable de multiples façons. Nous examinerons comment cette forme de sabotage peut affecter votre quotidien ou celui de votre entourage.

Des ondes négatives

L'unanimité des victimes de personnalités narcissiques se fait autour d'une notion observée mais pas encore totalement expliquée scientifiquement, celle des ondes négatives. Tout manipulateur génère, par sa simple présence, un sentiment de gêne, de manque de liberté pour s'exprimer ou agir à sa guise.

Certaines personnes en ont une conscience immédiate et d'autres non. Il arrive que cette perception apparaisse dans les premières secondes de contact, alors qu'elles n'ont aucun *a priori* sur l'individu.

De quelles « ondes » s'agit-il ? D'ondes électriques ? Magnétiques ? D'ondes d'une autre nature ? De l'émission de substances chimiques ? De la même manière que l'on peut capter la bonté et la compassion intrinsèques d'une personne, qu'est-ce qui nous fait dire ici qu'il s'agit d'ondes négatives ? Quand on ne connaît pas une personne, cette perception intuitive est mystérieuse.

En revanche, si vous ressentez une dynamique familiale plombée par les ondes négatives d'un de ses membres, il y a des chances que l'explication se trouve aussi dans la somme des comportements et des propos négatifs accumulés. La répétition d'expériences et de sentiments désagréables crée le conditionnement. Et là encore, tous les conditionnements ne sont pas perçus consciemment.

Or, pour échapper à l'emprise de tout manipulateur, la première étape indispensable est la prise de conscience de votre sensation, puis de votre sentiment de malaise. La sensation s'inscrit dans le corps physique. Le sentiment est issu des émotions et il est traduit mentalement. La prise de conscience de l'instant ou d'une situation relie les deux. Se dire «je me sens ridicule» est un sentiment. Il est mental. Il s'associe souvent à une émotion telle que la honte ou la culpabilité dans l'exemple présent. Une constriction de l'œsophage, une brûlure à l'estomac et une contraction de la mâchoire sur des dents qui se serrent sont des sensations.

Jusqu'après l'adolescence, l'enfant peut difficilement nommer ses sensations et ses sentiments. Il peut difficilement répondre de façon précise à la question : comment te sens-tu ? Soit il ne répond pas, soit il répond de façon floue («Je me sens mal»), soit il énonce ce qu'il croit que l'adulte désire entendre (« Ça va »), soit il prononce la phrase à laquelle il pense mais qui ne répond pas à la notion d'une émotion, mais plutôt à celle d'une pensée (« Mon père dit tout le temps que je ne suis pas son fils pour être aussi con ! »), soit encore il décrit une situation mais de façon factuelle, sans émotions. En revanche, à l'âge adulte, il aura la capacité d'utiliser un vocabulaire approprié pour décrire ses sentiments d'alors, même si les événements datent de plusieurs décennies. Les sensations sont courtes (sauf en cas de symptômes devenus chroniques) et l'adulte n'en a pas nécessairement mémorisé les aspects ni leurs localisations corporelles. À vrai dire, la mémoire du sentiment et de l'événement nous intéresse davantage *a posteriori*.

Tatiana parle de ses sentiments vis-à-vis de son père :

J'ai toujours eu, même très jeune (à deux ans), une distance par rapport à lui, mêlée à de la peur, comme si j'avais toujours senti que cet individu était anormal.

Difficile dès lors d'être totalement serein en présence d'un parent que l'on perçoit si jeune comme anormal.

Dans la famille, contrairement au milieu social, cet instinct se confirme par l'observation et l'expérience renouvelée tous les jours.

Tatiana devenue adulte, poursuit :

Il n'y a jamais eu d'énergie positive. L'ambiance reflète quelque chose de « lourd » lorsqu'il est là. Avec ma mère, on se sentait piégées, car il ne fallait pas faire de bruit, il fallait s'adapter à lui, à son rythme. Il ne demandait jamais si on avait envie de faire ce que lui voulait faire. J'ai toujours ressenti une lassitude et une certaine fatigue en sa présence.

Autrement dit, j'avais toujours des émotions négatives en sa présence. Il fallait contrôler sans arrêt nos gestes pour ne pas qu'il s'énerve. Je me sentais sous pression. Sa présence me cuisait à petit feu… J'étais soulagée lorsqu'il s'absentait et à nouveau sous contrôle lorsqu'il revenait. J'étais souvent triste.

Voici ce que peut ressentir un enfant qui ne peut tout exprimer à son âge…

Des fêtes familiales sous haute tension

Le jour de Noël ou la veillée est un jour maudit quand on a un manipulateur dans sa famille ! L'ambiance est tendue. Chacun surveille ses paroles et ses comportements afin de ne pas réveiller d'émotions négatives. Cet autocontrôle n'est que moyennement efficace puisque, chaque année, personne ne retire ni bonheur ni bons souvenirs de ce jour traditionnel. Et chaque année, à l'approche de cette fête, l'anxiété augmente, au point que certains enfants devenus adultes préparent des stratégies d'évitement.

Denis se préserve maintenant du réveillon de Noël :

Ma mère dit qu'elle aime recevoir de la famille à Noël, mais quand je suis là le 24 décembre au soir, elle pleure (parce que je lui rappelle sans agressivité que je n'aime pas le foie gras d'oie, par exemple). Chaque fois, j'ai l'impression que c'est moi, ma personne, qui suis à l'origine de ses pleurs. En réalité, elle fait la même chose quel que soit mon comportement ! Je suppose que je lui rappelle mon père, qui ne supportait pas les Fêtes et était triste à chaque Noël. En effet, elle pleurait aussi le 24 décembre au soir avant la mort de son mari sans que je sois impliqué – c'était alors son comportement à lui qui semblait la cause des pleurs…

Comme je me sens coupable, depuis quelques années, j'ai tout de même le bon sens de refuser de venir pendant les Fêtes. Ainsi, j'évite la scène des pleurs !

Ceux qui n'ont pas de parents manipulateurs peuvent s'étonner qu'on ne puisse pas s'efforcer de rendre cette unique journée harmonieuse. Les enfants et le conjoint du manipulateur le font ! Ils essaient pendant des dizaines d'années… Ils constatent que si chacun fait un effort, le manipulateur ne le fait que pour quelques heures ! Trois heures ? quatre ? À un moment ou un autre de cette journée, un micro-événement, voire un non-événement, va déclencher le bouton « émotion inadéquate » ou « propos provocateurs » chez le manipulateur. Et si le bouton n'a pas encore été déclenché à 16 heures, attendez 19 heures…

Pour rebondir sur le dernier exemple de Denis, il est courant que le parent manipulateur oublie étrangement votre aversion pour un mets alors que vous êtes son propre enfant et qu'il en est bien informé depuis des décennies ! Cela peut représenter le micro-événement dont je parlais.

Parfois, les enfants adultes concernés admettent encore difficilement après 40 fêtes de Noël la réalité paradoxale de ce jour de fête marquée par la désunion, la souffrance, l'ennui, la tension, l'hypocrisie ou la discorde. Inévitablement.

Consciemment ou pas, croyant éviter un an encore l'aspect inéluctable du malaise de ce fameux jour de Noël, chacun va adopter des « **comportements d'apaisement** », afin de ne pas « provoquer » le parent manipulateur. On apporte de bonnes victuailles à la qualité irréprochable, on arrive à l'heure, propre et bien habillé, on blague, on rit, on reste léger ; on évite tous les sujets qui fâchent et on reste superficiel mais joyeux en apparence. Ces évitements dits « **subtils** » limitent les probabilités de voir le volcan s'éveiller en pleurs ou en agressivité. Cela fonctionne plus ou moins bien. Disons qu'un bon nombre de membres de la famille sauve ainsi les apparences. Si cette journée vous semble bien se dérouler, vos comportements apaisants sont sûrement bien rodés, mais est-il possible que la véritable raison soit que vous ne restiez pas la journée tout entière ? D'autres ont décidé de ne plus fêter Noël en famille.

Françoise, dont les deux parents sont manipulateurs, raconte :

Depuis l'année dernière, j'ai décidé qu'il n'y aurait plus de réunions hypocrites de notre famille. Chacun avait alors dû ravaler sa fierté, le climat étant déjà plus que tendu avec ma mère et ma sœur. Mon mari et moi avions fait l'effort d'aller chez ma sœur pour les enfants. Mais cette soirée a été terrible. Après plusieurs mois sans se voir, tout semblait stérile, sans intérêt. Les discussions étaient minimales pour éviter tout éclat de voix ou discussion trop vive. On entendait les mouches voler. Je me suis juré de ne plus jamais subir cela, ni y contraindre mes enfants et mon époux !

Les autres fêtes ne sont pas en reste. Sabrina se souvient encore de la tournure qu'a pris l'anniversaire de ses 16 ans :

Je me sentais « coincée » dans ma famille, incapable de m'échapper de l'influence de mes parents et surtout celle de ma mère. Ce sentiment était d'autant plus fort que j'étais physiquement isolée des relations sociales, vivant loin de tous mes amis, sans transports en commun à proximité. Mes parents acceptaient rarement que j'aille les voir. À cette époque, je n'avais qu'une sensation partielle de cet isolement et c'est grâce à mon analyse ultérieure d'adulte que j'en suis arrivée à exprimer plus clairement ce sentiment. Alors que j'approchais les 16 ans, je me suis rendu compte que pour rompre l'isolement et gagner en liberté, il me fallait une mobylette. Connaissant mes parents, je savais que cette idée était utopiste, mais je décidai quand même de leur en parler. Au début ils refusèrent. Je revins à la charge plusieurs fois en donnant des arguments. À ma grande surprise, ils finirent par accepter ! C'était pour moi un moment extraordinaire : j'avais l'impression de pouvoir enfin évoluer ! Mon père et moi entreprîmes les démarches. Il m'acheta le livre sur le permis de conduire et vint avec moi chez différents concessionnaires avant de trouver la mobylette de mes rêves. J'avais même sa fiche technique en poster ! J'étais comblée. Lors de mon seizième anniversaire, mes parents m'ont annoncé qu'ils avaient une surprise pour moi. Comme vous pouvez l'imaginer, j'étais aux anges. Pour la première fois, mes parents avaient accepté une de mes demandes. Et c'est à ce moment-là qu'ils m'apportèrent une vieille bicyclette qu'ils avaient trouvée dans une brocante ! Pas un VTT neuf comme beaucoup de jeunes de mon âge avaient. Le mien était un ancien modèle vert pomme avec un panier en osier devant, style « grand-mère ». Pour une adolescente, l'apparence représente quand même quelque chose d'important. J'avais honte de ce vélo ! Je tiens à préciser qu'ils n'avaient pas choisi ce vélo à la place d'une mobylette pour des raisons financières. Mon père gagnait à lui seul un salaire largement supérieur à la moyenne, de quoi acheter à eux deux des voitures haut de gamme tous les trois ans et partir en vacances trois fois par an… Ils me dirent qu'ainsi, je pourrais me déplacer ! Sur le coup, j'étais tellement estomaquée que je ne leur demandai pas les raisons de ce brusque revirement. Ni ensuite. Je me sentais honteuse d'avoir osé leur demander égoïstement une dépense aussi conséquente ! Je me disais qu'ils m'avaient offert cette vieille bicyclette afin de me montrer à quel point j'avais essayé de profiter d'eux et que c'était tout ce que je méritais. J'avais toujours été élevée dans l'idée que mes parents avaient réussi sans l'aide de quiconque et que je devais m'en sortir seule. Leur demander quelque chose ou un service était considéré dans la famille comme une tentative de profiter d'eux ou d'abuser de leur gentillesse. Il me faut encore, à l'heure actuelle, un gros effort de contrôle de moi-même pour accepter l'aide de quelqu'un sans avoir l'impression de m'imposer ou de profiter.

Pour montrer que je n'étais pas ingrate, je fis une fois le trajet jusqu'à la maison de ma meilleure amie qui habitait à environ 15 km de chez nous. Le vélo n'avait pas de vitesses et était mal réglé. Les mécanismes étaient grippés et n'étant pas sportive, ce trajet a été pour moi un véritable calvaire. Le vélo n'est plus sorti de l'abri de jardin par la suite jusqu'à mon déménagement.

Si vous êtes attentif, vous observerez que les journées ou les soirées d'anniversaire se déroulant sur plusieurs heures ne se passent pas tout à fait avec sérénité. Le parent à la personnalité narcissique s'arrangera pour attirer l'attention sur lui ou pour créer un malaise, une tension, voire une dispute. Cela se passe en quelques secondes et peut se résumer à une remarque ou tout simplement une attitude inadéquate pour la situation. Il peut ne pas avoir correctement préparé l'événement (oubli des bougies, par exemple), ne pas avoir mis la table, avoir « oublié » de préparer un gâteau et acheté le dernier sur l'étal de la boulangerie d'à côté, présenter un gâteau de médiocre qualité, faire un cadeau tout à fait inapproprié, arriver en retard si cela se passe chez vous... Nathalie, elle, fêtait également ses anniversaires en famille restreinte, sans amis. Et lors de ses 21 ans, le choc fut concomitant, avec une surprise aberrante :

Sur le gâteau, ma mère avait inscrit : « Tu es majeure maintenant. » Le reste de ma famille en est restée bouche bée et ma mère, qui a senti le malaise, a rebondi par une pirouette. Je lui ai rappelé que la majorité était à 18 ans et que c'était franchement ridicule.

Célébrer votre **mariage** ou votre anniversaire constitue pour une mère manipulatrice un moment délicat. À ce moment, elle n'est plus au centre de l'attention ni de l'intérêt ! Je ne pourrais pas affirmer qu'elle est consciente des diverses émotions négatives qui la traversent, mais je constate qu'elle ne les atténue pas lorsqu'elles émergent. Se faire discrète en ce jour particulier lui semble presque insoutenable...

Françoise (qui a témoigné précédemment au sujet des célébrations de Noël en famille) a eu l'impression pendant longtemps que ses parents l'avaient beaucoup entourée pour son mariage. Cependant, en se remémorant un peu plus précisément la situation, elle réalisa sa confusion :

Il me revient d'avoir pleuré et vécu des moments très difficiles que j'attribuais au stress des préparatifs. Mais en grattant un peu, j'ai été énormément déçue par la non-implication de ma mère. La robe qui devait être financée par mes parents ne l'a pas été, finalement ! En revanche, ils ont invité tous leurs amis, y compris certains que je ne connaissais pas ! Pour éviter de nouveaux éclats, je me suis tue. Nous avons été livrés à nous-mêmes pour l'organisation, avec 237 invités au mariage religieux (en août) et une cinquantaine au mariage civil (en juin), ce qui a bien failli nous pousser à tout annuler quatre mois avant la date fatidique.

La fête des Mères... À moins de vivre à l'étranger et d'en oublier la date, difficile pour les enfants de mères manipulatrices d'y échapper. Cadeau, fleurs ou restaurant à la rescousse, il n'en reste pas moins de plus en plus hypocrite de souhaiter une « bonne fête, maman ! » quand l'enfant atteint 30 ou 50 ans... Les manquements, l'égocentrisme, l'absence d'amour inconditionnel de leur mère narcissique deviennent de plus en plus évidents aux yeux des enfants matures. Alors, que fêter ? Malgré cela, la plupart d'entre eux poursuivent l'effort de lui souhaiter une bonne fête des Mères. Aux yeux de cette dernière, cette obligeance équivaut à une de ces preuves d'amour dont elle a tant besoin. D'un autre côté, l'effort de sa progéniture représente un comportement d'apaisement. Mais cela, la mère ne le sait pas... Cette simple phrase « Bonne fête, maman ! » influence son humeur durant plusieurs jours ou semaines : la relation semble soudain s'améliorer.

Mais gare à celui qui l'oublierait : l'effondrement moral de sa mère serait immédiat ! Sa rancune aussi. Je ne pense pas que cela soit feint. La blessure narcissique est profonde. L'interprétation d'un message négatif sous-jacent à cet oubli, tel que celui de renier sa qualité de mère, est immédiate et systématique. Submergée par l'émotion, elle se trouve dans l'incapacité d'imaginer que d'autres raisons que le message « je ne t'aime pas » puissent expliquer le « non-message ». Certains enfants pensent qu'il s'agit d'une fête commerciale. D'autres ne font pas spécialement attention à la date et oublient pour d'autres raisons.

Ainsi, des réactions émotionnelles et des mesures comportementales répressives sont déclenchées dans le cas où ses enfants (ou son conjoint) ne fêtent pas glorieusement son anniversaire ou la fête des Mères. Inversement, vous l'aurez compris, les célébrations qui concernent ces derniers ne sont pas si importantes à ses yeux…

Fabienne nous offre l'anecdote suivante :

Une année, j'ai fait envoyer un énorme bouquet de roses à ma mère pour la fête des Mères. Elle ne m'a pas remerciée… J'ai fini par lui demander : « Tu as reçu mon cadeau ? » Elle a répondu : « Quel cadeau ? Non, pas du tout. » Assez mécontente, j'ai alors appelé le fleuriste. Il m'a assurée après vérification que les fleurs avaient bien été livrées ! J'ai insisté : « Mais enfin, vous vous moquez de moi ! Elle ne les a pas reçues. C'est ma mère, elle ne ment pas ! Vous avez dû les livrer à quelqu'un d'autre ! » Il m'a proposé gentiment de lui livrer un nouveau bouquet. Cette fois, elle a admis l'avoir reçu : « Oh ! il est arrivé dans un vase tout renversé ! Il ne faut pas faire appel à ce fleuriste qui est nul ! » J'ai insisté :

— Mais il y avait quarante roses ?

— Non, 38 ! Oh ! Il t'a roulée vraiment !

— Ah bon ? Il y avait bien des fruits en décoration au moins ?

— Ah ? Ces deux, trois cerises pourries-là ?

Impossible pour moi d'obtenir le plaisir que recherche toute personne qui fait un cadeau : faire plaisir à celle qui le reçoit. Au lieu d'un simple « merci », j'ai eu droit à un tombereau de reproches sur quel fleuriste choisir, son mécontentement, etc.

Ce bouquet a été mon dernier cadeau de fête des Mères. Depuis, elle fait intervenir ma tante, sa sœur, à la fois sa victime et son meilleur lieutenant, qui me dit d'un ton lourd de reproches : « Je ne suis pas contente de toi : tu aurais pu faire un cadeau à ta mère ! Elle est très malheureuse. Tes frères lui en ont fait un. Je sais qu'elle n'est pas toujours gentille avec toi, mais tu es vraiment trop dure avec elle ! »

La fête des Pères ne semble pas générer autant d'émotions, ni même d'attentes spécifiques de la part d'un homme manipulateur.

Ils sont rabat-joie

Le comportement de tout manipulateur s'adapte selon qu'il se trouve en compagnie d'étrangers à la famille ou de membres de cette dernière. En famille non élargie, le manipulateur donne paradoxalement libre cours à sa soudaine mauvaise humeur lorsque sa progéniture lui annonce une très bonne nouvelle. David nous donne tout de suite un exemple :

J'avais neuf ans et j'étais fier d'avoir été inscrit (par ma mère, bien sûr) à un club de foot. Je n'oublierai jamais le regard de mon père (manipulateur, avec 28 caractéristiques) quand il l'a appris : froid et méprisant. Je pense que ma propension à ne pas m'octroyer de plaisirs provient de ce type d'épisode.

En quelques secondes, le choc neutralise votre sentiment de joie. C'était le but ! Vous n'allez tout de même pas vivre du bonheur sans qu'il (elle) en soit la source ou qu'il (elle) en ait le contrôle, non ?

David poursuit :

Toujours à propos du foot, il m'interdisait d'y jouer le samedi (à cause de la fête juive du shabbat, qui n'interdit pourtant en rien d'y jouer !), en prenant soin toutefois de me spécifier que lui aussi aimait jouer au foot quand il était jeune.

La personnalité narcissique se sent mal même si elle fait semblant de vous féliciter ou de vous encourager. Ce phénomène surprenant est décontenançant et incompréhensible au premier abord.

Quasi systématiquement, à la suite de votre belle annonce, se produit chez le manipulateur une interprétation mystérieuse mais tout autant immédiate et négative. Cette propension à l'interprétation est encore plus exacerbée chez les femmes, donc chez la manipulatrice.

Pauline se souvient :

Mon premier souvenir marquant du caractère manipulateur de ma mère date de mes huit ans, alors que je revenais de l'anniversaire d'une camarade. Ma famille vivant en cercle fermé, la chose était très rare... Dans un désir de partage de ce que j'avais vécu, j'ai dit à ma mère que les galettes que j'avais mangées chez ces gens étaient délicieuses. Maman a répondu de manière cinglante : « Pourquoi ? Elles ne sont pas bonnes, les galettes que MOI je fais pour TOI ? » La petite fille que j'étais a été marquée par cette réflexion. Ma mère ne m'entendait pas dans ma joie. De plus, j'avais exprimé une préférence qui, visiblement, la rendait malheureuse...

Cet exemple montre une tendance immédiate à **l'interprétation négative** d'une part et à la **comparaison** d'autre part.

Un des paradoxes d'une personnalité narcissique est l'alternance entre une opinion positive surdimensionnée d'elle-même et des reflets d'un doute profond de sa valeur. La comparaison avec les autres est constante au quotidien, et ce, dans les deux sens. La première version, la vision trop positive de soi, est *a priori* la plus désagréable ou la plus déroutante pour les proches. Or, **le gouffre en estime de soi des manipulateurs est quasi invisible** aux yeux des non-spécialistes en psychologie. Pourtant, c'est ce déficit qui les rend si défensifs. Lorsqu'ils se croient inférieurs, ils deviennent agressifs de façon incompréhensible pour l'entourage. Ils doivent urgemment remonter leur estime personnelle et attaquent. N'importe qui pour n'importe quoi. Il va sans dire que cela est totalement inefficace, même si, sur le moment, le pervers narcissique a l'impression de reprendre le dessus.

Les manipulateurs utilisent l'agressivité, les attitudes défensives et font la tête pour retrouver leur équilibre

Quand vous allez particulièrement bien, que vous êtes enthousiaste, que vous partagez votre joie ou votre bonheur, la mère ou le père manipulateur provoque un changement radical du ton et de l'ambiance! Laurence avait 18 ans lorsqu'elle m'a confié ceci:

Lorsque j'ai annoncé à mon père une excellente nouvelle, notamment que j'allais faire un stage de cinéma à caractère professionnel et éducatif au Burkina Faso, mon père (manipulateur, avec 22 caractéristiques) n'a pas approuvé! Il ne cesse de ramener ce sujet sur la table pour me critiquer depuis plus d'un an. L'absence totale d'encouragement de sa part me démoralise beaucoup. Il a le masque du manipulateur altruiste et m'a offert un montant respectable pour Noël. Il savait que j'allais mettre cet argent dans mon projet. Alors si j'ose lui reprocher son manque d'encouragement, il se frustre et me fait un long monologue dans lequel il me traite d'égoïste et me rappelle le cadeau qu'il m'a fait. Il se décrit comme le bon samaritain, mais aussi comme la victime. À moi alors de me répandre en excuses.

Comment ne pas être heureux que nos enfants soient heureux? Se dirait un parent aimant...

Denise parle d'étranges comportements maternels faisant suite à quelques heures pourtant positives passées avec sa mère:

Si mon père et moi avions réussi à la décider à faire une belle sortie ou une excursion, alors qu'elle n'est pas impotente, elle nous le faisait payer ensuite par une crise! Elle s'enfermait dans sa chambre et nous accusait d'être responsables de sa fatigue.

Vous constatez, dans l'exemple précédent, qu'il ne s'agit pas cette fois d'une annonce de bonnes nouvelles, mais simplement de partager un moment harmonieux et serein. D'une manière ou d'une autre, le manipulateur « casse » cette harmonie. Je pense qu'il ne sait pas lui-même ce qui se produit dans son esprit pour causer de telles réactions. A-t-il seulement conscience d'avoir un comportement totalement inadapté ?

Denis a maintes fois constaté cette perturbation :

Mon compagnon et moi arrivons à faire faire quelques pas dehors à ma mère. Durant notre promenade, je tente de lui mentionner nos prochaines vacances. Je sais que depuis que je suis avec mon ami, elle ne veut pas entendre ces propos remplis de joie de vivre, même si je ne comprends pas encore pourquoi. Mais cette fois, elle ne veut plus rien entendre et la conversation devient très pesante. Elle alterne entre son tout petit cercle de préoccupations et son entreprise de dénigrement de ma personne : elle a accepté de sortir, mais en échange, elle tente de dire de moi tout le mal qu'elle peut ! Donc, pour l'arrêter, je reviens sur le sujet de notre prochaine destination de vacances. Là, elle dit : « Oh, je sais… tu vas toujours aux mêmes endroits ! » (Tout un tas d'endroits en France, en fait, qu'elle ne connaît pas, pour la plupart. Dans la même veine, quand je lui parle de nos vacances précédentes en Alsace, elle ne veut pas entendre ma joie. Elle dit détester cette région, où elle est allée une fois depuis la mort de mon père, et quelques jours du vivant de ce dernier.) Là, je ne me démonte pas et je lui dis en substance qu'elle ne s'intéresse qu'à son tout petit cercle de préoccupations personnelles !

Le parent manipulateur qui a, par définition, un trouble grave de la personnalité, ne peut pas se préoccuper du bien des autres même il s'agit de ses propres enfants. J'interprète ce réflexe comme une résultante d'un égocentrisme excessif et pathologique. Il a besoin de toute son énergie pour survivre à ses propres affres mentales. Le gouffre narcissique d'estime personnelle est à combler chaque jour et son seul moyen de lutter contre la perdition et la dépression est de s'approprier des qualités qu'il n'a pas, de se croire non seulement un excellent parent, mais qui excelle en tout ! La personnalité narcissique se veut supérieure à tous... Toute critique lui devient alors insupportable. Or, lorsqu'on lui parle du bonheur que l'on a partagé avec d'autres que lui, il semble immédiatement le traduire par «Tu n'es pas capable de me procurer autant de bien-être (joie, bonheur, etc.) ». Irrationnel ? Fou ? Stupide ? Peut-être. N'est-ce pas là un exemple de dysfonctionnement mental ?

Ils veulent éloigner ceux qui vous aiment

Étrangement, il semble que **la menace pour des parents manipulateurs ne viendrait pas de « qui vous aimez »** mais de « **qui vous aime** » !

Il est donc fréquent que les adultes aimants et affectueux de votre enfance aient soudain disparu de votre entourage, parfois sans que vous en ayez compris la raison. Selon l'âge infantile, seul reste le souvenir chaleureux du rapport affectif avec une personne qui prenait soin de vous. Des décennies plus tard seulement, la question peut émerger : « Que s'est-il passé pour que cette personne qui m'aimait disparaisse de ma vie ? » Si vous avez une mère manipulatrice, vous êtes en droit d'ajouter : « Qu'a fait ou dit ma mère pour éloigner cette personne sans que je puisse m'y opposer ou m'en rendre compte ? » Vous pourrez obtenir la vraie réponse non pas de votre mère (qui mentira), mais de témoins neutres, ou bien sûr en retrouvant la personne en question. Pas si facile 30 ou 40 ans plus tard...

Françoise a pourtant retrouvé une personne qui l'aimait :

Une tante de mon père, de 70 ans environ, que je considérais comme ma mémé, a été écartée de moi par ma mère sous le couvert d'histoires sur son comportement avec mon père, sa méchanceté, etc. En fait, j'étais souvent chez elle et j'ai partagé de merveilleux moments en sa compagnie.

Or, ce bonheur je l'ai redécouvert à son contact, sous l'œil intrigué de ma mère, le jour de l'enterrement de mon oncle !

Denise a vécu une situation similaire :

Un point important que j'ai découvert chez ma mère est sa jalousie. Elle ne supporte pas que je sois heureuse avec d'autres personnes ! À 40 ans, j'ai fait la connaissance d'un cousin de mon père âgé de 90 ans. Ma mère avait toujours empêché mon père de le voir ! Or, j'avais une grande joie à discuter avec lui. Un jour, je l'ai même invité avec mes parents ; après son départ, ma mère m'a dit : « Je ne comprends pas que tu puisses être heureuse avec lui alors qu'il a 50 ans de plus que toi ! »

Ils se méfient de vos amours

La manipulatrice est jalouse des couples heureux. Elle ne manifeste donc pas un enthousiasme sincère à la naissance des amours de ses enfants. Elle peut se montrer curieuse (trop) et envahissante, dans le meilleur des cas ; totalement dans le déni de votre nouvelle vie sentimentale ; ou pire, critique, médisante et méchante.

L'homme manipulateur est plus discret dans ce registre. Il ne semble pas s'intéresser de si près aux amours de sa progéniture. C'est la raison pour laquelle les exemples et mes commentaires révèlent les comportements des seules femmes de ce profil.

Sabrina, qui a 32 ans aujourd'hui, a fait les frais des jugements de sa mère manipulatrice depuis le début de ses relations amoureuses :

À une exception près, ma mère n'a jamais aimé les garçons avec lesquels j'étais. Pourtant, le premier avec qui je suis sortie à 17 ans était poli, créatif et respectueux envers moi comme envers ma mère. Il ne consommait aucune drogue et buvait de manière très raisonnable. À 19 ans, il réussissait ses études avec une facilité étonnante et avait tous les atouts pour réussir professionnellement. Malgré ses nombreuses qualités, ma mère ne l'aimait pas. Je me disais que cela pouvait arriver et qu'on ne pouvait pas plaire à tout le monde. Lorsque je lui ai demandé : « Qu'est-ce qui ne te plaît pas chez moi ? », il m'a répondu gentiment : « Il n'y a qu'une seule chose qui ne va pas chez toi, c'est ta mère. » Je ne m'attendais pas du tout à cette réponse ! Néanmoins, connaissant le caractère posé et généralement très tolérant de ce garçon, cette simple phrase a eu, je pense, un grand impact sur moi, inconsciemment. Je me suis toujours demandée pourquoi il avait dit ça. Je ne l'ai compris que bien plus tard…

Cet exemple peut donner raison à cette mère à la personnalité narcissique : un amoureux est capable de voir clair dans son jeu !

La menace de faire ouvrir les yeux à sa fille est réelle. D'autant plus si le garçon (ou l'amoureuse d'un fils) est lucide, équilibré, affirmé et intelligent.

Partager avec une mère manipulatrice l'avancée de ses amours quand elles débutent est une mauvaise initiative. Cela va se retourner contre vous. Soit elle se montrera suspicieuse qu'un homme ou une femme vous aime vraiment, soit elle étouffera votre joie en se montrant d'humeur chagrine, soit encore elle sera capable de saboter la relation si vous vivez chez elle. Dans certains cas, elle peut faire abstraction totale de votre lien amoureux comme si vous lui apparteniez toujours. Cela se produit davantage avec un fils unique.

C'est ce qui s'est passé pour Denis :

Lorsque je parlais de l'homme avec qui je commençais une relation à ma mère, par une seule petite réflexion, elle arrivait à me dégoûter de la relation dans laquelle je m'étais engagé. Cette scène s'est répétée avec plusieurs hommes. Avec mon compagnon actuel aussi, elle a tenté de s'immiscer, de le critiquer, etc., mais lui et moi ne l'avons pas (ou peu) laissée avoir d'influence sur moi, sur nous.

Il est un cas peu ordinaire où la mère hypernarcissique s'approprie l'attention du nouveau venu dans le cœur d'une de ses filles. Elle cherche à se rendre agréable et intéressante. Elle monopolise les temps de discussion, le complimente, le sert et se montre incroyablement affable. Elle cherche finalement à séduire le nouvel amour de sa fille.

D'une manière générale, je vous recommande de garder le secret et de partager plutôt l'enthousiasme de vos nouvelles amours avec vos amis.

Ils créent des troubles dans votre couple

Fabienne a prêté attention à la manière dont sa mère manipulatrice se joue des petits désaccords entre son fils et sa belle-fille :

Une fois dans la place, ma mère observe… et note absolument tous les détails qui pourraient un jour s'avérer utiles. D'abord, toutes les causes des petits conflits qui existent dans tous les couples.

Un exemple : ma belle-sœur tient à ce que ses enfants consomment le moins de sucre possible ; c'est son droit ; mon frère est plus souple et il lui est arrivé d'exprimer ce désaccord en présence de ma mère. Toute cause de désaccord est pour ma mère une petite graine précieuse qu'elle garde et fera germer. Alors, elle va délibérément offrir des bonbons à ses petits enfants qui ont bien du mal à résister, puis va gémir auprès de mon frère : « J'ai acheté des bonbons pour les enfants, comme c'est ennuyeux que leur mère soit aussi stricte ! Ça ne peut pas faire de mal des bonbons de temps en temps, et puis ça me fait plaisir de leur offrir. » Mon frère, touché par l'amour de cette grand-mère, l'approuve et désavoue sa femme (gagné !)

Qui plus est, à force de remettre cette question sur le tapis en suggérant la bonne réponse à mon frère, elle provoque son agacement et au lieu de lui rappeler qu'il éduque ses enfants avec leur mère comme ils l'entendent, il finit par lui dire ce qu'elle veut entendre pour « se débarrasser » du sujet. Il a même dit un jour : « C'est vrai. Sur cette question de sucre, ma femme est une véritable intégriste!» Ce type de mots est pour ma mère du pain béni car elle n'aurait pas eu l'idée de l'employer elle-même. Elle l'utilisera dès lors très souvent auprès de tout son entourage, mais sans le gentil sourire expressif de mon frère: «Ma belle-fille est une intégriste vis-à-vis du sucre! Elle est ridicule avec ça! Enfin! Si on ne mange pas de bonbons dans l'enfance quand va-t-on en manger?» Elle est même allée un peu plus loin: elle a invité la petite famille et il y avait, là, sur la table, une bonbonnière regorgeant de sucreries, bien en évidence. Ce détail n'a pas échappé aux enfants, qui se sont rués dessus avec joie; ma belle-sœur était médusée, car elle comprenait la provocation. Mais c'était trop tard! Elle avait les mains liées, ne sachant si elle devait interdire les bonbons et jouer le rôle de la méchante avec ses propres enfants (ce qu'elle déteste,) ou faire semblant de rien et accepter que l'éducation des enfants lui échappe; de plus, si elle refusait les bonbons, avec l'émotion qu'elle ressentait devant la provocation, elle paraîtrait excessive, «folle» de prendre cela aussi mal et il y avait de grandes chances que mon frère intervienne en sa défaveur car il avait été conditionné à plusieurs reprises pour réagir comme cela (ma mère l'avait en quelque sorte «entraîné»). Quoi qu'elle fasse, ma belle-sœur était vaincue.

La personnalité narcissique est **perturbée par l'harmonie des couples qui l'entourent**. Lorsqu'elle parle des gens en couple, elle médit. Elle est critique et dénigre l'un ou l'autre membre.

Or, **son propre couple est déjà en perdition**. Peut-être depuis le début, finalement... Elle peut déjà être divorcée. Si ce n'est pas le cas, le mari est désabusé et a déposé les armes depuis longtemps. En général, la manipulatrice l'a choisi sans armes du tout: gentil, serviable, aimant, pas affirmé, bon travailleur, rigoureux, manquant de confiance en lui sauf dans son métier, bon bricoleur (c'est utile et gratuit!) et fidèle. La liste de ses qualités n'est pas exhaustive mais vous l'aurez compris, il n'était pas

« équipé » pour se méfier quand il l'a épousée ! Au fur et à mesure des années, ses qualités sont devenues d'épouvantables défauts aux yeux de la manipulatrice. Les reproches et les sujets de déception pleuvent, mais bizarrement, la manipulatrice ne divorce pas d'un homme aussi imparfait et insupportable[3]...

Pour ne pas constater son propre échec de ne pas avoir choisi le conjoint idéal, il paraît aisé à la personnalité narcissique de regarder les autres couples avec la même impression : eux aussi ont échoué quelque part ou vont échouer !

Denis raconte une anecdote :

La première fois que j'ai emmené mon amoureux chez ma mère, j'ai rentré la large Volvo de celle-ci par un côté inhabituel du jardin doté d'un angle difficile. Ne conduisant presque jamais, je manquais d'assurance. J'ai alors éraflé un peu le côté avant de la carrosserie (qu'elle ne fera jamais repeindre). Là, ma mère s'est tournée vers mon ami et lui a dit : « Ne lui prêtez jamais votre voiture ! » Et il l'a écoutée durant des années...

Élisa, quant à elle, a subi les manœuvres de la mère de son petit ami. Cela s'est mal terminé :

Élisa, 19 ans, rencontre Léo et sort avec lui. Après plusieurs mois, il lui propose de venir s'installer dans une chambre d'étudiant près de chez lui, où il vit avec sa mère et son petit frère. Durant l'été, Léo part seul en vacances rejoindre son père à l'étranger, où il a refait sa vie. Pendant ce temps, la mère de Léo invite régulièrement Élisa à venir dîner chez elle. À son retour de vacances, Léo et Élisa passent beaucoup de temps ensemble et il finit par être plus souvent dans la chambre d'étudiant de sa petite amie que chez lui. À partir de ce moment, les rapports avec la mère se détériorent très vite. Elle n'est plus conviée à dîner. Léo voit ses amis et sa mère seul. Élisa se sent alors très

3. *Les manipulateurs et l'amour*, Éditions de l'Homme, 2000.

seule et triste. Lorsque le couple décide finalement de s'installer en appartement, la mère de Léo fait tout pour les en empêcher. Élisa décide d'éloigner Léo de certains amis envahissants et de sa mère possessive. Il cède. Après quelques mois de bonheur, Léo commence à faire beaucoup de reproches à Élisa. En réalité, la mère de Léo leur rend visite tous les jours, critique tout et monopolise l'attention de son fils comme si Élisa n'existait pas. Sans raison, Léo passe de la tendresse à la colère envers Élisa. Sa mère, bien informée, profite de cette situation : elle l'appelle chaque soir pour critiquer Élisa et l'inviter à revenir vivre chez elle. Elle insiste même pour qu'il passe les grandes vacances chez elle seul, sans Élisa. Finalement, Élisa perd son petit ami, qui finit par récupérer toutes ses affaires pour aller retourner vivre chez sa mère. Depuis, Élisa n'a plus aucune nouvelle.

La mère manipulatrice peut user d'une tout autre méthode pour déstabiliser le couple de sa progéniture : s'allier avec le conjoint pour créer un front face à son fils ou sa fille. Elle tente d'y intégrer le conjoint qui peut, en un instant, se laisser totalement manipuler. Dans ce cas, la simple séduction ne suffit pas. Elle en profite pour montrer son désaccord avec son propre enfant et le dévaloriser avec plus ou moins d'adresse. Quoi qu'en dise le conjoint pour rassurer son ou sa partenaire, l'influence négative opère.

Françoise et son conjoint l'ont vécu :

Mon conjoint était adulé par ma mère, il faut dire qu'il a été pendant des années le confident de mon père. Pendant très longtemps, mes parents prenaient sa défense, souvent contre moi. Je me souviens de leur avoir dit à plusieurs reprises : « Il faut que vous me rappeliez : c'est lui votre fils ? »

La perverse narcissique fait très souvent croire qu'elle connaît mieux son enfant que le conjoint de celui-ci ! Les disputes prennent corps dans le couple, où chacun se défend. C'est une façon subtile de semer la zizanie au sein des couples qui, *a priori*, vont bien. Comme les disputes ont lieu en l'absence de celle qui les génère, la manipulation n'est pas évidente. Soyez vigilant car les manipulatrices sont douées pour faire rompre des couples sans qu'il n'y paraisse…

Denis se souvient :

Lors d'un dîner à trois, je voulais assumer moi-même la cuisson de la viande : ne pas utiliser le micro-ondes, seulement la chaleur tournante pour que le plat ne devienne pas mauvais. Je voulais m'assurer de manger quelque chose de correct. Je ne voulais pas que le repas soit gâché par ma mère, comme d'habitude. Mais alors que j'étais devant le four, elle est arrivée. J'ai glapi, malgré mes tentatives pour me calmer, malgré la présence de mon amoureux, car elle n'était pas d'accord avec ma méthode. Ma mère et moi savons que mon copain a un talent de médiation entre nous. Là, elle s'est tournée vers lui et a dit : « Il a besoin de se faire soigner ! » Elle savait que j'avais hésité à venir et, lors du séjour, pendant l'un de ces dîners où la conversation est épuisante pour moi, je lui ai dit qu'elle aurait le temps d'y réfléchir d'ici l'an prochain. Bref, j'ai sous-entendu que je ne viendrais plus la voir d'ici un an…

Heureusement, l'idylle avec le conjoint de son fils ou de sa fille ne dure pas. Celui-ci finit par repérer la manœuvre. Tout en s'efforçant de faire prendre conscience à l'être aimé que son parent l'empoisonne et qu'il menace l'intégrité de leur couple, le conjoint devient très protecteur. Il existe malheureusement un cas contraire : lorsque le conjoint est lui-même manipulateur ! Soit le parent et le conjoint du même profil s'allient officieusement pour se moquer, ironiser, dévaloriser, jouer l'indifférence et faire du fils ou de la fille un bouc émissaire ; soit, au contraire, il existe entre eux dès la première rencontre une aversion immédiate et une rivalité qui pourtant n'engagent pas le conjoint manipulateur dans un rôle protecteur. Qu'il y ait alliance ou rivalité avec le parent toxique, le manipulateur conjoint va de lui-même détruire l'harmonie et l'intégrité de son propre couple.

La mère manipulatrice vous éloigne de votre père

La mère à la personnalité narcissique contrôle ou tente de maîtriser l'échange d'amour que vous pouvez avoir avec votre propre père. Malheureusement, si elle contrôle l'intendance de la maison et l'éducation des enfants, elle y réussira. En d'autres cas, la complicité indicible avec le père reste cachée.

Caroline témoigne des attitudes de sa mère à ce sujet en lui écrivant ce qu'elle a sur le cœur :

« Ce qu'il y a entre mon père et moi, tu ne le sauras jamais et le peu que tu en as compris, tu en as toujours été jalouse. Pour te supporter, il n'y avait que mon père pour accepter cette soumission à ton comportement, basé sur un odieux chantage affectif permanent. Tu savais à quel point l'état mental de sa mère l'avait traumatisé et tu as toujours joué sur cette corde sensible pour le tenir. Tu savais qu'il était incapable de te quitter et d'en assumer les conséquences. Je le sais parce qu'il me l'a dit ! Il me téléphonait quand tu le faisais craquer. Et c'est pour cette raison que tu n'as jamais voulu me laisser seule avec lui. Tu croyais que je ne saurais jamais avec quoi tu le faisais marcher… Il n'en pouvait plus de toi, lui non plus. Quand à l'hôpital il a senti qu'il ne s'en sortirait pas, il a enfin osé te dire en ma présence : "Tu es contente ? Tu me l'as foutu, le cancer !" Tu as regardé le mur de l'autre côté et moi, j'ai encore eu honte de vous. Ce spectacle était à vomir. »

Tout en étant présent physiquement, le père se verra déchargé des tâches liées aux enfants, sous prétexte d'incompétence. Le pire est lorsqu'il y a une fille unique. La mère construit une fusion qui semble idéale avec sa fille. Cela exclut le père. Je n'ai pas constaté cette fusion exceptionnelle lorsqu'il y avait un autre enfant dans la fratrie. Je ne parle pas de privilégier un enfant parmi la fratrie, mais bien d'entrer dans une relation fusionnelle. Cela constitue donc un vrai piège pour l'enfant unique !

Par ailleurs, si se faire aimer ouvertement par son père est quasi interdit par une manipulatrice, rappelez-vous à quelle sauce va être croqué le futur fiancé…

La mère manipulatrice tente par de nombreux moyens de déprécier le père aux yeux de sa progéniture. Elle ment sur la contribution de celui-ci au ménage ou sur la pension alimentaire en cas de séparation. Elle sous-estime volontairement ses capacités en présence des enfants. Ainsi, elle cherche désespérément l'amour exclusif de ces derniers. Dans le cas d'un enfant unique, la relation se veut non seulement complice mais fusionnelle, à l'instar de deux amies adolescentes qui se partagent toutes leurs confidences.

Milena, 43 ans, fille unique, se souvient très bien de ce type de relation imposée par sa mère :

J'ai eu une relation fusionnelle avec ma mère depuis l'enfance jusqu'à l'âge de 21 ans environ. J'étais le dépotoir émotionnel pour ses problèmes de couple avec mon père, par conséquent, elle me montait contre lui et m'empêchait de le voir tel qu'il était, avec ses qualités.

Mathieu, un de mes patients, a découvert au fur et à mesure de nos séances que sa mère était une véritable manipulatrice. En effet, elle lui fit croire pendant des années, entre autres attitudes insupportables, que son père ne s'était jamais préoccupé de lui et de sa sœur et qu'il refusait de payer la pension alimentaire. Mathieu avait de la difficulté à expliquer pourquoi il refusait de livrer le métier de son père ; ce dernier était… pilote de ligne.

Mathieu avait honte du fait que son père pouvait à la fois gagner de l'argent par son métier et refuser d'aider ses enfants à vivre. Or, plusieurs éléments me faisaient penser que la mère n'était pas si honnête que cela et j'encourageai mon patient à contacter son père après des dizaines d'années de silence. Ce qu'il fit. À sa grande surprise, il découvrit un père sensible, meurtri, et totalement bouleversé (positivement !) d'avoir enfin des nouvelles de son fils. Après plusieurs échanges écrits et des rencontres, Mathieu découvrit la vérité à 38 ans : preuves chiffrées à l'appui, son père avait depuis toujours versé d'énormes sommes à sa mère pour faire vivre la famille ! En découvrant ce stupéfiant mensonge, perpétué par la mère pour le séparer de ses enfants, le père écrit dans une lettre à Mathieu : « *J'ai toujours pensé que l'argent que je versais à ta mère te profitait, ainsi qu'à ta sœur. Il y a une chose impardonnable qui m'a pesé lourdement : un jour, alors que tu étais petit et que tu vivais chez ta mère, tu m'as dit que la chaudière était en panne, qu'elle était irréparable et qu'il fallait la changer. Je ne l'ai pas fait car je pensais que ta mère achèterait des radiateurs électriques et m'enverrait la facture, comme d'habitude. Par la suite, le problème du chauffage m'est sorti de la tête et quand j'ai réalisé qu'elle ne l'avait pas résolu, il était trop tard ! Aujourd'hui, le fait d'y penser m'attriste toujours terriblement…* »

De plus, relatant la douleur qu'il a eue à ne plus voir ses enfants, le père lui écrit :

« *Sache que j'ai vécu toutes ces années avec le souvenir de mon petit gamin. Cela doit te paraître idiot, mais c'est ainsi. Des milliers de fois, j'ai eu le cafard en pensant à toi. Il y a 8 ou 10 ans, j'ai réalisé que si je te revoyais, je serais face à un adulte de 35 ou 40 ans et ça a été une douche froide ! J'étais alors convaincu que je ne te reverrais plus jamais. C'est à ce moment que j'ai décidé d'envoyer à ta sœur une longue lettre pour donner ma version des faits sur toutes ces années passées. Je voulais que vous vous fassiez une opinion exacte et je pensais enfin que les deux points de vue de vos parents étaient nécessaires. Nous avons, je crois, beaucoup de choses à nous dire. Si tu souhaites me revoir, ce serait pour moi un immense bonheur.* »

L'aliénation parentale

L'attitude de critiquer l'autre parent au moment d'un divorce ou d'une bataille autour de la garde des enfants est fréquente, même si elle reste condamnable dans le cas où le parent ciblé ne mérite en rien un tel jugement. Ce n'est généralement pas une stratégie volontaire et réfléchie lorsqu'elle émane d'un parent seulement blessé par le choc de la rupture avec son conjoint. La critique est alors davantage un réflexe émotionnel. Elle n'est donc pas récurrente sur le long terme.

Il en est autrement d'un parent à la personnalité narcissique : le dénigrement n'est pas accessoire à l'expression de la colère. Il est un moyen habile et volontaire de détourner les enfants du conjoint « coupable d'avoir osé rompre le lien conjugal ». **L'objectif est de dissoudre leur attachement.** C'est une véritable mesure de rétorsion. **Un lavage de cerveau répété afin que les enfants discréditent le rôle et l'autorité naturelle de l'autre parent.** Plus encore, il ou elle manipule l'esprit afin de faire naître la haine et que les enfants déblatèrent d'eux-mêmes sur le parent devenu doublement victime (il a été conjoint d'une personnalité narcissique et en a déjà trop souffert). Charlotte témoigne :

Mon ex-mari, que j'ai quitté depuis un an après 24 ans de vie commune et trois filles, qui sont maintenant âgées entre 16 et 21 ans, répète à celles-ci que je suis folle, hystérique, agressive et paranoïaque. Il demande aux enfants de prendre parti et de ne plus voir leur grand-mère, qui est très proche de moi, en leur faisant du chantage. Avec succès.

Ma plus jeune fille, qui est en garde alternée, revient souvent de chez son père agressive envers moi. Elle crie, exige certaines choses, refuse de communiquer, repousse mes manifestations d'affection avec froideur, se positionne pour son père au sujet du divorce, cherche à me soutirer des informations sur le déroulement de la procédure, etc.

Ce phénomène a donné lieu à la création, en 1985, de la notion de **Syndrome d'Aliénation Parentale (SAP)**. Il a été introduit par le pédopsychiatre Richard A. Gardner. Dans ce trouble, l'enfant est endoctriné par l'un des parents, au point de rabaisser et d'insulter son autre parent de façon continue, excessive et sans aucune justification. Un autre facteur contribue à la « réussite » du processus : l'enfant perd de lui-même le respect pour le parent ciblé.

La notion de syndrome n'est cependant pas suffisamment prouvée scientifiquement dans le sens d'une définition précise des troubles reconnus chez l'enfant, si bien que cette formule du Syndrome d'Aliénation Parentale n'est pas acceptée en tant que trouble ni par la communauté médicale ni sur le plan juridique[4]. Est-ce que ça veut dire pour autant que l'aliénation parentale n'existe pas ? À mon sens, non, puisque l'observation d'attitudes spécifiques qui démontrent une procédure de destruction de la part d'un parent aliénant est bel et bien réelle.

Richard A. Gardner décrit le Syndrome d'Aliénation Parentale (SAP) selon huit symptômes que nous pourrions donc appeler des attitudes ou des comportements observables de la part de ces enfants :

4. En décembre 2012, la Société Américaine de Psychiatrie a annoncé que le SAP ne figurerait pas encore dans le DSM V. Une polémique concernant ce SAP a cours depuis les années 1980. Gardner répond aux diverses critiques concernant le manque de recherches sur les autres facteurs qui expliquent qu'un enfant peut devenir aliéné d'un parent. Il rappelle que le critère principal du SAP est que le parent effectue un lavage de cerveau. Si ce n'est pas le cas, il n'y a pas de SAP.

- une campagne de dénigrement et de haine contre le parent ciblé ;
- des rationalisations faibles, absurdes et frivoles de ce dénigrement et de cette haine ;
- l'absence d'ambivalence habituelle pour le parent ciblé ;
- l'affirmation que la décision de rejeter le parent leur appartient à eux seuls (le « phénomène du penseur indépendant ») ;
- le soutien intentionnel au parent favori dans le conflit ;
- l'absence de culpabilité vis-à-vis du traitement infligé au parent aliéné ;
- l'usage de scénarios et de phrases empruntés au parent aliénant ;
- le dénigrement non seulement du parent ciblé, mais aussi de sa famille étendue et de ses amis.

Selon le nombre d'attitudes, nous aurons affaire à une aliénation parentale légère, modérée ou sévère.

Attention, ce concept s'applique uniquement dans des situations familiales où l'enfant, refusant catégoriquement de revoir son autre parent, ne le fait pas pour se défendre d'abus (sexuels en l'occurrence) ou de maltraitance.

Un paradoxe est cependant possible : dans le cas où le manipulateur échoue dans sa tentative d'endoctrinement, et que justement l'enfant refuse de lui-même d'être hébergé, ne serait-ce que deux jours par lui, ce dernier utilise alors ce constat pour accuser le parent sécurisant de procéder à une aliénation parentale ! Ainsi, un parent manipulateur peut manœuvrer la justice avec ce concept et tenter de se faire passer pour une victime.

L'enfant devient l'arme fatale à la poursuite d'un dessein morbide. Les hommes et les femmes à la personnalité narcissique ont le profil psychiatrique parfait pour tenter d'aliéner leurs enfants contre leur ex-compagnon (compagne) de vie. Punir ce dernier d'avoir osé le quitter en lui retirant la chance d'obtenir la garde principale de leurs enfants mineurs est un moyen de prouver leur pouvoir et donc leur puissance. L'adversité, le conflit, les procès qui vont suivre ne les affaiblissent aucunement. Au contraire, ils se régénèrent dans cette ambiance délétère. Et si les enfants s'y mettent également, imaginez la jouissance qu'ils en retirent, ne serait-ce que sur le plan narcissique…

David a subi ce phénomène quand il était adolescent :

Bien évidemment, je suis parfois tombé dans le piège et me suis parfois éloigné de ma mère à cause de mon père et de sa femme. Implicitement, ils me poussaient à choisir entre eux et elle. Il est difficile pour un enfant d'accepter qu'il n'a pas de père, il est encore plus difficile de l'accepter alors qu'il en a un…

Adèle décrit plus précisément l'aliénation parentale conduite par la nouvelle femme de son père et par ce dernier :

J'avais presque 12 ans quand j'ai appris par la voisine que mon père voyait une autre femme. Ma mère nous a emmenés dans ses bagages pour aller vivre 500 mètres plus loin. Ainsi, nous pouvions circuler librement entre nos deux foyers. Environ deux mois après notre départ, N. la flamboyante emménageait chez mon père. C'est une manipulatrice à 30 caractéristiques. Elle les a toutes ! Elle a bien failli me tuer, vraiment…

N. s'est vraiment bien installée : elle a commencé les travaux de restauration (dans tous les sens du terme) : décoration intérieure, style vestimentaire de mon père, sorties, fréquentations, etc. Mon père devenait un autre homme. Et nous assistions à cela, mon frère, ma sœur et moi, impuissants et perdus. Quand nous étions là, tous les trois, on nous imposait des jeux, des activités, des vêtements, une tenue, un régime alimentaire. Rien n'était laissé au hasard. Elle nous répétait sans cesse : « Vous êtes des enfants qui n'ont pas eu d'éducation, vous devez renvoyer une belle image pour la carrière de votre père, montrer que vous êtes enfin éduqués.» Quand, naturellement, nous jouions ensemble librement, N. débarquait, nous bombardait de reproches, d'injures blessantes touchant le physique, le mental, l'intelligence. Ainsi, mon frère, costaud et maladroit, se faisait appeler «le porc», moi, fragile et timide, «la nouille», et ma sœur, déterminée et colérique, «la peste».

Un an après, j'ai vécu une sinistre manipulation (loin d'être la première). Voyant mon père désespéré par ce divorce difficile et cette nouvelle vie trop différente, je lui ai proposé d'aller vivre chez lui pour lui faire plaisir, pour alléger la peine qu'il portait sur son visage, que je traduisais par: «Ta mère est partie, je suis seul sans mes enfants.» J'avais à peine prononcé ces mots qu'il décrochait le téléphone pour contacter son avocat. La danse allait commencer.

Ils ont refusé que j'explique quoi que ce soit à ma mère qui, quelques jours plus tard, n'a récupéré que deux de ses trois enfants, et un mot écrit de ma main, dicté par mon père. J'avais envie de hurler ma rage, ma colère. J'ai entraperçu ma mère par la fenêtre, s'effondrer presque de douleur et d'incompréhension. Mon frère et ma sœur pleuraient… et moi aussi, terrée dans ma chambre, honteuse, révoltée. J'avais été piégée. À 12 ans, j'ai été arrachée à ma mère et l'on m'a fait croire pendant des années que cela venait de moi.

Pour se donner bonne conscience, mon père et sa femme (ils s'étaient mariés un an après son emménagement) m'ont autorisée à voir ma mère tous les 15 jours, puis ils se sont vite ravisés quand ils ont vu que je m'accrochais à la rampe d'escaliers chez elle pour ne pas rentrer chez eux… J'étais tellement désespérée que je ne savais plus quoi dire ni quoi faire. Ma mère non plus, d'ailleurs. Elle avait compris le dilemme et craignait le pire. Elle n'a rien fait ou rien pu faire.

Pendant 7 ans, je n'ai pas vu ma mère, qui vivait à 500 mètres de «chez moi»!

J'ai vécu une adolescence étrange. J'étais devenue un bon petit soldat, obéissant et loyal. Je disais même que ma mère était «la pire des créatures vivantes de ce monde»! J'ai dit une fois: «Elle est morte et c'est mieux comme ça ! » Pendant ce temps, mon père et sa femme entretenaient ce discours et le nourrissaient de mensonges et d'horreurs.

Ils m'imposaient tout et j'ai fini par m'y accommoder, sans doute pour me protéger. Je ne voyais plus mon frère, qui avait pris la décision inverse de ne plus venir chez « nous ». Ma sœur a continué de venir pendant quelques années et j'étais un monstre avec elle. Je ne la regardais même pas. Elle a fini par ne plus venir. J'étais odieuse, silencieuse, indifférente… mais au fond de moi, une tempête se déchaînait.

L'aliénation parentale n'est pas systématique de la part de chaque parent manipulateur en instance de divorce. En effet, certains ne cherchent pas à retenir leur progéniture auprès d'eux, car cela ne les arrange pas. Ils ne souhaitent ni faire des concessions ni imaginer de nouvelles activités ni se priver de liberté. Il n'est donc pas cohérent de médire avec acharnement de l'autre parent si l'on veut que les enfants soient hébergés à demeure de l'ex-conjoint.

D'autre part, j'ai repéré, grâce à d'autres cas cliniques suivis depuis 1993, que les 8 attitudes susmentionnées n'étaient pas nécessairement liées au fait qu'un parent aliénait son enfant mais à une raison bien plus effrayante : l'enfant est lui-même un manipulateur ! Il détient alors *au moins* 14 caractéristiques sur les 30, et ce, depuis l'enfance, aux alentours de 4 ans, ce qui l'a fait confondre avec un enfant précoce… Il est très déroutant pour un parent de réaliser qu'un de ses enfants est porteur d'une telle pathologie. Surtout lorsqu'il est jeune, car le désir de ne pas stigmatiser l'enfant sous un vocable psychiatrique est plus fort que tout. La société, les pédopsychiatres et pédopsychologues résistent encore, en France, à poser des diagnostics aussi pessimistes.

Je comprends leur état d'esprit. Or, l'expérience des parents qui ont élevé cet enfant ainsi que les faits au cours des années qui suivent valent bien mieux que des théories qui affirment le contraire, c'est-à-dire qu'on ne peut pas diagnostiquer des enfants sous prétexte… qu'ils sont des enfants ! L'approche psychanalytique qui a envahi le champ de la psychiatrie et de la psychologie (encore en France) est à mon avis responsable de ce précepte. Ainsi, les parents qui sont allés consulter pour comprendre l'attitude « bizarre » et perverse de leur progéniture n'ont jamais eu de vraies réponses, ne serait-ce que des hypothèses qui auraient fait sens pour eux. Ainsi, je mets les pieds dans le plat. J'observe que tous les manipulateurs adultes avaient déjà la majeure partie de leurs caractéristiques étant enfants ! Il n'est donc pas idiot de vérifier l'hypothèse que dans le cas de comportements aussi puissants que ceux observés dans l'aliénation parentale, l'enfant lui-même ait un dessein pervers qui attaquerait également son parent sain. Dans ce cas, il est totalement complice d'un parent à la personnalité narcissique et méprise tout autant le reste de l'humanité.

Le cas de l'enfant à la personnalité narcissique, même si le DSM IV dit que le diagnostic ne se fait qu'à partir de l'âge adulte, est un sujet qui mérite davantage de recherches et de témoignages. Le temps pour la société d'admettre cette éventualité… dans un autre livre, un jour ?

Ils vous dévalorisent

Le manipulateur limite l'assurance de ses enfants. Il est assez naturel que les parents classiques, les humains normaux prodiguent des soins et de l'amour à leur progéniture. La plupart des mères à la personnalité narcissique savent offrir des soins quotidiens à leurs enfants. Ce n'est pas tout à fait le cas des mères « perverses de caractère » (nous y reviendrons).

En revanche, prodiguer de l'amour à ses enfants est une autre affaire ! Ces mères ont l'art de rappeler régulièrement qu'elles font telle ou telle chose pour leurs enfants uniquement « par amour ». Entre les mots et les faits…

Même si certains enfants veulent y croire pour leur survie psychique, nombreux sont ceux qui affirment à l'âge adulte ne s'être jamais sentis accueillis ni aimés depuis l'enfance.

J'ai été amenée à lire de nombreuses lettres de ces femmes à leurs filles. Les propos sont acerbes et hargneux, empreints de désamour. Et pourtant, ces mères signent très souvent « Maman qui t'aime ». Belle tactique pour maintenir le lien et l'illusion, n'est-ce pas ?

Tous les manipulateurs **culpabilisent** les autres à mauvais escient. Par exemple, une mère de ce profil rend ses enfants responsables de sa fatigue (même en l'absence de ces derniers et même lorsqu'elle ne travaille pas !) Elle les rend responsables de ses maux physiques ou psychiques, fictifs ou réels. Quel pouvoir ont ces enfants sur cette adulte ! Nous ne retrouvons pas cette accusation culpabilisante à propos de la fatigue de la part des pères manipulateurs.

Certes, les paroles créent des remous bruyants internes, mais il y a des **culpabilisations silencieuses** qui font autant de bruit au fond de l'âme et du cœur de ceux qui les reçoivent.

Un enfant apprend de façon précoce à décoder le langage non verbal de son parent pathologique. De façon consciente ou non, il détecte l'état émotionnel de ce dernier et est particulièrement attentif aux manifestations de mécontentement. Il peut se croire la source d'un tel désappointement et se donner alors la mission de remédier à cette faute (imaginaire ou exagérée). Il est intéressant de savoir qu'un enfant peut ressentir de la honte dès l'âge de 30 mois. Entre 12 et 18 mois, l'enfant acquiert la notion de l'interdit. Quant à la culpabilité liée à la notion d'avoir fait ou dit du mal, l'âge d'apparition dépend de la culture familiale. On imagine facilement qu'ici, l'enfant sera précoce…

Par ailleurs, vous pourrez constater qu'un parent qui manipule ses enfants a tendance à **les considérer comme immatures et non adultes**, quel que soit leur âge !

Laurence a toujours cherché à savoir pourquoi son père agissait en se plaçant systématiquement en position de supériorité, au-dessus d'elle et de son frère : *Il me traite encore et toujours comme une fille de 5 ans, alors que j'en ai 18 et qu'il me donne d'énormes responsabilités par ailleurs !*

Une autre femme témoigne :

Mon père, manipulateur, m'a toujours rabaissée. J'ai plusieurs diplômes et occupe un poste à responsabilités, mais malgré cela, rien ne trouve grâce à ses yeux et, par conséquent, je me trouve nulle. Même physiquement, je me trouve moche, alors que je n'ai pas de surpoids ni aucune malformation. Son leitmotiv est que ses enfants sont toujours responsables de tout (c'est la même chose pour mes deux frères). S'ils ont des problèmes, c'est qu'ils les ont cherchés ; les autres sont toujours blancs comme neige. J'ai coupé définitivement les ponts avec lui parce qu'il s'entêtait à maintenir activement des relations avec le père de ma fille, manipulateur lui-même, alors qu'il savait très bien qu'en agissant de la sorte il me faisait souffrir. Ses remarques acerbes continuaient de pleuvoir malgré mes 41 ans… »

En général, le manipulateur utilise l'ironie dans sa communication. Un parent fait de même vis-à-vis d'un de ses enfants pour l'humilier, le mettre mal à l'aise en présence des autres ou tout simplement le dévaloriser. La réaction émotionnelle de l'enfant, quel que soit son âge, lui donne alors l'occasion de dire qu'il faisait « de l'humour » et que cet enfant n'a aucune compréhension de celui-ci ni de sa subtilité. Encore un défaut ! Sauf que l'ironie n'est pas de l'humour pur et drôle. Il s'agit d'un message agressif qui passe par une communication intellectuelle et non émotionnelle. L'ironie « pique » l'interlocuteur. L'humour le fait rire.

Voici le cas du fils de huit ans et demi de Bérénice et de son père manipulateur :

Son père ne lui a jamais donné d'affection depuis la naissance. Il l'humilie et le dénigre. Tout notre entourage s'en étonnait. Mais depuis notre séparation, le père maltraitant a réussi à convaincre plusieurs d'entre eux qu'il était une victime, et que je l'avais injustement mis dehors. Comme il le faisait avec moi, il pique sans arrêt notre fils, lui fait subir des micro-agressions par petites touches déstabilisantes, sous prétexte d'humour anglais. L'entourage est choqué mais rit tout de même au trait d'humour… Ce qui encourage le père à continuer.

Les phrases assassines

Je vous propose de lire une liste de propos dévalorisants que j'ai répertoriés dans les témoignages écrits. Je les appelle « les phrases assassines ».

Les manipulateurs répètent les mêmes griefs, les mêmes arguments, les mêmes attaques selon les personnes, et ce, toute leur vie durant ! Or, il s'agit de remarques invraisemblables et même contraires à la réalité.

La plupart de ces propos ont été régulièrement répétés à mes patients par leur parent manipulateur à des périodes de leur vie.

Afin de comprendre qu'il s'agit du même parent, j'ai créé une compression sous forme de paragraphes.

« Tu n'es qu'une petite fille ! »
« Hautaine. Tu étais une petite fille hautaine. »

« Tu es une vraie peste ! Une garce ! » (Une mère à sa fille dès l'âge de sept ans, lorsque celle-ci soulevait les incohérences de sa mère.)

« Mes filles ne sont vraiment pas douées dans leur vie sentimentale. » (Une mère à d'autres personnes, devant une de ses deux filles.)

« C'est incroyable ! Que ton père l'ait eu, je comprends, mais toi… » (À sa fille qui a réussi son baccalauréat en France ; elle-même ne l'a jamais eu.)

« Les enfants ne se rendent pas compte que ça retombe sur les grands-mères ! » (À sa fille qui venait de donner naissance à son troisième enfant, à la clinique.)

« J'en ai marre que Madame se change 10 fois par jour ! Dorénavant, tu laveras ton linge toi-même. » (Une mère à sa fille de 12 ans. C'est ce qu'elle fait depuis…)

« Tu pourrais chier sur la table que ton père ne dirait rien ! »

« Médecine ? Personne n'a jamais fait médecine dans la famille ! Tu n'y arriveras jamais ! Il faut coucher. Fais prof d'anglais, comme ça, tu auras toutes les vacances. Pour une femme, c'est plus facile, surtout si elle veut des enfants. » (Lorsque sa fille était interne en médecine et déjà diplômée de l'université de Cambridge.)

« N'avoir qu'une fille et une fille comme toi ! »

« Il faut vraiment être con pour faire autant d'études et gagner si peu d'argent ! »

« Tu as l'air d'une pute ! » (Alors que sa fille majeure venait de s'acheter une robe à la mode, discrètement fendue.)

Alors que la fille se dirige vers la sortie pour aller à la faculté :

— Tu vas où ? Tu n'aides pas ton père ? (À tenir la caisse pendant la vente du plat du jour.)

— Je vais à la fac : j'ai du travail

— Tu n'es qu'une poufiasse ! Puisque c'est comme ça, n'oublie pas de ne jamais rentrer ! (Ce que la jeune fille fit dans un climat plus que désolant, angoissant et déstructurant, dit-elle. Cela l'amena à partir au pair pour travailler son anglais !)

« Je ne vous dis pas que mon fils est quelqu'un de bien… » (Une mère à des propriétaires qui doivent décider à qui ils vont louer un studio, alors qu'elle accompagne son fils de 23 ans lors de la visite, un garçon ordonné, calme et sérieux dans ses études !) Le studio ne lui sera pas loué…

«Ne dis pas comme ça tout le temps que tu es homosexuel!»

S'adressant à son fils depuis la puberté: *«Tu es mal habillé, mal rasé. Tu es laid!»*; *«Tu vas faire peur aux gens si tu sors comme ça!»*, et même dernièrement: *«Tu vas faire peur aux gens»* sans autre précision (aucune apparence particulière ne justifie cette remarque bien sûr).

«Tu es un monstre.»

«Tu es fou, asocial.»

«Tu es intéressé.»

«Je ne suis pas là pour élever mes petits-enfants! Je vous ai déjà élevés... À chacun son supplice!»

«Tu es nulle... et tu n'as jamais rien fait de bien dans ta vie.»

«Tu as toujours été méchante et insolente.»

«Tu es jalouse de ton frère (ou de ta sœur, selon les cas) et tu l'as toujours été...»

«Tu n'as aucun caractère. Tu n'as aucune personnalité et tu n'arriveras jamais à rien! Tu t'arranges toujours pour faire tomber la tartine du côté confiture et tu cultives l'échec, comme ta mère.» (Un père à sa fille, depuis l'âge de neuf ans.)

«Tu es un égoïste.» (Un père à son fils de huit ans.)

«Tu vas finir clochard.»

«Machin!» (Un père appelle son fils...)

«Je n'arrive pas à croire que ce morveux va devenir bar-mitsvah (majorité religieuse chez les juifs)*.»*

«Arrête d'être vieux jeu et de te prendre pour un adulte accompli!» (Un père à son fils de 18 ans qui ose enfin s'exprimer.)

«On verra ce qu'il adviendra de tes belles résolutions à la fin de ta vie!»

«Tu es plutôt du genre vindicatif. Le respect des parents... tu ne connais pas trop.»

« Eh bien, toi, tu descends du singe ! » (Une belle-mère lors d'une discussion sur la théorie de Darwin.)

« Gosse pourri. »

Édifiant, n'est-ce pas ? Ces phrases sont rarement prononcées devant témoins. Le registre des phrases dépréciatives dont use et abuse un parent manipulateur est large. Elles s'expriment par des affirmations erronées («Tu es un égoïste»), des déclarations insultantes (« Garce ! »), des insinuations qui dégradent la confiance ou la dignité («Arrête de te prendre pour un adulte accompli»), jusqu'aux prophéties de vie désastreuse («Tu vas finir clochard»). Ces phrases ne sont pas prononcées par inadvertance ni sur un coup d'énervement : **elles sont récurrentes**. Chaque manipulateur utilise la même petite vingtaine de mots ou de phrases « assassines » pour certains de ses enfants. Nous verrons dans le chapitre 4 que tous les enfants ne subissent pas les mêmes dénigrements ; j'y différencie ce que j'appelle les « phrases assassines » des « propos fous ». Ces derniers sont plutôt relatifs à une vision du monde complètement irréelle et irrationnelle de la part d'un manipulateur.

Le cas des enfants précoces à haut potentiel

Si j'aborde le sujet des enfants précoces, c'est que beaucoup de cas de garçons ainsi que de filles maltraités, donc boucs émissaires, touchent des enfants dits surdoués, précoces, ou à haut potentiel (HP). Ils attirent davantage l'hostilité et l'agressivité de leur parent à la personnalité narcissique.

Le manipulateur a une propension très nette à vouloir discréditer ceux qui pourraient en savoir plus que lui, quel que soit le sujet. Il opère de la même manière vis-à-vis d'un de ses enfants. Il se sent menacé. La peur d'être perçu comme inférieur ou minable l'envahit. Il ou elle se place en rivalité. Aussi, la jalousie dévorante refait surface…

Les propos aversifs et méprisants sont alors relatifs au degré d'intelligence et au niveau de connaissances et de savoir qu'exerce tout à fait naturellement cet enfant. Cela se passe de la même façon une fois qu'il est adulte.

Caroline nous recopie ce que sa mère lui a écrit:

«Tu te contentes des apparences. Tu n'es convaincue que de certitudes. Tu sais, tu sais... Non, tu ne sais pas!»

David offre un exemple de réflexion toxique plus subtile:

À propos d'un des très rares livres que j'aurais emprunté à mon père, il m'a envoyé une note: «J'apprécierais de recevoir des nouvelles du livre sur l'affaire Dreyfus que je t'ai prêté. Je ne suis pas sûr que tu l'aies lu, ni même que tu souhaites le lire.»

David est féru d'Histoire et est guide touristique dans ce domaine. Pourquoi ne l'aurait-il pas lu? Le doute de son père est donc totalement déplacé.

Une mère manipulatrice est jalouse. Sitôt que la jeune fille s'avère être dotée d'un haut potentiel intellectuel, sa mère active les tentatives de rabaissement ou de destruction des aspects de l'estime de soi, ainsi qu'une forme étrange de culpabilisation, celle de laisser penser que la surpasser en un domaine serait un crime impardonnable.

Alice vit cette situation depuis longtemps:

Toute ma jeunesse, ma mère m'a reproché telle ou telle phrase malencontreuse ou mal comprise. Elle m'a surtout seriné: «Tu sais, la vraie intelligence, c'est l'intelligence du cœur! (Sous-entendu, la sienne)». J'ai fait des études d'ingénieur chimiste pour faire ce que l'on me conseillait, puis, depuis l'âge de 35 ans, j'ai choisi d'être finalement prof de maths.

David témoigne de l'attitude constamment agressive de son père et de sa belle-mère :

À table, chacun faisait un petit discours et des commentaires sur le passage de la Thora qui avait été lu à la synagogue. Un soir, alors que j'étais en train de faire un beau discours à table, tiré d'une leçon que j'avais apprise le matin même à l'école, ils se sont mis à me chahuter et à dénigrer mes propos. Puis, comme je ne comprenais pas leur comportement, ils m'ont engueulé. J'avais 11 ans.

La femme de mon père me dénigrait de façon récurrente : quand je faisais un discours à table, combien de fois l'ai-je entendue dire en grimaçant : « Je n'ai jamais entendu parler de ça ! », comme si ce que je disais était tiré par les cheveux, inventé, et n'avait pas de valeur.

Dans l'éventualité où un instituteur ou un professeur décèlerait du potentiel malgré des résultats scolaires fort médiocres, le parent à la personnalité narcissique refusera de faire le nécessaire pour vérifier par un test psychométrique ce potentiel.

Dans le cas où l'autre parent insisterait tout de même pour faire faire ce test (WISC) et que les résultats démontrent nettement un QI de plus de 130 (quotient intellectuel global), le parent manipulateur réfutera totalement l'utilité de ces résultats et réagira avec un surprenant état émotionnel proche de la colère. Il interdira alors toute adaptation à un nouvel environnement scolaire ou de loisirs beaucoup plus adapté. Particulièrement le père.

Ce manipulateur aurait-il peur que son enfant (le fils pour un père et la fille pour la mère) qui serait soudain informé qu'il détient un potentiel intellectuel hors-norme regagne confiance en lui ? Dans ce cas, il résisterait sûrement mieux à toute tentative d'écrasement et de dénigrement. Il pourrait même commencer à mépriser un parent si critiquable…

Si, pour une raison ou une autre, il est important que votre enfant fasse ce test – qui doit être administré par un psychologue –, je vous conseille de ne pas prévenir le parent manipulateur, et encore moins de lui donner les résultats s'ils s'avèrent très probants, même après coup !

Voici un exemple, vécu par David, d'une réaction fort courante :

Le jour où je leur ai annoncé que je venais d'apprendre que j'étais surdoué, j'avais 40 ans et j'étais totalement bouleversé. Sa femme a alors soufflé à mon père : « Mais quel garçon tu nous as fait là ! » Elle était franchement ironique.

Il conclut :

Il planait ainsi toujours cette sensation de terreur implicite. Ils reportaient sur moi leurs propres méfaits, leur propre vide, ne se remettant jamais en question. Moi, j'étais muselé. L'unique façon de m'en sortir était d'adopter un comportement qui n'était pas en cohérence avec ma nature. Pour un « zèbre[5] » surdoué, grandir dans une famille d'intégristes est la pire chose qui soit. Comme les artistes qui « vivent » dans une dictature, qui ne peuvent jamais exprimer leur talent ou qui croupissent en prison.

Une maltraitance sans traces

La plupart des pères manipulateurs font en sorte de ne pas laisser de traces physiques de la maltraitance qu'ils infligent à leur propre femme ou à l'un de leurs enfants. Généralement, un garçon. Celui qui ne leur ressemble pas ou qui pourrait les surpasser.

Bérénice vient de prendre des décisions suffisamment importantes pour éloigner l'un de ses fils de son père. Voici quelques observations édifiantes qui l'ont motivée à prendre ces décisions :

Les vacances de Pâques de mon fils de huit ans et demi chez son père (dont j'ai divorcé) se sont mal déroulées. Je l'ai récupéré à la fin de la semaine.

5. Jeanne Siaud-Facchin, *Trop intelligent pour être heureux*, Éditions Odile Jacob.

Il avait l'air bien tant qu'il était en présence de son père, mais dans la voiture, il s'est mis à pleurer pendant une heure en me racontant les faits suivants :

- *Alors qu'ils étaient attablés en train de jouer à un jeu de société, mon fils a demandé à aller aux toilettes. Son père le lui a interdit ! Le petit a fini par faire pipi sur lui… Son père a alors hurlé après lui en le traitant « d'animal » et l'a envoyé prendre une douche !*
- *Son père l'obligeait à mettre des chaussures Converse très peu pratiques, puis le traitait de « connard » parce qu'elles lui faisaient mal et qu'il ne réussissait pas à attacher ses lacets tout seul (sans qu'il lui ait montré comment faire).*
- *Son père lui demandait de faire la vaisselle à sa place, puis disait* à ses frères et sœ*urs qu'ils « mangeraient dans des assiettes sales parce qu'il les avait mal lavées ».*

Bérénice a demandé à son fils d'écrire tout ce qu'il aimerait dire à son père. Voici ce qu'il a écrit :

« Papa,

Je n'aime pas quand :

- *tu me traites de con lorsque je n'arrive pas à mettre mes Converse ;*
- *tu me cries dessus ;*
- *tu me dis que je n'ai pas de cerveau ;*
- *tu aimes plus ma sœur que moi. »*

La mère poursuit :

Il y a un an, mon fils avait sept ans et demi. Lors de ses vacances, son père lui a rasé la tête contre son gré sous prétexte qu'il avait des poux ! Il s'est plaint tout l'été d'être « moche comme ça ».

Le père humilie, dénigre et prive d'affection cet enfant, à tel point qu'il en fait des cauchemars de plus en plus fréquents et précis. Voici le type de cauchemar dont il a parlé et qu'il a dessiné récemment :

Quelqu'un l'amène en voiture en haut d'une falaise et le balance par-dessus. En bas, il y a des piranhas. Il dit qu'un homme conduit la voiture.

Par la suite les cauchemars sont effectivement devenus plus précis :

«J'ai rêvé que Papa m'obligeait à boire du vin.»

«J'ai rêvé que quelqu'un venait me tuer dans mon lit pendant que je jouais à la DS.»

«J'ai rêvé que Papa venait me tuer dans mon lit.»

Dernièrement, son père lui a fait écrire un «pacte». Le voici:

« *Objectif: que papa soit fier de moi*
En aidant le plus possible
Ne jamais lire des BD tant que j'ai pas terminé un seul travail
Faire de mon mieux en tout
Prendre soin des affaires des autres (m'asseoir sur les chaises ou fauteuils seulement s'il n'y a rien dessus)
Ramasser toutes les choses qui sont par terre
Éponger la table après chaque repas
Ne pas geindre et pleurer
Faire la vaisselle souvent
Mettre la table avant chaque repas
Ne pas taper ni frapper les filles
Ne pas prendre trop de céréales
Faire des choses utiles en étant débrouillard
Penser aux autres
Parler à voix plus haute
Manger correctement à table
Être poli avec les autres
Ne pas attendre qu'on fasse tout pour moi. »

Ainsi, Bérénice découvre que son fils de huit ans et demi doit tout ranger, plier ses habits, mais aussi ceux de son père, de sa sœur plus âgée et de son petit frère. Le père se justifie en disant: «Moi, je le fais tout le temps!» Elle ajoute: *«Lorsque nous étions ensemble, il me prenait pour sa bonne et ne rangeait pas ses propres habits à 40 ans…»*

Ce cas est inquiétant. Si le petit garçon ne parlait pas à sa mère, ces faits seraient cachés aux adultes et pourraient continuer des années durant. Imposer quotidiennement des tâches et des exercices au-delà des limites naturelles et légitimes d'un enfant est ce que je qualifie de maltraitance. La dévalorisation ne suffit pas. L'humiliation s'ajoute. Alors une question s'impose : pourquoi le père s'en prend-il exclusivement à ce fils parmi les trois enfants ?

Les différents psychiatres, psychologues et thérapeutes rencontrés par Bérénice ont avancé les explications suivantes :

- Cet enfant occupe la même place dans la fratrie que son père (qui est également l'enfant du milieu, entre deux sœurs).
- Il semble être un enfant précoce (tests à faire prochainement), donc son père est jaloux car il attire naturellement l'attention des adultes sur lui.
- Il est petit en taille, très mignon, sensible et gentil, intellectuel, et porte des lunettes…
- La théorie de Bérénice s'y ajoute : *« Dans les premiers mois de sa vie, cet enfant a souffert d'un reflux gastro-œsophagien majeur. Il souffrait, était très agité, vomissait tout le temps. Je n'avais personne pour m'aider et gardais aussi sa sœur de deux ans. J'étais épuisée, jusqu'à ce que, enfin, je trouve un traitement adapté auprès d'une gastro-pédiatre. Son père semble l'avoir pris en grippe dès ce moment-là. D'une manière générale, il ne supporte pas les gens malades. Moi-même, j'ai eu un cancer de la thyroïde et il ne m'a jamais soutenue. »*

D'après mon expérience, la première explication ne tient pas. Effectivement, de très nombreux témoignages montrent que les places dans la fratrie des enfants bouc émissaires d'un parent manipulateur sont diverses. Il peut s'agir d'un aîné, d'un cadet ou d'un benjamin. Je n'ai donc pas retrouvé de règles à ce sujet.

En revanche, les trois autres explications sont extrêmement fréquentes dans les cas similaires.

L'histoire qu'a vécue David est comparable. Son père possède 28 caractéristiques du manipulateur et sa belle-mère, deuxième épouse de son père, en a 22. Ces deux parents alternaient leurs conduites d'humiliation :

Un soir, lors de « vacances » au ski, la femme de mon père m'a inscrit dans un cours de ski alpin troisième étoile, alors que je n'en avais pas le niveau. Elle avait étrangement insisté pour que j'y reste, en dépit de mes peurs et des consignes de la monitrice qui pensait me rétrograder. Le soir, me voyant tétanisé par ces cours qui étaient d'un niveau bien trop élevé pour moi, mon père m'a dit que l'essentiel était de s'amuser et que j'irais dans un autre cours. Le lendemain matin, sa femme réaffirmait que j'irais au cours troisième étoile. Je me suis mise à pleurer et mon père, dont j'attendais le soutien promis la veille au soir, m'a crié que « je n'allais pas encore les embêter ! » J'avais 11 ans.

Chaque samedi, j'avais droit à un procès parce que je n'aimais pas les légumes et les pommes de terre en particulier (en fait, c'est la cuisine de sa femme que je n'aimais pas). Je m'attendais donc à me tenir régulièrement sur le banc de l'accusé, condamné par une inquisition de bas étage. Mon père n'aime pas les carottes râpées, on ne lui faisait pas de procès pour autant.

Avant que mon père se marie, je dormais par terre. Quand je disais à mes frères et sœurs qui marchaient sur moi : « Je ne suis pas un tapis ! », cela faisait rire mon père, qui a raconté cette anecdote pendant des décennies comme s'il s'agissait d'une blague…

Elle sabote la réussite de sa fille

Quand on croit que les parents feront tout pour que leurs enfants réussissent mieux qu'eux, c'est sûrement vrai. À l'exception d'un cas : lorsque le parent a une pathologie narcissique. Autrement dit, une mère ou un père manipulateur ne souhaite nullement que vous le surpassiez !

Le sentiment général populaire dans la réussite tient dans le succès matériellement et financièrement mesurable : obtenir un ou plusieurs diplômes d'universités ou d'écoles prestigieuses, avoir un métier valorisant, gagner confortablement sa vie, être propriétaire, maintenir son couple dans la durée, avoir de « beaux enfants » qui obtiennent de bonnes notes à l'école, etc.

Et si la réussite consistait plutôt à grandir intérieurement, à atteindre ses objectifs, à toucher ses rêves, à vivre selon ses valeurs personnelles et à être heureux ? Je ne prendrai pas le temps, dans cet ouvrage, de philosopher à ce sujet, car nous sortirions du propos qui nous intéresse, mais sachez que les manipulateurs sont doués pour faire croire à une dimension spirituelle de leur personnalité sans être tout à fait dans la pratique. Ainsi, malgré de beaux discours philosophiques auxquels s'adonnent de nombreux parents manipulateurs, ceux-ci sont attachés au modèle populaire de la réussite qui reste en définitive purement sociale. Ils jugent les autres sur ces critères bien ordinaires.

Lors de la lecture des témoignages de filles de mères hypernarcissiques, j'ai eu la surprise de constater un nombre éclatant de moyens utilisés par ces mères pour que leurs filles ne soient pas dans les conditions optimales pour réussir leurs études[6] !

Soit ces mères les encouragent à partir trop tôt de la maison, soit elles ne leur donnent pas assez d'argent lors **de leurs** études universitaires, alors qu'elles en ont les moyens. Si elles veulent réussir, les filles doivent rechercher parallèlement un ou plusieurs boulots toute l'année afin de financer leur quotidien et leur survie. Les mères utilisent aussi d'autres moyens plus subtils. En voici deux, dans l'exemple de Sabrina :

Lorsque mon père partit sans annonce de la maison, il laissa derrière lui une bonne part de ses affaires personnelles. Parmi elles, il y avait sa caméra vidéo. Ma mère et moi l'avions achetée moitié-moitié pour son anniversaire. Ma mère n'a jamais su l'utiliser et une fois mon père parti, j'étais la seule à savoir m'en servir. À l'université, trois de mes amis et

6. Je n'ai pas encore eu de témoignages émanant de fils de mères manipulatrices.

moi-même avions monté un projet de court-métrage. Une fois le scénario, le lieu et la date déterminés, il nous restait à trouver une caméra. J'étais la seule à pouvoir en fournir une. Je demandai donc l'autorisation de l'utiliser et ma mère accepta. Le matin du jour fixé, je m'apprêtais donc à la prendre lorsque ma mère me l'a interdit ! Elle avait changé d'avis et je ne me souviens pas qu'elle ait donné une quelconque raison à ce refus. Cette fois-là, j'ai bien essayé de lui faire comprendre que ça allait me créer des problèmes, sans compter que je me sentirais stupide auprès de mes amis, mais elle n'a rien voulu entendre… Je suis arrivée sur le lieu de tournage confuse de ne pas avoir apporté la caméra. Je me sentais très mal de n'avoir pas pu tenir ma promesse. Ce sentiment de honte et cette culpabilité d'avoir osé demander quelque chose m'ont poursuivie longtemps…

Pour continuer en matière de sabotage, voici une autre anecdote :

Je passais le permis théorique pour la conduite automobile. L'étape suivante était d'apprendre la pratique pour passer le permis définitif, avec ma mère comme instructeur. Malheureusement, dès le début, elle a rechigné à m'enseigner, prétextant que c'était à mon père qu'aurait dû incomber la tâche de m'apprendre ! Mon père était parti de la maison lorsque j'avais 17 ans. Après lui avoir expliqué plusieurs fois que sans son aide, mon permis théorique ne servirait à rien, elle a fini par accepter de monter avec moi en voiture. Nous avons fait environ 300 mètres avant qu'elle ne me fasse descendre en criant, disant que j'allais casser sa voiture ! Je n'ai plus jamais repris le volant de sa voiture…

Ce n'est qu'après avoir quitté définitivement le domicile familial, à 20 ans (je réalisais enfin mon rêve de me libérer), que j'ai commencé à épargner pour passer mon permis avec une auto-école. J'ai donc dû repasser mon épreuve théorique et enfin la pratique de conduite à 22 ans…

Lorsque la fille réussit malgré de nombreux obstacles évidents, la mère pathologique alterne entre deux positions, selon la présence d'oreilles étrangères et surtout selon son besoin de renflouer son image sociale. Ainsi, elle est capable de vous encenser en votre absence en répétant trop souvent «MA fille est formidable...» à ceux qui veulent bien l'entendre. En revanche, les compliments et les sincères félicitations sont rares dans l'intimité.

Sophie remarque que cela se propage même à ses enfants, donc aux petits-enfants:

Si ses petits-enfants réussissent, elle s'exclame: «C'est à peine croyable!», mais lorsque leur grand-mère est forcée d'accepter la réalité, elle se dit fière et conclut: «C'est de famille»!

La mère narcissique s'enorgueillit de la réussite et des succès professionnels de sa progéniture alors qu'elle n'y a pas contribué, ou au strict minimum (par radinerie ou par peur que sa fille la surpasse). L'entourage ne peut se douter ou imaginer à quel point cette réussite a été maintes fois sabordée par la narratrice si fière d'elle! À moins que l'enfant lui fasse découvrir la vraie version...

Vous avez remarqué que pour ce thème, je ne mentionne pas de fils, mais uniquement les filles de ces mères. La raison en est simple: je n'ai entendu ni reçu de témoignages de ce type de sabotage chez les fils de manipulatrices. Je ne me suis donc pas autorisée à généraliser une observation par mesure d'intégrité et de rigueur. En revanche, le père à la personnalité narcissique fait de même avec un de ses fils.

Il ne supporte pas que son fils le surpasse

Nombreux sont les garçons de pères à la personnalité narcissique qui réalisent à l'âge adulte que leur père a plus ou moins subtilement saboté leur potentiel de réussite. À commencer par la période scolaire.

Contrairement à la mère manipulatrice, le père de ce même profil s'implique dans les devoirs scolaires de sa progéniture. Et cela se passe mal ! Ce faux perfectionniste fait illusion en exigeant de ses enfants, et particulièrement d'un de ses fils, une parfaite application pour tous les exercices demandés. Sans se soucier de la maturation liée à l'âge de son fils, ni de ses moments de fatigue ou d'éventuelles difficultés d'apprentissages, telle qu'une dyslexie par exemple. Le père persiste à lui faire finir une leçon coûte que coûte.

David se souvient :

Pendant toutes mes vacances avant l'entrée au collège, ses exigences et la pression qu'il exerçait sur moi m'interdisaient de me reposer. Il voulait que je saute une année dans l'enseignement religieux.

Plus il y a de tension et de fatigue, moins le cerveau fonctionne correctement dans la réflexion. Encore moins lorsque l'enfant a peur de son père. Alors, il bloque totalement et ne réfléchit plus. Le père ne lâche pas, répète inlassablement la même question, de plus en plus durement, l'accuse de faire « de l'obstruction » (l'enfant ne comprend pas ce mot et croit que c'est une faute grave). Puis, le père traite l'enfant de « con », de « débile », « d'idiot », de « crétin », etc. Le garçon se met à pleurer, naturellement, et le père augmente d'un cran son agressivité envers ce « fils incapable »… et faible. Or, le père est un perfectionniste imaginaire. Il fait croire qu'il a une connaissance parfaite des données du problème scolaire à résoudre, mais il ne fait jamais la démonstration de cette maîtrise jusqu'au bout. Il n'avoue pas qu'il ne comprend pas ou plus le sujet des problèmes de mathématiques, de physique ou de chimie. Il n'est pas doté d'une meilleure mémoire que son enfant, mais somme ce dernier de réciter parfaitement sa poésie, son devoir d'histoire ou de géographie.

Paradoxalement, il exige que son fils soit parfait à l'école, mais il bloque les moyens d'y parvenir aisément.

Dans un contexte pédagogique ou ludique hors scolarité, ce type de père fait en sorte de ne jamais laisser gagner son enfant à des jeux de société tels que les échecs. Décidément, il ne supporte pas de se faire surpasser, même lorsqu'il n'y a aucun enjeu.

Son ego est si démesuré qu'il ne conçoit pas, secrètement, que son propre fils puisse le surpasser, même intellectuellement. Nous faisons la même observation pour les mères hypernarcissiques avec leurs filles.

Dans le cas où le jeune homme obtient des résultats médiocres au cours de sa scolarité, le père manipulateur se dédouane totalement d'en être la cause puisqu'il passe du temps à combler ses lacunes depuis des années ! Il lui est alors facile de conclure que ce garçon ne réussira pas dans la vie. Sans compter qu'il accuse sa femme de mal éduquer leur fils…

Le choix d'un avenir professionnel ne dépendra pas du fils mais du père ! Il est courant de constater que le père manipulateur influence fortement son fils pour s'engager dans un apprentissage professionnel ne correspondant pas du tout au profil de ce dernier. Selon le caractère de l'adolescent, « ça passe ou ça casse ».

S'il n'obtient pas gain de cause, ce père impose un lieu d'étude (leur propre ville ou la plus proche en général), un mode d'habitation (rester chez eux !), ainsi qu'un mode de vie (horaires des repas à respecter, rendre des comptes, ne pas rentrer après 23 heures ou minuit alors que le jeune est majeur, etc.)

Si le jeune étudiant ou apprenti ne cède pas aux conditions paternelles et refuse le contrat, le père explose et menace ! De toute évidence, aider son enfant à se réaliser dans sa propre voie n'est pas son objectif.

Lyna et Yvan en ont été les témoins directs :

Pour que je puisse poursuivre mes études, mes parents avaient loué un studio pour moi dans une grande ville universitaire. Mon amoureux Yvan était alors à 160 km de là, mais il devait de son côté obtenir sa maîtrise. Une unité lui manquait pour valider sa quatrième année d'université. Non seulement nous pouvions être ensemble dans cette ville, mais en plus Yvan en tirerait un avantage pour son redoublement afin de décrocher peut-être une mention (ce qu'il a fait). Mes parents ont accepté qu'il vive avec moi et que nous poursuivions tous deux nos études universitaires. Du côté des parents d'Yvan, la nouvelle a été prise tout autrement, avec des cris, des interdictions, et surtout des menaces: « Si tu pars là-bas, nous ne payons plus tes études! », « Il y a toutes les universités dans notre ville pour tes études », « Tant que tu restes sous le toit familial, nous te nourrissons et te logeons. Si tu pars, tu te débrouilles! »

Le masque est tombé. Si le jeune homme veut poursuivre des études, même ardues comme un cursus de médecine ou de droit, mais que son paternel ne cautionne pas, ce dernier lui fabrique des obstacles. Tous les témoignages se recentrent sur la même stratégie utilisée: **couper les vivres**! Sinon, l'éventuel pécule octroyé permet à peine de survivre… si bien que l'étudiant abandonne son projet ou alors persiste dans sa voie mais travaille parallèlement à des petits boulots pour subvenir à ses besoins. D'où le risque de ne pas suffisamment se consacrer à ses études, et donc de ne pas réussir ses examens intermédiaires. Bien entendu, je ne parle pas ici des décisions des parents normaux qui ne peuvent réellement pas assumer financièrement ni le logement ni la vie quotidienne ni les transports. Je distingue bien les parents sans ressources des parents manipulateurs qui utilisent les insultes, les disputes et surtout les menaces, alors que la demande de leur progéniture est appropriée et raisonnable.

David a particulièrement souffert de ce refus de soutien financier:

Lors de la procédure engagée pour qu'il me verse une pension alimentaire a posteriori *(j'avais 27 ans), il a déclaré par l'intermédiaire de son avocat « qu'il ignorait que j'avais fait des études » (ce qui est faux), « qu'il avait été heureux d'apprendre que je faisais des études, mais qu'il aurait bien voulu en être averti et pouvoir se réjouir avec moi de la réussite de mes examens », « qu'il ne m'a pas abandonné financièrement mais que c'est moi qui l'ai repoussé », « que j'étais un fils ingrat qui ne montrait pas la moindre affection pour lui et qui provoquait des situations conflictuelles » ; en gros, il me faisait porter ses propres erreurs.*

L'autonomie avant l'heure

Pour éveiller un enfant afin qu'il alimente son estime personnelle et sa confiance en ses aptitudes, créez très tôt de l'attachement rempli d'amour. Aussi, faites-lui expérimenter un grand nombre de situations propices à la réussite, selon son âge. Ajoutez-y des félicitations, des compliments sincères et des encouragements. Faites-le jouer et agir dans des circonstances variées et nouvelles. Accompagnez-le avec patience dans sa peur d'échouer ou de tomber. Apprenez-lui des actes autonomes en rapport avec son développement psychomoteur et psychoaffectif. Montrez-lui de l'intérêt et donnez-lui de l'amour. Tout cela se fait naturellement par nombre de parents non anxieux. Malheureusement, le parent manipulateur a de la difficulté à donner tout cela à sa progéniture. Il n'en fera qu'une partie : celle qui l'arrange…

Égocentrique sur ses propres besoins et ses envies, un parent manipulateur éduque ses enfants (en fratrie) en exigeant **trop précocement** une autonomie. Cela lui permet alors de se libérer plus tôt de ses obligations de parent attentif et présent. La mère manipulatrice fait en sorte que les enfants sachent, par exemple, faire les courses ou leurs repas avant la préadolescence ; qu'ils lavent eux-mêmes leur linge (surtout les filles) ; qu'ils fassent leurs devoirs scolaires sans supervision (c'est l'inverse pour le père manipulateur, trop tyrannique sur cet aspect) ; qu'ils dorment chez les autres ou y passent des vacances sans leur téléphoner pour obtenir des nouvelles…

L'autonomie à tout prix, exagérément précoce, peut générer une carence affective chez l'enfant. Le parent à la personnalité narcissique fait souvent l'erreur d'assumer ce que j'appelle clairement de **la négligence**.

En revanche, c'est quasi l'inverse dans le cas d'un enfant unique ! Son besoin de fusion éternelle amène une mère à la personnalité narcissique à tout faire pour que l'enfant ait le sentiment que sa mère lui est indispensable. Ainsi, faire gagner en autonomie sa seule progéniture, sa possession, n'est pas considéré comme un objectif éducatif. Cela représente sûrement une trop grande menace face à la solitude (on l'aura compris, le mari, le père de l'enfant, n'a plus sa place : un autre couple s'est formé, dont il est exclu depuis la naissance).

Bref, négligence dans un cas ; surprotection dans l'autre. De la négligence à la dépréciation voire l'indifférence, il n'y a qu'un pas. Et le parent manipulateur le franchit facilement !

CHAPITRE 3

Un rapport pathologique à l'argent

Le rapport à l'argent chez les individus manipulateurs est une véritable problématique. Pour le dire clairement, ce rapport est franchement pathologique ! Alors que le sujet semble tabou puisqu'il est rarement mentionné de façon explicite, il s'agit d'une véritable obsession. Certains parents manipulateurs sont contrariés à l'idée de dépenser trop, surtout pour les proches et, étonnamment, pour leur progéniture. Cependant, l'argent devient un moyen efficace pour exercer un rapport de force sur son enfant, ou son adolescent, et encore davantage sur l'étudiant qu'il deviendra peut-être. En revanche, les manipulateurs sont capables d'exploiter les ressources financières d'autrui et de bénéficier de leurs biens matériels sans aucun scrupule. Chez le parent manipulateur, ce genre de paradoxe est monnaie courante. De nombreux cas vécus en donnent la preuve…

Une radinerie étonnante

La radinerie est à son comble chez un manipulateur. Pourtant, les gens de l'entourage ne le constatent pas et la famille très proche ne le comprend que tardivement, malgré des indices clairs.

Denise en témoigne :

Ma mère, pendant très longtemps, n'a pas voulu avoir le téléphone à la maison ; tant que mon père travaillait, elle lui demandait de passer ses coups de fils au bureau. Ma grand-mère habitant le même immeuble, elle allait aussi téléphoner de chez elle.

Ce n'est qu'au décès de ma grand-mère et lorsque mon père a pris sa retraite qu'elle s'est décidée à l'installer à la maison !

Tatiana souhaite témoigner de l'extrême radinerie de son père manipulateur :

Il a demandé pendant très longtemps à ma mère de faire la cuisine sur une vieille cuisinière à bois placée dans un atelier au lieu de faire même chauffer du lait sur la cuisinière à gaz de la cuisine. Nous avons connu des hivers où il faisait 4°C dans la maison, car il refusait d'allumer le chauffage central au gaz. Il avait une moto et n'avait jamais souscrit d'assurance. Il n'a pas de voiture car il trouve que ça coûte trop cher. Il a critiqué la mienne lorsqu'il l'a vue, alors que c'est une petite voiture d'occasion. Lorsque j'étais petite, il n'achetait jamais de vêtements, à part usagés et au kilo, ou il prenait ceux qu'on lui donnait ou qu'il récupérait lors de déménagements.

Des cadeaux lamentables

Dans le registre de la mesquinerie, afin de ne pas dépenser d'argent pour des enfants qu'un parent manipulateur n'a plus besoin de séduire, les cadeaux médiocres sont légion. L'objectif est qu'ils ne soient pas chers. Il n'est donc pas prioritaire de faire prodigieusement plaisir…

David nous fait part dans ce chapitre de beaucoup d'observations concernant la radinerie extrême de son père manipulateur, à commencer par celle-ci :

Les seuls cadeaux que je recevais de mon père quand j'étais enfant étaient les cadeaux d'entreprise, très souvent inappropriés pour un gamin.

Offrir un cadeau s'inscrit soit dans le registre du code social traditionnel (Noël, un anniversaire, un mariage, etc.), soit dans la simple spontanéité du désir de faire plaisir et de manifester son affection. Même dans le premier cas, le parent à la personnalité narcissique voudra être gagnant.

Caroline répond par écrit à sa mère manipulatrice :

« Pour ce qui est des mesquineries, je te rappelle que c'est toi qui t'es encore vantée récemment (comme d'habitude) de faire des cadeaux achetés en solde ou d'avoir apporté un bouquet, joli certes, mais bradé car mis de côté dans les invendables !

Ça me rappelle les habits achetés trop grands pour « faire » pendant plusieurs années ! Les cadeaux de Noël minables, tellement minables que je ne croyais plus au père Noël à l'âge de cinq ans (ce qui vous a bien arrangés). Ma seule poupée neuve a été celle offerte par les amis voisins. »

Tatiana se souvient de toutes les fêtes ratées à cause de son père manipulateur :

Durant les fêtes, l'ambiance finissait toujours par être plombée. Comme il était d'un tempérament lunatique, on ne savait jamais comment son humeur allait tourner. On invitait rarement, mais si on le faisait, il fallait toujours impressionner les autres avec un menu pantagruélique et des gâteaux bons, mais surtout pas chers ! Il n'achetait jamais de cadeaux ou il offrait des choses très médiocres, parfois d'occasion, qu'il pouvait trouver dans une brocante, ou alors les cadeaux que les sociétés de vente par correspondance offrent à leurs clients lorsqu'ils passent des commandes ! Il se moquait de savoir si le cadeau pouvait plaire ou servir à celui qui allait le recevoir. Une fois, sa cousine m'a offert un très joli pull. Il s'est mis à crier en lui reprochant cet achat. Selon lui, je n'en avais pas besoin ! Je me souviens avoir pleuré.

Lors de ma première communion, il m'a offert une bague qu'il avait achetée d'occasion chez un bijoutier. On voyait qu'elle n'était pas neuve car l'intérieur de la boîte était un peu jauni. Dessus figurait l'adresse d'un bijoutier. Il m'avait ordonné de faire très attention, et surtout, m'a dit que je n'avais pas intérêt à la perdre car elle avait coûté très cher ! C'était une émeraude. Plus tard, je suis allée voir le bijoutier dont l'adresse figurait sur la boîte. Il m'a affirmé que le bijou ne venait pas de chez lui, que la bague était du toc et que l'émeraude était en réalité une perle de verre.

Pour qu'un cadeau ne soit pas onéreux, le plus simple est de ne pas en faire !

Le père manipulateur a nettement tendance à ne pas offrir de cadeaux ni à ses enfants ni à ses petits-enfants. Cependant, ce comportement n'est pas significatif et ne pèse donc pas lourd dans la balance du diagnostic d'une personnalité narcissique. En effet, dans la plupart des familles, ce n'est pas l'homme qui se charge de l'achat des cadeaux mais sa compagne. Ainsi, ce sous-chapitre concerne davantage les femmes.

La mère manipulatrice, qui peut aussi être une grand-mère, va inventer des prétextes pseudo-logiques, voire des mensonges, pour ne rien offrir à ses enfants ou à ses petits-enfants (l'éloignement, « la banque était fermée », le manque de temps, « tu ne m'as pas dit ce que tu voulais ! », etc.). Sophie nous partage son expérience :

Ma mère se dit trop fatiguée pour organiser Noël. Elle ne veut pas inviter ses deux cousins qui, soi-disant, mangent trop ! Elle dit : « Inutile de faire un repas, un goûter suffit ! » Elle se justifie souvent également en disant que « les enfants ne vont pas aimer » telle ou telle chose…

Elle n'offre pas de cadeaux aux enfants car « ils ont tout ! » Par ailleurs, depuis trois ans, ma mère manipulatrice ne fête plus mon anniversaire ni celui de ma sœur, car « on n'a plus l'âge » ! En revanche, elle prend soin de nous rappeler la date du sien quelques semaines à l'avance, alors que nous ne l'avons jamais oublié !

Pour une personnalité narcissique, en général, la fonction du cadeau n'est pas l'expression adaptée d'une affection pour autrui. Le manipulateur choisit tout à fait consciemment de donner ou pas ; il choisit quoi offrir selon le bénéfice narcissique qu'il en tirera. Il peut « acheter » facilement des gens étrangers à la famille proche. Il achète son image sociale (les gens de l'extérieur ignorent que les cadeaux offerts à la famille nucléaire sont lamentables ou inexistants). Il achète leur disponibilité, leurs services ultérieurs et leurs « bons souvenirs ». Dès qu'une personne ne présente plus aucun enjeu de séduction (non sexuelle) pour en tirer un avantage (comme combler sa propre solitude, profiter de sa propriété bien située, se faire héberger, se faire transporter gratuitement, etc.), le manipulateur espace les contacts. Alors, il ne se donne plus la peine de faire des cadeaux.

Françoise parle des anniversaires :

Ma famille proche (mes deux parents sont manipulateurs) ignore maintenant mon anniversaire. C'est très douloureux après des années de festivités, de cadeaux et de bons moments passés ensemble. Celui des enfants tend à disparaître aussi. Mon frère et ma sœur ont marqué l'occasion avec un jour de retard pour mon aîné par un réseau social (je trouve cette façon de faire très impersonnelle, mais que dire si ce n'est expliquer à mon enfant qu'ils l'aiment quand même ?) Ma mère, qui disait que ses petits-enfants étaient « tout pour elle » ne donne pas signe de vie. Mon époux, qui a été adulé à son arrivée dans la famille, a fêté son anniversaire il y a quelques jours sans que personne de ma famille ne lui fasse un quelconque signe. C'est très triste et malheureux, mais on vit avec !

Le manipulateur n'a de l'affection que pour celui qui lui en donne *d'abord* ! Vous comprendrez alors que les enfants des personnalités narcissiques sont les premiers perdants. Selon moi, il revient d'abord aux parents de manifester de l'amour et de l'affection aux enfants. Le gouffre narcissique n'étant jamais comblé chez le parent manipulateur, ce dernier attend d'obtenir des preuves d'amour de ses enfants. Ensuite, seulement, il en donnera… en récompense.

Faites un compliment à une mère manipulatrice, sur n'importe quoi, et vous la verrez immédiatement s'égayer et recouvrer sa bonne humeur pour plusieurs heures. Peut-être même que vous recevrez un cadeau !

Quand un père fait soudain des cadeaux…

Un père de famille classique se charge très exceptionnellement de choisir et d'acheter les cadeaux. Un manipulateur ne fera pas mieux. Sauf dans un cas : **lorsqu'il divorce ou se sépare** ; surtout lorsqu'il n'obtient pas la garde principale de ses enfants (un père à la personnalité narcissique la réclame généralement). Son comportement et son investissement envers ses enfants changent alors du tout au tout. Il se met à offrir à sa fille ou à son fils des **cadeaux très onéreux et à la mode**. Des cadeaux d'un tel prix que même des adultes réfléchissent à deux fois avant de se les offrir… Selon les époques, la nature de ces cadeaux change. Ils sont à la mode alors que justement, la mode n'était pas du tout une priorité lorsque les parents vivaient ensemble. Cette propension à acheter des cadeaux onéreux et très appréciés des enfants ou des adolescents pose problème à la mère, qui en a la garde principale le plus souvent. Assurant le quotidien et assumant les aspects financiers (très souvent, le père manipulateur ne verse pas la pension alimentaire pour ses enfants), la mère ne peut se permettre de telles dépenses non indispensables pour chacun des enfants. Il s'agit d'ailleurs parfois d'une véritable provocation. Le présent offert peut être un téléphone cellulaire dernier cri, un ordinateur portable, une télévision à écran plat high-tech, un scooter, une moto, une voiture plus tard, des vacances à l'étranger, etc. Dans les faits, ces offrandes sont beaucoup trop chères compte tenu de l'âge des enfants ! On observe une irrationalité dans le choix des cadeaux selon l'âge des enfants. Je comprends ainsi que le père manipulateur ne fait pas véritablement de choix adapté. Il n'y a aucun but pédagogique dans cette action.

Il devient alors nécessaire d'expliquer au jeune que ces nouveaux achats sont des tentatives de corruption pour gagner son amour, afin de l'inciter à venir vivre avec son père manipulateur. Je n'ai pas repéré ce comportement chez les mères manipulatrices séparées ou divorcées.

Cette tentative de corruption est facile à voir pour un adulte, et surtout pour le parent sain qui tient à faire valoir des valeurs non matérielles. Or, elle semble invisible aux yeux de l'enfant. En effet, quel mal y a-t-il à recevoir un cadeau exceptionnel dont il va d'ailleurs pouvoir se vanter auprès des camarades ? Et là se tient le danger : la subtilité de la manipulation. Le parent en question devient soudain généreux et nourrit le besoin avide de son fils ou de sa fille de s'intégrer et d'être admiré de ses pairs. Comment un enfant peut-il y renoncer ?

Je ne suis pas d'avis qu'il faille nécessairement y renoncer. En effet, il peut être fort délicat de refuser un aussi beau cadeau alors que le jeune en a très envie. D'autant qu'il faudrait expliquer la raison de ce refus. En revanche, l'intervention d'un tiers (amical, familial ou professionnel) ajoutée à celle de l'autre parent, devrait s'avérer utile pour expliquer que ces cadeaux onéreux ne sont pas fortuits ; qu'ils ont un objectif invisible aux yeux des enfants. Il est important que le jeune entende qu'acheter l'amour et l'attachement des enfants uniquement par du matériel et de l'argent n'a jamais été et ne devrait jamais être une valeur de vie.

Tout simplement parce qu'on ne peut en effet « s'attacher quelqu'un » par de l'argent, mais par son amour.

Alors qu'il ne paye pas de pension alimentaire...

Un père manipulateur a l'audace d'offrir un somptueux cadeau à sa progéniture tout en ne versant pas, par ailleurs, depuis des mois ou des années, la pension alimentaire qu'il doit verser, d'après la loi et même la morale.

Blandine et ses trois enfants de 11 ans, 8 ans et demi et 3 ans, subissent cet affront :

L'ordonnance de non-conciliation a ordonné au père de quitter la maison familiale il y a un an et demi. Ce qu'il a fait... en partant immédiatement en couple avec notre voisine, mère de deux filles qui fréquentaient la même école que nos enfants ! Il a exposé immédiatement les enfants à sa relation, puisqu'ils sont partis pendant huit jours en Angleterre, visiter notamment le parc Harry Potter. Lui qui n'avait pas les moyens de payer une pension alimentaire... Il s'est constitué PDG d'une société et roule en Jaguar. Il vit au-dessus de ses moyens mais refuse de chercher un vrai travail et de fermer son entreprise. Le juge des affaires familiales a écrit qu'il « taisait la réalité de ses revenus ».

Ce père n'a pas payé les pensions alimentaires pour ses trois enfants jusqu'à ce que je déclenche un incident pour dénoncer ses fraudes.

David ajoute, pour sa part :

Les chèques de pension alimentaire que devait verser mon père pour ses trois enfants étaient sans provision. Ma mère a dû demander une saisie « arrêt sur le salaire » de mon père.

Le plus souvent, le jeune n'est pas informé du grave manquement de son père à son obligation légale de subvenir financièrement à ses besoins quotidiens. La mère n'ose pas le « mêler à ces histoires d'argent». C'est un tort selon moi. À partir du moment où l'enfant est en mesure d'évaluer la réalité des choses, soit autour de neuf ans, et que la manipulation observée comporte trop de risques de la part du parent pathologique (notamment l'aliénation parentale), on devrait lui avouer que ce dernier a volontairement fait en sorte de ne pas assumer ses responsabilités financières envers son enfant. Même si cette vérité déplaît fortement à l'enfant ou à l'adolescent sur le moment, je pense que cet aveu peut l'aider à développer son esprit critique à l'avenir. J'ai remarqué que les filles ont cette prise de conscience de façon plus précoce. Elles sont moins «achetables». Bien sûr, il existe des exceptions.

Des enfants qui coûtent trop cher!

Ce n'est souvent qu'à l'âge adulte que les enfants d'un parent manipulateur réalisent à quel point celui-ci tient absolument à *ne pas* dépenser pour eux!

Sous des prétextes divers, comme un manque d'argent fictif ou des principes d'éducation, son avarice va jusqu'à éviter d'acheter des **vêtements** neufs à sa progéniture quand cela est nécessaire.

Virginie nous raconte une histoire sidérante:

Ma mère est avare et j'ai le souvenir que mes chaussures «bâillaient», les semelles s'étant décollées à l'avant. Il faut préciser que mes parents nous habillaient, mon frère et moi, de vêtements d'occasion achetés dans des ventes de charité. Ma mère m'a d'abord envoyée à l'école avec des punaises fixées dans les semelles. Bien évidemment, la réparation n'a pas tenu. L'institutrice s'en est émue et je suis rentrée à la maison en répétant ce qu'avait dit la maîtresse. Ma mère s'est vexée que son «astuce» n'ait pas fonctionné et s'est entêtée. Elle a alors noué un morceau de ficelle autour de chaque chaussure et a exigé que je retourne à l'école ainsi équipée. J'ai obéi. Les ficelles n'ont pas plus tenu que les punaises… J'ai fini par avoir d'autres chaussures. J'avais six ans.

Les vêtements « à la mode » sont encore moins considérés comme une réelle nécessité. Les adolescents ressentent de la frustration et une honte à ne pas être habillés dans la tendance ou correctement. Les codes vestimentaires de chaque époque servent à intégrer facilement son groupe de congénères. Tous les parents attachés à l'autonomisation de leurs enfants le savent.

Liliane témoigne :

Un jour, ma mère me dit : « On va aller t'acheter des vêtements. » Dans le magasin, elle me demande ce qui me plaît ; je choisis et montre « ça ! » Elle répond : « Non, prends plutôt ça ! » Je refuse. Et là, elle se braque d'un coup : « Puisque c'est comme ça, tu n'auras rien ! »

Noémie a vécu d'autres stratégies de fuite avec son père manipulateur :

Un jour durant l'hiver, je voulais m'acheter un pull, mais je n'avais pas d'argent. Comme je passais peu de temps avec mon père, je lui ai demandé un peu d'argent pour me payer le pull, puis lui ai proposé de m'accompagner en ville pour l'acheter. Mon père est donc venu. Nous sommes entrés dans un magasin. Deux minutes après, alors que je regardais les vêtements, mon père m'a dit : « Je ne peux pas supporter les magasins : il y a trop de femmes ! Je rentre. » Et il est sorti sans me laisser le temps de répondre ! Cette attitude m'a dégoûtée.

De retour à la maison, je lui ai donc demandé de l'argent pour me payer un pull, et là, il m'a répondu : « Je t'en donnerai un à moi ». Celui qu'il voulait me donner était beaucoup trop grand, pas féminin, et bien entendu je n'en voulais pas.

Lorsque je lui demandais de l'argent pour payer mon billet de train, aller au restaurant ou au cinéma avec mes amis, sa réponse était toujours la même : « Demande à ta mère ! », alors que c'était elle qui payait tout !

Un hiver, mon père m'a emmenée faire du ski chez mes grands-parents. J'ai apprécié qu'il me paye le ski et le restaurant. Or, au retour je lui ai demandé 20 euros pour manger des sushis avec une amie et il m'a répondu : « Fallait choisir ! Je t'ai payé une semaine de ski et un restaurant. Ça coûte cher tout ça ; je ne peux plus payer ! »

Les mères hypernarcissiques semblent plus intéressées à dépenser pour elles-mêmes que pour leurs enfants. Elles cachent d'ailleurs une partie de ce qu'elles achètent. Le manque d'argent souvent évoqué reste donc très aléatoire…

Sophie raconte :

Il ne s'est pas passé de semaines sans que nous entendions que nous coûtions trop cher, moi et mon frère. J'étais persuadée que nous étions très pauvres quand j'étais petite. Ironiquement, je n'avais pas compris qu'il fallait payer la femme de ménage, la cuisinière et la nounou qui travaillaient toute la journée à la maison ! Je n'avais pas compris que, pour le repos de Madame (ma mère), il lui fallait passer les mois d'été les pieds sous la table… Nous passions après ses besoins et ses envies.

Les pères manipulateurs dépensent rarement, sauf de très grosses sommes pour épater la galerie… ou une maîtresse (pour une voiture prestigieuse, par exemple). Ils sont en général radins même pour eux. Mais il existe des exceptions.

Des restrictions alimentaires

Il est courant que les parents enseignent à leur progéniture qu'il ne faut pas gâcher la nourriture non périmée. Sous ce prétexte éducationnel, un parent à la personnalité narcissique, souvent le père, instaure une règle sacrée : finir la nourriture entamée avant d'attaquer la fraîche. Tant que l'idée reste générale, elle ne choque pas. Mais au quotidien, la pratique devient absurde, démesurée et est une démonstration caractéristique de l'antiplaisir.

Par exemple, sous prétexte de ne pas gâcher un pain baguette entamé la veille, il ne faut pas déguster celui que l'on vient d'acheter et il faut finir le premier même s'il est dur et sec ! Ainsi, la famille entière mange tous les jours du pain rassis. Chacun a son lot de pain sec avant d'accéder au bon pain qui, lui, a eu le temps, jusqu'au soir, de se dessécher…

À la guerre comme à la guerre ! Je donne ici un exemple valable pour les Français qui mangent du pain au quotidien. Il existe bien d'autres façons, selon les foyers et les cultures, pour les manipulateurs, de mal nourrir leur famille.

Tatiana raconte que son père manipulateur avait un jardin dans lequel il avait planté des arbres fruitiers :

Il y avait une dizaine de pommiers qui produisaient à profusion. Il ramassait les pommes et les stockait à la cave. Il fallait les manger à tous les repas pour ne pas les jeter, même une seule, et choisir celles qui commençaient à pourrir. Comme elles pourrissaient au fur et à mesure, en fait, on ne mangeait que des pommes abîmées pendant toute une saison !

Un hiver, il nous a fait manger de la soupe faite avec les tomates pourries qu'il avait fait mûrir sur le radiateur ! Ma mère a été hospitalisée d'urgence pour un streptocoque, un grave empoisonnement du sang.

Il n'est pas rare, cependant, que le parent manipulateur qui prône les avantages de telles restrictions (qu'il ne nomme jamais ainsi) aille en cachette déguster seul des mets autrement plus goûteux et séduisants… Pour les couples les plus pervers, les deux parents s'offrent des repas, des desserts ou des goûters royaux à l'insu de leurs enfants.

Mal nourrir ses enfants alors que leur discours invoque le contraire, est assez spécifique aux manipulateurs. Par exemple, ils réservent le poisson frais pour les invités, mais servent au cours de l'année des bâtons de poissons panés industriels à leurs enfants. La traîtrise réside dans le fait qu'ils répètent à ces derniers que la nourriture qu'ils leur servent est la meilleure…

Certes, l'économie est substantielle. Mais j'ose imaginer un dessein inconscient plus morbide…

Ils ne savent ni prêter ni donner…

Ces parents-là savent bien cacher leur réalité pécuniaire afin de ne rien offrir de réellement conséquent, ni prêter de l'argent à leurs enfants quand ils en auraient besoin. Encore une fois, ils jouent à la victime misérable. Or, tous les manipulateurs sont doués pour gagner de l'argent ou profiter de celui des autres. Et les femmes manipulatrices encore plus ! Elles sont habiles et ne souffrent d'aucune grave difficulté pécuniaire, quoi qu'elles en disent ! Entre les propos et les faits… Cette réalité va seulement apparaître aux yeux de leurs enfants après des décennies. Ou bien soudainement, lors de son décès, à la lecture de documents fiscaux, administratifs ou plus privés, que les enfants se chargeront de classer ou de mettre à jour.

Juliette m'écrit :

Ma mère ne me prêtait pas d'argent. Elle ne voulait pas non plus me donner d'argent de poche. À 18 ans, il m'a fallu me battre pour faire mes premières gardes d'enfants. Par contre, elle disait toujours : « Si tu as besoin de quelque chose, tu n'as qu'à me le demander. »

On imagine l'embarras de cette jeune fille devant justifier le moindre achat alors qu'elle est majeure…

Voici un autre exemple :

Ma mère a toujours refusé de prêter de l'argent, surtout à ses enfants qui pouvaient avoir quelques problèmes financiers temporaires. Cependant, j'ai découvert qu'un prêt avait été fait à une cousine pour la coquette somme de 15 000 euros (somme que nous ne reverrons jamais car cette cousine était insolvable). Pour éviter une demande d'emprunt de notre part, elle disait toujours qu'ils n'avaient pas tant d'argent que ça et qu'ils pouvaient en manquer plus tard. Elle rajoutait : « On ne connaît jamais la réaction des enfants... » Cette défense anticipée était choquante, d'autant qu'ils ne manquaient de rien et vivaient raisonnablement jusqu'au décès récent de mon père. Ils avaient même acheté une voiture en argent comptant un an plus tôt.

Les manipulateurs ne sont pas enclins à prêter ni à donner à leurs enfants ou à l'un d'entre eux spécifiquement. Cela voudrait-il alors signifier qu'ils auraient des économies accessibles mais qu'ils veulent dissimuler ? Si une mère ou un père manipulateur vous offre quelque chose, il ne cesse de vous faire remarquer à quel point cela lui a coûté, ou vous rappelle son geste généreux d'une manière ou d'une autre...

Voici deux exemples relatés par David :

Les rares fois où mon père, geste suprême (mais souvent inhérent à de la « bonne conduite » de ma part), me donnait quelques francs, une voix derrière claironnait « T'es gâté, hein ! » ; celle de sa femme. Elle l'a répété jusqu'au jour où je les ai vus pour la dernière fois, alors que j'avais déjà 40 ans...

À 18 ans, je suis parti à l'étranger. Mon père m'a envoyé, après plusieurs mois d'attente, l'équivalent de 150 euros, et m'a dit : « Si tu penses que je t'ai trop donné, tu pourras me les rendre à ma prochaine visite. »

Nous pouvons ici utiliser l'expression que ce père ne fait vraiment aucun cadeau.

Par ailleurs, vous remarquerez que si don il y a, celui-ci est non onéreux, utilisé, voire usé, donc largement amorti, et surtout non adapté à vos besoins !

La mère de Martine joue les femmes généreuses alors qu'elle distille son principe de restriction :

Selon ma mère, on ne doit acheter que par besoin. Si je montre un achat, elle me dit : « T'en avais besoin ? » Elle arbore alors une mimique très culpabilisante. Si je parle de quelque chose que je vais acheter, comme par exemple des rideaux, elle me rétorque : « J'en ai à te donner non usés. » Or, ce sont les rideaux de ma chambre d'autrefois !

Les rares dons conséquents sont empoisonnés !

Le premier des empoisonnements est de vous retrouver en position de devoir accepter un don ou un cadeau que l'on vous impose. Vous ne l'avez non seulement jamais réclamé ni même attendu, car il ne vous semble pas légitime ou est inutile et inadapté à vos besoins. La manipulation s'opère, car il est difficile et fort impoli de refuser catégoriquement un cadeau offert si généreusement.

Voici un autre exemple du comportement du père de David :

Sachant mon intérêt pour l'Histoire, mon père m'a annoncé, comme s'il s'agissait du plus beau cadeau qui soit, qu'il me léguait toute sa collection des 40 tomes du procès de Nuremberg. Premièrement, je n'ai pas la place (mais pour le savoir il aurait fallu que mon père visite mon petit appartement, ce qu'il n'a jamais daigné faire), deuxièmement, avec mes soucis financiers, j'irai loin avec ça ! Troisièmement, leur place est dans une bibliothèque pour rendre service à des chercheurs.

Mais tous les poisons ne se valent pas. Certains agissent particulièrement lentement et profondément. Si vous acceptez un don important de la part d'un manipulateur, en général, **vous devrez vous attendre à « rembourser dix fois la dette », et ce, d'une façon non matérielle le plus souvent...**

Les dons empoisonnés sont soit sous forme de biens immobiliers (dont le manipulateur garderait l'usufruit et vous, la nue-propriété, par exemple) soit sous forme pécuniaire pour un intérêt fiscal, soit encore un avantage en nature, tel que d'occuper gratuitement un de ses biens immobiliers. Pour ce dernier cas, on comprend que tout déménagement doit alors être justifié par un éloignement géographique, sinon il sera considéré comme un signe de rupture.

Dans le cas des donations immobilières de son vivant, le parent manipulateur a l'intention secrète de faire peser sur les épaules de sa progéniture des frais considérables, tels que des travaux de toiture ou de plomberie majeure, pour maintenir en état le bien en question. Sans avoir à faire de dépenses, le parent reste donc jouisseur du lieu. Dans un autre contexte, le parent débourse des frais de scolarisation d'un enfant étudiant à l'université dans le but de faire passer cette charge sur sa déclaration fiscale et d'obtenir un crédit d'impôt. D'une manière plus sournoise, lorsque le parent manipulateur est également propriétaire d'un bien qu'il pourrait louer, il insiste pour que l'un de ses enfants puisse bénéficier de ce privilège. Malheureusement, il se donne le droit de justifier son contrôle, voire d'user de chantage concernant le bien locatif livré à titre gratuit, sur son enfant devenu adulte.

Le manque de liberté contre un intérêt financier se paye très cher au final, malgré l'apparence d'un équilibre. Le parent manipulateur vous rappellera ce lien supplémentaire au cas où vous oublieriez votre dette infinie envers lui ou elle. Vous aurez compris que **je recommande de ne pas céder à de telles offres du vivant du parent manipulateur,** même si elles sont très intéressantes, et qu'elles vous permettent de faire des économies substantielles dont vous avez sûrement besoin.

En effet, un don ou un cadeau de la part d'un manipulateur **n'est jamais « gratuit »**. Quand bien même il s'agirait d'un de vos parents ! Il vous indiquera le moyen de « rembourser votre dette » probablement dans les deux mois. Parfois même en quelques minutes ! Bien sûr, cela n'est pas présenté comme un chantage, mais le sentiment d'être piégé est bien présent. Il y a une raison probable à cela : le manipulateur transgresse la règle du retour de dette liée au **principe de réciprocité**. Ce principe est d'ordre social et il existe dans toutes les tribus humaines de la planète. Il représente le réflexe naturel de vouloir rendre d'une façon ou d'une autre ce qui vient de vous être offert par autrui. L'exemple le plus simple reste celui d'apporter un petit cadeau, du vin ou des fleurs, à celui qui vous fait l'honneur de vous inviter à dîner à domicile. De même, si vous êtes invité pendant plusieurs jours chez quelqu'un, vous aidez à l'intendance, au nettoyage de la maison, ou participez financièrement, matériellement, physiquement ou affectivement, selon ce que vous percevrez des besoins de l'hôte, au moment approprié et selon vos ressources. Autrement dit, vous choisissez quand et comment votre « retour de dette » se fera. C'est ainsi que s'exprime naturellement le principe de réciprocité. Or, tout manipulateur le pervertit. Encore plus un parent à la personnalité narcissique qui en profiterait pour vous culpabiliser dans le cas où vous seriez contrarié. Il ou elle décide, et non pas vous, quand et comment vous allez lui rétribuer son don ! Et c'est rarement par de l'argent. Effectivement, ce parent s'attendra à ce que vous lui rendiez service ou réclamera que vous l'hébergiez ou que vous lui rendiez des comptes trop régulièrement, au détriment de votre vie privée. En bref, cela lui laissera le loisir de vous envahir encore et toujours…

Il paraît que vous êtes riche ?

En plus de se plaindre de leurs conditions pécuniaires difficiles, les mères manipulatrices y ajoutent un autre procédé : vous faire remarquer de façon exagérée ou inappropriée que vous avez « plein de fric » !

Cette remarque se réserve non seulement droit d'être méprisante à l'égard de l'argent en général, comme si elle en était détachée, mais aussi celui, conséquent, de pouvoir ainsi en bénéficier d'une façon ou d'une autre (prendre des vacances dans votre résidence, utiliser votre voiture confortable, vous emprunter de l'argent que vous n'êtes pas près de revoir dans son intégralité si vous n'êtes pas ferme et sans complexe).

Françoise raconte :

Au cours d'une dispute avec moi, ma mère a fait dire par mon père, puis a répété : « Mais oui, tu es riche maintenant ! » sous-entendant peut-être par-là que nous étions propriétaires et pas eux en France (malgré leur maison au Portugal !). Elle omettait que nous étions en travaux depuis plus de 10 ans, encore débiteurs d'une dizaine d'années sur notre crédit immobilier et celui des travaux. Elle oubliait aussi toutes les discussions où nous nous confions ouvertement sur nos difficultés quotidiennes malgré des salaires raisonnables. Et quand mon époux leur retourne la question : « En quoi votre fille est-elle riche à présent ? », aucune réponse de leur part…

Il y a pour ces personnes encore un moyen de se positionner par rapport à l'argent : vous faire payer !

Autrement dit, attendez-vous à ce qu'une mère manipulatrice ne sorte pas son portefeuille pour régler une addition au restaurant, même si vous êtes seul(e) avec elle. Elle s'attend, par radinerie et son autoconsidération narcissique, à ce que vous assumiez l'honneur de l'avoir à vos côtés ! Or, le plus souvent, ce n'est pas par pur plaisir qu'un enfant adulte de manipulatrice prend un repas avec elle. La culpabilité, la compassion, la pitié, le sens du devoir, les principes moraux représentent davantage les ingrédients d'une telle motivation.

La mère manipulatrice vous fera peu de cadeaux si elle n'en tire aucun profit immédiat ou ultérieur. Elle peut même s'arranger pour ne pas prévoir elle-même les frais de son enterrement alors qu'elle avance en âge et qu'elle en a les moyens. Encore un détour afin de vous faire payer, donc de rétribuer son existence, non ?

C'est ce qui est arrivé à Denise :

J'ai été sidérée d'apprendre, au décès de mon père, qu'il n'existait un contrat « obsèques » que pour ce dernier ; lorsque j'ai abordé ce sujet avec ma mère (manipulatrice), elle m'a répondu qu'elle ne voulait pas avoir de soucis au moment de sa mort (à lui). Par contre, il était hors de question qu'elle en prenne un pour elle !

Un mode encore différent peut apparaître chez certaines mères manipulatrices quant à leur rapport pathologique à l'argent : **l'escroquerie**.

Non seulement ces femmes-là vont soutirer le maximum d'argent à leur mari (ou leur amant), mais elles sont également capables d'escroquer leurs propres enfants ! L'avidité financière et matérielle n'est plus contenue ni par la morale ni par l'éthique. L'amour, n'en parlons pas…

Milena l'a appris à la dure :

Une fois installée en Angleterre, ma mère, qui s'était remariée, a repris contact avec moi. Je suis allée les voir près de Londres. C'est alors que j'ai appris qu'elle avait vendu ma maison en Bulgarie pour financer sa vie ! Je suis rentrée malade. Pendant trois jours, j'étais sans voix. Tout cet argent que j'avais envoyé, que j'ai sacrifié pour combler un vide. Ce lieu ne m'a jamais appartenu finalement et je n'ai même pas eu une partie du bénéfice de la vente !

L'avidité lors des héritages

En matière d'héritage, la mère manipulatrice ne supporte pas l'idée que si elle survit à son mari, une part légale revient aux enfants qu'ils ont eus ensemble ou à ceux qu'il aurait eus précédemment.

Françoise en a fait l'expérience :

Peu après le décès de mon père, pendant quatre mois, je me suis efforcée de convaincre mes frères et sœurs d'abandonner notre part d'héritage (les biens financiers et immobiliers) au profit de ma mère. Je ne m'étais pas aperçue que j'agissais exactement comme elle le souhaitait et qu'elle me manipulait ! Je vivais quotidiennement cette manipulation encore plus insidieuse et plus vicieuse que celle que j'avais vécue jusque-là. Les biens immobiliers étant peu nombreux, malgré la loi, je n'ai pas déclenché la succession afin de ne pas dépenser d'énergie supplémentaire. En revanche, pour les liquidités dont je connaissais la valeur exacte, j'ai décidé de faire le nécessaire pour récupérer ma part. J'ai maintenu le cap malgré les hurlements de « douleur » de ma mère lorsque je l'en ai informée : « C'est mon argent ! Il te portera malheur ! » À cela s'ajoutaient les remarques culpabilisantes ou humiliantes de ma fratrie (elle-même manipulée).

Marion témoigne aussi :

J'ai toujours eu un rêve : avoir une maison à moi à Athènes, ma ville natale. Je vis en France. Cette envie est devenue un besoin après la mort de mon père, quand ma mère et mon frère (manipulateur également !) m'ont ostracisée dans le but de m'éloigner de mon héritage. Je me sentais étrangère dans mon propre pays, car ils ne me permettaient plus l'accès à la maison familiale. J'ai réussi à acheter un petit appartement très mignon au bord de l'eau dans les environs d'Athènes, dans le port de Rafina. J'étais fière de mon acquisition, qui n'a pas été une affaire facile, car j'ai dû contracter un prêt. Le premier été, ma mère et mon frère (alors séparé de sa femme), se sont proposés pour garder mon fils pendant les vacances. Leur argument était qu'il profiterait de ses cousins du même âge que lui. Étant une grande naïve, je me suis dit que si j'invitais ma famille à passer juste quelques jours dans mon appartement, cela réchaufferait nos relations abîmées. J'attendais secrètement que ma mère me félicite de la bonne gestion du patrimoine hérité, que j'avais avantageusement fait fructifier. Quand ils m'ont fait leur proposition, ils ne sa-

vaient pas que j'avais acheté un appartement au bord de l'eau. Ils devaient prendre une location pour recevoir les enfants. Finalement, ils ont passé toutes les vacances chez moi sans louer plus grand ailleurs. Mon fils de huit ans a été puni plusieurs fois et enfermé dans une pièce pendant deux heures parce que ma mère soutenait que l'appartement lui appartenait, que je l'avais acheté avec son argent !

Vous aurez constaté que la problématique obsessionnelle autour de l'argent contribue non seulement à pourrir la relation entre parents et enfants, mais également à donner à ces derniers l'idée qu'ils ont peu de valeur. D'autres stratégies de dépréciation, tout aussi sournoises mais encore plus déconcertantes, seront abordées au chapitre suivant.

Chapitre 4

Des propos fous aux comportements aberrants

Certains enfants comprennent très tôt (vers l'âge de sept ans et même avant) et avec conscience que l'un de leurs parents n'est pas « normal ». D'autres nécessiteront 40 ou 50 ans pour vivre ce déclic... Comme nous en avons parlé dès le premier chapitre, la manipulation mentale ne se détecte pas grâce à l'intelligence, mais davantage par un esprit critique et autonome qui ne s'encombre pas du jugement général pour se faire une opinion.

Des propos fous

La communication d'un manipulateur est teintée d'aberrations, de paradoxes, de constructions mentales surprenantes et de violence plus ou moins subtile. Dans un chapitre précédent, j'ai appelé « phrases assassines » les propos particulièrement dépréciateurs.

Ce que je nomme maintenant **les propos fous et les comportements aberrants** sont totalement irrationnels. Les pervers narcissiques ont l'audace de prononcer des inepties avec assurance et conviction, comme s'il s'agissait de vérités universelles qu'on ne peut contredire.

Je peux témoigner ici d'un certain nombre de phrases qui ont été relevées et mémorisées de façon précise par des enfants de manipulateurs, certains étant en outre « pervers de caractère » (sadiques). Chaque paragraphe reproduit des affirmations émanant du même parent.

« Tu ne m'as jamais respectée… mais tu verras, tu paieras tout ça un jour… avec tes enfants, tu le paieras. » (Une mère à sa fille, lorsque celle-ci était une jeune enfant.)

« Tu ne rencontreras jamais quelqu'un de bien. »

« Tais-toi ! Tu ne sais pas ce que tu dis, comme d'habitude ! »

« Tu veux me commander mais tu n'y arriveras pas. »

« De toute façon, je n'ai jamais rien fait de bien pour toi… j'ai toujours été une mauvaise mère ! »

« Tu es responsable de la mort de ton père. »

« En tout cas, c'est toi qui m'as fait le plus souffrir ! » (Une mère à sa fille de 15 ans, soudainement, sans raison, en sortant de son domicile.) Cette même mère faisait choisir à sa fille une branche de noisetier dans les bois pour en faire une badine et la battre !

Alors qu'un pistolet du grand-père décédé devait être confié à la police, la fille a demandé à ses parents si cela avait bien été fait. Le père a répondu : *« Oh, tu vas rire… Si tu viens dans la chambre de service, si tu n'es pas bien, tu le trouveras sur la table de nuit ! »* (La fille était alors une femme mariée de plus de 50 ans qui ne vivait plus chez ses parents.)

« Avec l'argent tu peux tout t'acheter. »

« Les pauvres, quand ils meurent, c'est pas grave puisqu'ils n'ont pas d'argent, ils n'ont rien à perdre ».

« Dans la vie, les amis ça ne sert à rien. »

« Je revendique le droit d'être fainéante. Je revendique le droit de dire n'importe quoi ! Dis, tu crois que je suis folle ? »

« J'ai un double pouvoir sur mon petit-fils aîné, car c'est mon petit-fils et je suis ta mère ! »

Alors qu'une de ses filles de cinq ans lui demande de quitter leur père fou (le père et la mère sont malheureusement tous les deux pervers de caractère), la mère répond : *« Mais non, les filles ! C'est à cause de vous que je reste. »*

« J'ai toujours été parfaite pour vous ! Je n'ai rien à me reprocher. »

« Je dépense tout pour ne rien vous laisser ! »

« Pas de cheveux longs : ça fait sale ! »

« Tu n'as pas le choix d'orientation au lycée : va prendre tes gamelles en scientifique ! »

« Ne viens plus à la maison de campagne : maintenant on voit que tu es enceinte du macaroni. » (En référence à son ami italien !)

« Tu t'occupes trop de tes filles ! »

« Tu m'as fait une leucémie : qu'est-ce que vous avez tous à me faire des cancers ! »

« Il sera bien content quand j'irai prier sur sa tombe. » (Un père en parlant de son fils.)

Une mère, le jour de la naissance de sa fille, alors qu'elle s'attendait à accoucher d'un garçon : *« Je n'en veux pas ! »*

« Tu es née à 23 heures 55, le 31 mars, et à cause de toi, je n'ai pas eu la prime de naissance qui était majorée au 1er avril. Tu étais une pisseuse et déjà une punaise. » Elle l'appelait « punaise » ou « Gisèle ». Gisèle était le nom d'une truie dans un livre d'enfant. Pour cette raison, la mère a choisi ce deuxième prénom et l'utilisait à la place du prénom officiel, qui a d'ailleurs été proposé par

l'obstétricien, car les parents n'avaient pas préparé de prénom de fille. Anne, de son vrai nom, raconte : « En 1994, afin de venir en Suisse, j'ai dû produire un acte de naissance. Quelle ne fut pas ma surprise de voir que mon heure de naissance était 11 heures du matin… Ma mère m'avait menti toute ma vie… J'ai alors demandé à ma tante (la sœur de mon père) si elle était au courant de cette histoire de prime de naissance. C'était également faux ! Il s'agissait d'un fait datant de la naissance d'une autre tante et ma mère s'était approprié l'histoire ! Mes parents ayant divorcé tôt et de manière violente, je n'avais jamais eu que la version de ma mère. »

« C'est drôle que ce soit ta sœur qui se soit suicidée. J'aurais plutôt pensé que ce serait toi ! » (Une mère sur un ton léger à sa fille, alors que sa sœur s'est suicidée et que la famille s'apprête à partir aux funérailles, pendant que le père, qui a divorcé de la mère, est sorti de la voiture pour aller chercher quelque chose dans la maison.)

Dans cette rubrique, nombre de propos invraisemblables touchent à l'identité et créent une faille narcissique, tel un violent tremblement qui ouvrirait la terre. En deux à trois secondes, quelques mots destructeurs deviennent alors indélébiles.

Lorsque Denis, alors jeune adulte, fait une dépression, sa mère lui lance : « Tu es un monstre ». Le garçon a été marqué à vie malgré ses efforts pour ne pas y croire. Il savait que cette horrible définition de lui était injustifiée, mais il n'était pas prêt à admettre, à cette époque, que le problème ne venait pas de lui.

Pour cette dernière raison, la plupart des témoins suivent ou ont suivi une thérapie pour survivre. Ces propos peuvent tuer… Pour les surmonter, je reste convaincue qu'il faut d'abord comprendre QUI est réellement pathologique, puis décider de cesser de donner du crédit à ces personnes, même si ce sont vos parents ; et enfin, réaliser que vous n'en êtes aucunement responsables.

Mensonges, omissions, cachotteries et rumeurs

Pour des raisons mystérieuses aux yeux de l'entourage, le manipulateur ment, omet de donner des informations légitimes ou fait des cachotteries. Selon moi, ces tactiques l'autorisent à donner des versions différentes selon les personnes en présence, et ainsi, de mieux les manipuler.

Il est troublant de constater l'étrange immaturité de cet adulte alors qu'il affirme avoir assumé jusqu'ici « beaucoup de responsabilités ». Or, si l'on interroge l'entourage qui voudra bien nous entretenir de la vérité, nous apprenons que les événements ne se sont pas présentés comme le fait croire la personnalité narcissique !

Une première hypothèse pour expliquer de tels mensonges est qu'ils usent d'un moyen efficace pour **se faire passer à la fois pour une personne généreuse ou disponible et pour une victime à plaindre**.

Dans le cas suivant, Fabienne raconte comment sa mère utilise le mensonge avec les étrangers, au risque que ceux-ci croient que son fils et sa belle-fille ne la respectent pas :

Ma mère se positionne comme « indispensable » en se rendant très souvent chez mon frère et sa femme, qui ont deux enfants en bas âge, sous prétexte de les garder. Faire penser qu'elle leur est indispensable est un tour de force car mon frère emploie une jeune fille au pair qui vit chez eux 24 heures sur 24 ! Cependant, les parents des deux petits sont convaincus que ces visites font plaisir à ma mère et qu'une grand-mère est enrichissante pour ses petits-enfants (ces notions sont justes, en soi, mais tout dépend de la grand-mère, qui peut, au contraire, s'avérer très toxique). Ils acceptent donc qu'elle se rende chez eux aussi souvent.

Or, en aparté, ma mère s'en plaint auprès de son entourage (sa sœur, ses connaissances et ses autres enfants), en disant qu'elle est bien fatiguée, mais que les enfants « ne savent pas s'organiser » et lui « demandent sans cesse de venir les aider» ! Elle enchaîne des réflexions légèrement outrées sur le « sans-gêne de ce couple qui devrait y arriver sans mobiliser sans cesse la grand-mère ! » Lorsqu'un jour celles-ci arrivent aux oreilles de ma belle-sœur, elle n'en revient pas et me dit, révoltée, en rougissant : « Mais nous n'avons absolument pas besoin d'elle ! Nous acceptons pour lui faire plaisir ! »

C'est peine perdue, la rumeur court et ma belle-sœur semblerait ridicule et passerait pour une folle si elle appelait tous les gens ayant entendu les plaintes de ma mère afin de se disculper.

Le thème de la victimisation revient souvent dans les mensonges des manipulatrices et des manipulateurs (surtout durant la période de divorce, pour les hommes). Ils peuvent s'inventer une histoire personnelle ou broder à leur goût sur une réalité banale **afin d'attirer l'attention et l'empathie**.

Florence en a fréquemment vécu l'expérience, mais l'une de ces histoires inventées l'a perturbée en tant qu'enfant :

Ma mère est autoritaire, violente moralement et physiquement, très secrète, dure et elle ment très souvent. Elle aurait été victime d'attouchements dans son enfance mais est revenue sur ses dires. Alors, je ne sais distinguer le vrai du faux.

Une des conséquences malheureuses de ce processus d'autovictimisation est qu'il se nourrit de l'accusation des attitudes d'autrui. Il s'agit de **diffamation**. Or, les faits ne se sont jamais produits ! Mais qui le devinera ? Malheureusement, il est bien rare que la personne accusée ait connaissance de l'objet dont « on » l'accuse ou la soupçonne. Elle n'a aucune idée le plus souvent de la rumeur qui court sur elle. D'une part, le manipulateur se démontre convaincant et use du ton de la complicité ou du secret afin qu'il ne vienne pas à l'idée de son interlocuteur d'aller directement le vérifier en confrontant la personne soupçonnée de malversation. D'autre part, la personnalité narcissique prend un morceau de la réalité et elle y ajoute des détails, tels que des dialogues, qui n'ont jamais existé. Qui pourrait penser sur le moment que de tels détails sont le fruit d'un puissant imaginaire ? Et surtout, pour quelle raison ?

Le manipulateur n'a aucun scrupule à **induire le doute sur la moralité de quelqu'un,** même celle d'un membre de sa famille. À l'instar de Luce, qui a appris à 26 ans par l'une de ses sœurs une effroyable rumeur : sa mère salissait gravement la moralité de son ex-mari en faisant croire depuis longtemps à ses deux filles aînées que celui-ci avait été incestueux avec la petite Luce. Cela a outré cette dernière, d'autant que le seul parent affectueux et responsable était justement son père !

Un des objectifs de ces mensonges peut aussi être de **donner l'illusion d'une extrême générosité matérielle,** comme le fait le père de David :

À 18 ans, lorsque j'étais étudiant, je lui ai reproché de n'avoir jamais participé au financement de mes études. Il m'a alors fait croire qu'il avait ouvert pour moi un compte épargne-logement (dit PEL en France) comme pour me culpabiliser de le lui avoir reproché. Or, c'était totalement faux !

L'avarice pathologique, en plus de l'inclinaison qu'ont les parents manipulateurs à profiter des biens d'autrui, ne leur permet aucunement d'être véritablement généreux. Le faire croire est un exercice courant et la découverte du pot aux roses n'advient souvent que des décennies plus tard, grâce à un propos échappé, aux dires d'un témoin, lors du décès du manipulateur ou si vous recherchez activement la vérité.

Nathalie raconte sa stupéfaction :

Au détour d'une conversation avec ma cousine germaine, j'ai appris que ses parents aidaient les miens à blanchir leur argent non déclaré provenant de leur commerce de traiteur. Or, mes parents ont toujours fait croire que c'étaient eux les plus généreux, car ils leur donnaient de la nourriture (non vendue, en fait).

Le culte du secret

En général, le manipulateur a **le culte du secret**. Même sur des éléments de vie sans importance fondamentale ! Il cache ses achats conséquents tels que des appartements ou des véhicules. Craindrait-il la jalousie d'autrui comme il la ressent profondément en lui ? Cette « paranoïa » est-elle due au fait qu'il craint qu'une telle information sur sa capacité financière engendre un afflux de demandes et une intention d'en tirer profit de la part de ses enfants ? Dans tous les cas, pouvons-nous émettre l'hypothèse que le manipulateur se sent menacé ou en perte de pouvoir et de contrôle lorsqu'il est franc et authentique ? Je le pense.

Les deux parents de Françoise ont une personnalité narcissique :

Je veux vous raconter une des plus incompréhensibles cachotteries dont j'ai eu connaissance. Je ne la comprends d'ailleurs toujours pas aujourd'hui. Mes parents étaient tous les jours à la maison en fin d'après-midi avec les enfants et croisaient plus souvent mon époux que moi. Depuis quelques années, mon mari conseillait à mon père d'acheter une petite voiture avec direction assistée, plus maniable et légère que la vieille Ford qu'il conduisait. Mon père ne s'y résignait pas. Mon mari a alors cessé d'aborder le sujet. Or, un samedi, mon frère nous a appris que mon père avait décidé d'acheter une voiture neuve. Le lundi, l'achat était fait. Figurez-vous que mon père n'en avait jamais parlé à mon époux ! Ce dernier a été très vexé d'avoir été tous les jours en contact avec mon père sans qu'il lui en parle. Je lui ai demandé pourquoi tant de précipitation (au risque qu'il n'ait pas négocié suffisamment), et il m'a répondu : « C'est notre argent et nous en faisons ce que nous voulons ! »

Françoise ajoute son analyse actuelle, que je cautionne :

Toutes leurs cachotteries sont pour beaucoup liées à des comportements d'envie, de jalousie de notre vie, de notre argent, de l'évolution de nos projets et de notre bonheur conjugal. La chose que je n'ai pas voulu accepter pendant longtemps est qu'un parent puisse être envieux et jaloux d'un enfant. Il me semblait que le parent ne pouvait qu'être fier de sa progéniture.

Les omissions d'informations concernant la famille sont aussi fréquentes. Un autre exemple est proposé par la même Françoise :

Une des dernières omissions blessantes fut le décès de mon oncle. J'ai obtenu cette information totalement par hasard par… Facebook !

Pour sa part, Denis réalise qu'il a commencé à être discrètement attentif aux conversations téléphoniques de sa mère lorsqu'il avait 15 ans parce que celle-ci ne l'informait pas de ce qui arrivait dans la famille. Par exemple, elle ne le prévenait pas si sa tante et ses cousins qu'il aimait beaucoup passaient à la maison au moment où il y était. Au cours des années, sa mère l'informait de moins en moins de ses faits et gestes, même lorsqu'il avait besoin de savoir si elle pouvait le rapprocher en voiture d'une station de bus ! Au final, à l'âge adulte, il n'a plus du tout envie de savoir quoi que ce soit de plus que ce qu'elle ne lui dit pas elle-même.

De pures inventions

Le manipulateur **réinvente des bribes de son histoire**. La réalité quotidienne de beaucoup d'entre nous n'est ni spécialement glorieuse ni prestigieuse. Ni au présent ni au passé. Qu'à cela ne tienne, le manipulateur, femme ou homme, reconstitue les événements à sa sauce ! Il peut s'inventer une origine, un passé, des actions, des diplômes, des titres…

C'est le cas du père de Tatiana :

Mon père s'est toujours senti fier d'être d'origine russe. Or, ses parents venaient d'Ukraine ! Anachronisme qui contribua longtemps à l'ambivalence de ses propos…

Mais attention, il ne s'agit pas ici des caractéristiques typiques de la mythomanie. Ces dernières sont plutôt présentes chez le mythomane afin de se reconstituer une identité globale. Chez la personnalité narcissique, il ne s'agit que de bribes pour s'enorgueillir de faits jamais vécus. Dans les deux cas, ces procédés sont similaires dans le but de se forger un profil positif mais imaginaire. Il existe plusieurs différences entre une personnalité narcissique (qui ment facilement) et un mythomane. Elles sont ténues. Même si je ne veux pas développer les détails de cette explication sur un plan psychiatrique dans cet ouvrage, je souhaiterais tout de même vous faire remarquer qu'un mythomane ne tente pas de dévaloriser autrui. Il se « *narcissise* » pour son propre compte. Malgré tout, cette tromperie génère des conséquences parfois désastreuses pour la famille proche. La construction de son identité est uniquement basée sur de multiples mensonges, qui se tiennent les uns les autres avec une parfaite cohérence. Elle lui est vitale. Le manipulateur dévalorise autrui, critique et détruit la confiance des autres pour nourrir son ego mais pas le mythomane. Cette observation précise une deuxième différence : les aberrations que formule le manipulateur sont tellement incohérentes d'un instant ou d'un jour à l'autre que les différents interlocuteurs peuvent déceler la tromperie ou au moins douter de son intégrité.

Les mensonges à propos de son histoire passée rendent difficile d'en vérifier la véracité. Le plus souvent, ce manipulateur se montre tellement convaincant que vous ne pensez pas un seul instant qu'il puisse s'agir d'une totale invention… Ce n'est que lorsque vous avez totalement compris les méandres de ce profil que vous devenez méfiant face à toute affirmation, quels qu'en soient l'enjeu et le niveau. Le comble est qu'il ou elle raconte de fausses histoires devant les membres de sa famille pourtant aux premières loges pour connaître sa vie.

Or, quand bien même vous réussissez à prouver qu'il y a une présence de mensonges ou « d'arrangements avec la vérité », la personnalité narcissique contre-attaque avec force et véhémence votre lucidité. Votre esprit critique l'agresse totalement. Elle vous accuse par exemple de ne pas lui faire confiance, d'être volontairement agressif et n'hésite pas à vous confronter en disant : « C'est ça, dis-moi que je mens ! »

Contrairement à vous, le manipulateur donne peu d'importance à la vérité. Seules son image sociale et son opinion positive idéale de lui-même lui sont essentielles. Cela peut produire une profonde et violente confrontation des valeurs et de leurs priorités si vous êtes intègre !

Pourtant, je vous conseille de ne pas relever immédiatement le mensonge s'il n'y a pas d'enjeu qui modifierait votre existence ou qui entacherait la réputation de quelqu'un que vous aimez. En effet, cela est inefficace pour les raisons que nous venons de mentionner plus haut. En revanche, **rétablissez rapidement la vérité auprès des personnes présentes.** Cette démarche courageuse vous replacera en phase avec vos valeurs. Sauf si bien sûr le mensonge ne vous dérange pas…

Vous avez le choix de rétablir la vérité **en aparté** avec sérieux, avec humour ou encore avec ironie. L'entourage doit être informé de la vérité, augmenter son esprit critique et donc limiter les probabilités de se faire manipuler à l'avenir par votre parent. Rappelez-vous que si vous ne contestez rien de ce que dit le manipulateur, même après coup, il est difficile pour l'entourage, incluant la famille éloignée, de suspecter un mensonge. Le manipulateur sait se montrer convaincant, car je le soupçonne d'être lui-même persuadé de ce qu'il dit. En tout cas, juste à cet instant-là. Vous aussi êtes en mesure de convaincre ! Vous êtes d'autant plus crédible que vous êtes la progéniture de la personne qui les trompe. D'une part, vous êtes un témoin privilégié de la vie personnelle et intime de ce parent depuis de nombreuses années ; d'autre part, chacun sait que le réflexe d'un enfant est d'être loyal envers son parent et que la société fait encore l'amalgame « tel père tel fils ». Le fait que vous osiez avancer que vous ne ressemblez pas à ce parent a donc plus de poids puisque vous vous démarquez franchement, en démontrant que vous ne partagez pas les mêmes valeurs.

Des comportements aberrants

Au-delà des phrases assassines et dévalorisantes, et d'autres franchement irrationnelles et mensongères, le manipulateur **se comporte de façon aberrante**. L'ampleur de sa pathologie est alors manifeste.

Comme si vous n'existiez pas…

Peut-être avez-vous observé qu'il est des moments étranges où votre présence ne fait ni chaud ni froid à votre parent manipulateur (alors qu'il peut même s'agir d'une rencontre événementielle). Non seulement il ne prend pas en compte vos besoins, qu'il devrait pourtant connaître depuis bien longtemps, mais il peut aussi faire comme si vous n'étiez tout simplement pas là !

Denis témoigne :

Alors que je passe quelques jours chez ma mère, le téléphone sonne. Je suis dans une autre pièce. Ma mère répond et j'entends un bout de conversation : elle est en train de parler à une de mes camarades d'université et de l'éconduire tout en lui donnant de mes nouvelles ! Je l'entends raconter des choses inexactes sur moi mais qui flattent son ego : elle monte le niveau du concours administratif que j'ai passé avec succès... À vrai dire, cette ancienne copine d'université avait des tas de problèmes, et après de nombreuses années d'écoute patiente au téléphone, j'ai décidé de ne pas lui donner mes nouvelles coordonnées. C'est pour cette raison qu'elle appelle ma mère. Ma mère n'est pas au courant que j'ai coupé les ponts avec cette copine. Or, elle ne m'a aucunement consulté avant de l'éconduire ! On peut supposer qu'elle a prétendu que je n'étais pas chez elle. Elle ne m'a jamais averti de ce coup de téléphone, ni pendant ni après ! C'est moi qui lui en ai parlé plus tard.

La raison obscure d'un tel comportement peut s'expliquer par la jalousie de voir son fils apprécié par d'autres personnes. C'est une manière démoniaque de l'isoler de ses amis en prenant le contrôle de la relation, en donnant des nouvelles qui la valorisent, elle, et en faisant même croire qu'il n'est pas disponible. Combien de fois la manipulatrice répond-elle à votre place et fait-elle croire à votre indisponibilité afin que les autres s'éloignent de vous ?

Lyna nous offre le récit de la première rencontre avec ceux qui allaient être bien plus tard ses beaux-parents :

Lorsque j'avais 20 ans, mon amoureux, Yvan, qui avait 21 ans, m'invita chez lui pour me présenter à ses parents. J'ai été accueillie par sa mère. Aucun sourire, aucun signe de bienvenue, ni gestuel ni oral, à part « bonjour ». Son père était assis dans un fauteuil, dos à l'entrée et regardait la télévision. Il n'a pas tourné la tête et m'a royalement ignorée ! Yvan m'a fait entrer et m'a fait signe de le suivre à l'étage vers sa chambre avant de redescendre pour le dîner. Au moment où nous nous dirigions vers l'escalier, j'ai entendu sa mère lancer à la volée : « Eh bien autant l'autre était grande, autant celle-là est petite ! » Ni mon ami ni moi n'avons osé un commentaire. Le repas fut pour moi interminable. La télé était allumée et j'étais la seule à lui tourner le dos. J'avais en face de moi une famille (père, mère et les deux fils), en train de manger sans échanger la moindre parole ni entre eux ni avec moi, mais Yvan ne s'en apercevait pas…

Ils n'en font qu'à leur tête

Par ailleurs, il est courant de constater que les manipulateurs, en général, **vous donnent l'impression que vos informations ou vos consignes pourtant claires et précises n'ont jamais existé…**

Denis dit : « *Quand je l'entends trafiquer la vérité, je crie de la pièce où je suis pour rétablir les faits, mais chaque fois, elle feint de ne pas entendre.* »

Tatiana fait remarquer combien son père manipulateur ne prend pas en compte les droits de sa femme :

Lorsque j'étais petite, nous allions toujours au même endroit ; à la montagne. Un jour, mon père a décrété qu'il en avait marre de donner son argent à un hôtel, alors il a décidé d'acheter une résidence secondaire. Ma mère lui avait suggéré quelques endroits en Charente-Maritime (vers la Rochelle). Un jour, il est parti et s'est arrêté dans la Vienne (à 140 km de la Charente-Maritime) dans un café. Il a parlé avec des gens et a rencontré un notaire qui lui a proposé une maison… isolée. Mon père n'a jamais eu de voiture, mais il a acheté cette maison sans confort qui se trouve à 17 km de la première gare. La première petite ville avec commodités (commerces, supermarché) est à 6 km. Il l'a achetée sans demander l'avis de ma mère, alors qu'ils sont mariés sous le régime de la communauté.

Tatiana poursuit avec un autre exemple flagrant d'un comportement insensé :

Mon père allait parfois faire les courses au supermarché du coin. Il demandait ce dont on avait besoin. Mais il rapportait TOUJOURS autre chose ! Si ma mère demandait du sucre et des pâtes, il rapportait de la farine et du riz. Il pouvait même rapporter 5 kg de riz (on n'était que quatre à la maison), ou des caissettes de viande (des steaks, par exemple) de 30 morceaux, c'était une promotion alors il en avait profité. Si bien que pendant une semaine, on ne mangeait que des steaks midi et soir !

Dans un autre cas, la mère de Denis **fait croire à une mauvaise mémoire** pour imposer ses *desiderata* :

Elle arrive à nous faire penser qu'elle est déçue si nous arrivons après l'heure du repas lorsque nous sommes en visite chez elle. Une fois, nous lui avions dit que nous arriverions à 14 heures. Sans nous demander si nous aurions mangé, elle nous a fait un repas ! Lorsque nous lui avons dit que nous avions évidemment déjà mangé, elle a rétorqué qu'elle avait oublié ! Puis, elle nous a tellement culpabilisés que mon compagnon. s'est attablé. Or, dans ma famille, l'heure du repas est midi, voire un peu plus tôt, onze heures et demie.

Régulièrement, elle nous culpabilise autant si nous sommes en retard en venant de loin chez elle en voiture : le repas est trop cuit et c'est « de notre faute », bien que nous l'ayons avertie de notre retard probable dès que nous l'avons pressenti et que nous l'ayons informée pas à pas de notre progression par SMS…

Des faits qui n'auraient jamais existé ?

Le pervers narcissique **agit comme si les événements n'avaient pas de liens entre eux**, comme s'il n'existait ni conséquences ni causes. Il est capable de nier des propos et des faits qui viennent de se produire !

Non seulement le manipulateur **nie les** événements et **les faits** qui ne le valorisent pas, mais il réussit en plus à nous convaincre que ces faits n'ont jamais existé, alors que nous étions présents ou partie prenante ! Mon observation de ce moment de défense chez les manipulateurs me laisse penser qu'ils croient eux-mêmes à ce qu'ils avancent avec force et conviction. C'est probablement ce qui peut expliquer que vous pouvez finalement douter de vos propres perceptions. **La personnalité narcissique a l'art de... ne pas douter!**

Je pense que c'est un aspect assez typique de sa pathologie.

Françoise en témoigne:

Après une dispute avec ma mère, mon père m'a agressée physiquement devant ma mère et ma sœur (manipulatrice également). Lorsque, plus tard, j'ai évoqué ces faits, les trois les ont niés catégoriquement. Ils disaient que j'avais tout inventé et que je n'étais pas «bien dans ma tête» (la preuve: j'étais sous antidépresseur et ensuite suivie par une psy!) Or, sans que je le sache, mon fils de cinq ans à l'époque, était présent et il m'a aidée à me remémorer, après une phase de trou noir, ce qui s'était réellement passé. Il m'a permis de reprendre confiance en moi et de pouvoir me convaincre que cette scène avait été malheureusement bien réelle.

De plus, chez une personnalité narcissique, les **émotions négatives**, souvent exacerbées sur le moment, semblent se volatiliser en quelques secondes.

Je la crois volontiers gravement atteinte d'un **trouble de la conscience** au-delà du trouble purement narcissique. **L'immaturité** qu'on constate chez elle pourrait alors en être une conséquence.

Quels comédiens!

Compte tenu de sa connaissance ou de son intuition de l'effet que peuvent jouer les émotions exacerbées au sein de la majorité de nos sociétés humaines, la mère manipulatrice sait être une remarquable actrice. Le père du même profil également.

Notre témoin, Françoise, poursuit avec un autre exemple:

Au cours des funérailles de mon oncle paternel, j'ai aussi remarqué avec beaucoup de recul, qu'une des rares personnes qui ait pleuré tout le long, qui soit allée communier et qui ait fait tout son « cinéma » a été… ma mère !

Tous les manipulateurs sont des menteurs et de grands comédiens capables de mimer des émotions ou même l'inverse, l'absence d'émotions, afin de tromper la perception de l'entourage sur leur véritable nature et leurs intentions.

Si parfois leur objectif est de vous faire faire des concessions en mimant le désarroi, la dépression et même l'amour exclusif, leur but ultime est de convaincre leur entourage, en dehors de leur famille immédiate, de leur quasi-perfection dans chacun de leurs rôles. Or, si l'entourage se fait encore largement « bluffer », cela sera de moins en moins le cas dans le cercle de leur famille nucléaire (le conjoint et les enfants qui grandissent).

Parfois, le jeu émotionnel d'un parent ne fonctionne plus auprès d'un enfant qui a ouvert les yeux. Quand il ne réussit plus à attirer l'attention, à générer de la peine, de l'empathie et en premier lieu, de la culpabilité, il réalise que cet enfant se détache de lui et prend ses distances. Dans certains cas, notamment quand la mère a une fille unique avec qui elle a fusionné depuis l'enfance, elle considère cet aspect comme un signe de trahison. Le risque de rupture est si élevé à ses yeux qu'elle prend les devants et la déclenche elle-même !

Salwa est homosexuelle et sa révélation, que l'on appelle un « *coming out* », semble avoir provoqué un grand bouleversement chez sa mère. Malheureusement, sa personnalité narcissique nous permet d'observer des réactions insensées et très exagérées :

Quand, avec mon actuelle petite amie, nous avons décidé d'avoir un enfant qu'elle portera, j'ai décidé de mettre le point sur les « i » avec ma mère et j'ai fait mon coming out, *en présence de ma compagne. Ma mère s'est mise à pleurer en me demandant de nier ce que je venais de dire, sa fille ne pouvant pas être aussi « sale » ! Comme je refusais de le faire, elle s'est mise à se frapper la tête pour me faire peur. J'étais calme parce que je m'attendais à sa réaction. Mon attitude l'a énervée et elle nous a mises à la porte en m'interdisant de jamais la contacter. En sortant de chez elle, je me suis sentie débarrassée d'un lourd fardeau : des années de mensonges ou « d'omissions » sur ma vie privée. J'ai par la suite appris de la famille que ma mère s'était jetée dans l'escalier après notre départ de chez elle et qu'elle s'était cassé la jambe ! Je l'ai appelée quelques jours plus tard parce que j'avais pitié d'elle, mais me suis « rassurée » quand j'ai entendu le timbre de sa voix, toujours très violent. Je ne l'ai plus contactée pendant six mois. Des membres de la famille m'ont prévenue que ma mère, à la suite de sa chute, devait être hospitalisée et opérée. On m'a également dit qu'elle m'en voulait à mort parce que je ne l'ai pas contactée une seule fois pendant six mois. Pensant que cela était un signe de radoucissement, je l'ai appelée. En effet, elle a été très gentille au téléphone, sans pour autant mentionner mon homosexualité. Elle m'a simplement dit que la vie est courte, et que son seul désir était de me revoir une fois avant son opération. Je suis allée la voir à l'hôpital le jour de son opération. Devant tout le monde, elle a dit que j'étais sa fille préférée et m'a embrassée avec beaucoup d'affection. Puis, juste avant de rentrer dans le bloc opératoire, elle a demandé à me voir en privé. Elle avait soudain l'air d'une mourante et m'a demandé si je croyais qu'elle allait sortir vivante de cette opération. Des larmes pleins les yeux, elle a improvisé un testament oral. Elle m'a dit que ma vie m'appartenait, qu'elle ne pourrait pas me changer mais qu'elle n'avait qu'un souhait avant sa mort : que je lui promette que jamais de ma vie je ne ferais d'enfant. J'ai alors compris son jeu, et je lui ai assuré que jamais je ne lui promettrais une telle chose même si elle crevait ; je lui ai demandé d'économiser ses larmes car elles ne serviraient à rien. D'un seul coup, elle s'est arrêtée de pleurer, a retrouvé son aspect agonisant, m'a insultée et a demandé aux infirmières de l'emmener en salle opératoire au plus vite !*

La confusion des sentiments

Il est certain que **l'amour d'un parent manipulateur est conditionnel**. D'autant que celui-ci rejette alors l'enfant insoumis (enfin !) avec une hostilité, voire une détestation sincère. À l'enfant dès lors de se décharger d'une culpabilité naissante générée uniquement par la réaction irrationnelle, extravagante, voire violente du parent à l'ego surdimensionné.

Celui-ci vous attaque par une défense et des arguments inexacts et lamentables souvent relatifs à un tout autre sujet ; par des propos violents, voire insultants ; il boude et ne s'exprime plus pendant des heures ou des jours ; il ne répond plus aux sollicitations. Ce parent rompt pendant plusieurs mois (en entraînant souvent l'autre conjoint). Pendant ce temps, il se plaint de votre attitude irrespectueuse et intolérable auprès d'autres membres de la famille ou de l'entourage. Ce dernier point est plutôt le fort des femmes manipulatrices. Dans ce cas, elles prendront soin, sans grand effort d'ailleurs, de modifier la réalité à leur avantage. Pour éviter le rejet d'une partie de la famille à qui elles s'adressent alors rapidement, je vous conseille de **réagir promptement : appelez et racontez votre version de la situation aux membres de la famille auxquels vous tenez**. La consigne peut paraître alarmante mais la réalité des comportements insensés de la mère hypernarcissique à votre endroit est telle qu'en aucun cas elle ne vous protégera, ni vous ni votre image. Elle est capable de détruire cette dernière en quelques minutes auprès de ceux qui vous sont chers. Rappelez-vous que les humains sont prédisposés à croire à la première version qu'ils entendent, surtout si aucune autre version ne vient s'y opposer. Le *mobbing* familial existe et il est douloureux. Il s'agit d'un processus enclenché avec virtuosité par une personne médisante qui insuffle aux autres membres du groupe l'idée qu'il vaut mieux se méfier de vous. Ainsi, les individus du groupe vous évitent et finissent par ne plus vous voir. Nous y reviendrons plus en détail au chapitre 8.

En présence de ces attitudes irrationnelles et instables, le jeune enfant d'un manipulateur aura quelques difficultés à connaître les limites de la normalité.

Denis se souvient d'un autre comportement incompréhensible :

Nous habitions à la campagne, en périphérie d'une grande agglomération. Quand ma mère m'amenait au lycée, puis ultérieurement, sur le chemin de la faculté, elle exigeait que nous partions très tôt pour ne pas être pris dans les embouteillages. La circulation commençait à être critique seulement une demi-heure plus tard. J'ai bien vite appris à être strictement à l'heure. Quand elle disait 6 h 40, elle trépignait à 6 h 38, puis à 6 h 35, puis son comportement changea progressivement. Elle se mit à crier dix minutes avant l'horaire prévu, alors que j'étais parfaitement à l'heure. Enfin, elle m'annonça qu'elle était prête à partir dix minutes avant. Un jour, elle finit par partir sans m'avertir dix bonnes minutes avant l'heure !

Denis pense que son problème d'estimation des durées remonte à cette époque.

L'influence souterraine d'un tel parent va perdurer à l'âge adulte. **La propension à la culpabilité est l'une des conséquences les plus fréquemment observées.** La confusion entre ce qu'il est bien de faire ou pas s'installe. La peur de déplaire également.

Bien heureusement, le nouvel entourage de notre vie adulte est en mesure de nous faire prendre conscience de ces lacunes. Des lectures ou des soutiens thérapeutiques sont efficaces pour profiter de notre plasticité cérébrale. Certes, nous mémorisons ce que nous vivons, mais nous pouvons apprendre à utiliser nos ressources psychiques autrement, quel que soit notre âge. C'est une bonne nouvelle, à condition de s'efforcer d'entamer un travail de déconditionnement !

Tout et son contraire

Lorsqu'une personne se trouve soumise à deux demandes oppressantes qui s'opposent, elle est acculée à une situation impossible. Elle ne peut pas s'en sortir, sauf si elle fait un vrai choix de priorités. C'est une situation que l'on appelle **la double contrainte**, ou en anglais *double-bind*.

Ces deux ordres contradictoires peuvent être explicites ou implicites, d'où la difficulté de prendre conscience du processus lorsque vous le subissez.

La double contrainte est un procédé confondant tant il est empreint de contradictions et produit avec une légèreté déconcertante par les manipulateurs. C'est une somme de comportements ou un amas de propos aliénants qui vous place dans un dilemme infernal si vous y obéissez, dans un sens ou dans un autre.

La mère de Véra admet d'un côté le besoin de cette dernière de se concentrer sur ce qu'elle vit et lui demande « d'écouter son cœur ». Or, lorsque sa fille lui dit qu'elle prend du recul vis-à-vis d'elle justement parce qu'elle écoute son cœur, sa mère lui affirme qu'elle le fait uniquement pour la provoquer !

Autrement dit, quoi que vous fassiez, vous avez tort.

Le père ou la mère à la personnalité narcissique utilise le *double-bind* comme on met du sel sur ses pommes de terre !

Selon moi, le *double-bind* est le reflet du « fouillis » mental interne qui existe chez tout manipulateur. Il exige tout et son contraire, en alternance, et parfois même simultanément !

Nathalie se souvient de ce sentiment mitigé et confus :

Ma mère, tombée malade, avait griffonné sur une feuille d'une écriture fatiguée, comme si elle allait mourir, qu'elle se sentait nulle, inutile, ni mère ni épouse. Cela me faisait de la peine. Quand je la prévenais que j'allais la voir à l'hôpital, elle disait : « Ce n'est pas la peine. » Mais lorsque je partais elle se plaignait : « Tu pars déjà ? » Je me donnais un mal fou pour passer la visiter pendant les examens d'université et pourtant elle me disait : « Ce n'est pas grave, du moment que ton père est là. »

Denis donne aussi quelques détails sur cet effet :

Dès que mon père fut décédé, la grande préoccupation de ma mère devint l'argent. Elle prenait un cahier pour faire ses comptes mais avait de la difficulté et voulait de l'aide. Alors que je lui proposais la mienne, elle me dénigrait et n'acceptait pas ma contribution.

Elle voulut aussi que je remplace mon père pour l'entretien de son ordinateur. Je lui offrais le peu que je savais. Là encore, elle me déconsidérait. De toute façon, si je l'aide, j'ai tort. Du coup, si je ne l'aide pas, j'ai tort aussi ! Ma mère ne me fait pas de demandes claires ; elle se débrouille pour me culpabiliser. Elle ne me demande pas d'aide pour passer la tondeuse à gazon. Elle refuse mon aide quand je la lui propose. Mais elle se lève le matin tôt, nettement plus tôt que moi, met la tondeuse en marche, et prend alors son air profondément blessé par la vie quand elle me voit.

Des positions opposées, au gré des circonstances

Parmi les comportements étranges, vous observerez que le manipulateur change d'attitude, de discours, de voix, d'intonation, de physionomie même (l'expression du visage particulièrement) selon qu'il se trouve avec telle ou telle personne. Selon le profit à tirer d'une bonne ou d'une mauvaise image de lui, dirons-nous.

Un parent de ce profil est donc capable de faire une promesse devant un témoin important à ses yeux tel un juge, un professeur, un psychothérapeute ou un policier, et de ne jamais s'y tenir par la suite. **Les promesses non tenues** sont légion chez tous les parents à la personnalité narcissique.

David en a subi les conséquences :

Un procès opposa mon père et ma mère, car il exigeait de me placer dans une école juive religieuse privée (alors que j'étais très heureux à l'école communale). Pour contrer l'argument de la distance éloignée pour un enfant de 10 ans, mon père fit la promesse devant le juge de la cour d'appel (la copie de l'arrêt que j'ai eue plus tard en témoigne), de « conduire lui-même son fils à l'école et de se charger de son retour, ainsi que de participer aux frais de scolarité ». Bien évidemment, cela ne se produisit pas une seule fois ! Je pris les transports en commun et ma mère paya intégralement les frais…

Tous les manipulateurs avancent des propos faux ou exagérés, voire surprenants, mais ils sont rapides à défendre le contraire selon les personnes en présence, en faisant croire qu'ils n'ont jamais émis ces derniers !

Outre l'instabilité émotionnelle, nous pouvons nous questionner sur leur stabilité intellectuelle, c'est-à-dire celle qui régit les pensées, les croyances et même les principes. Parfois, tout change en quelques minutes ! Et ils semblent même être très sincères…

Denis repère également ce comportement chez sa mère :

Aux gens autour d'elle (amis, gens du village, etc.), ma mère raconte ce qui l'arrange sur moi, son fils : elle omet des déménagements, par exemple. On dirait que je ne peux habiter que dans une grande ville pour flatter son ego, être le cadre supérieur, le chercheur que je ne suis pas devenu…

Il poursuit avec un autre exemple :

Ma mère embauche un jardinier qui a l'air un peu simplet. Elle le paye nettement trop, en espèces. Régulièrement, elle tente de me culpabiliser devant lui en me reprochant d'être en retard, d'être soi-disant mal habillé, mal rasé (deux de ses reproches favoris) et en suggérant devant cet homme qu'elle fait le taxi pour moi et que j'abuse d'elle (alors qu'une seule sortie de 15 minutes de voiture a été programmée pendant le séjour !) Je lui dis qu'elle devrait avoir honte de me décrier ainsi. Une fois dans la voiture, elle m'affirme qu'elle aurait préféré « avoir ce garçon comme fils ! » Je commence à entrevoir la manipulation : ce qu'elle dit me paraît vraiment énorme. Depuis toujours, elle semble plutôt admirer chez les gens l'intelligence et l'intellectualité ; pas ce qui fait l'essence de ce jardinier ! Il y a vraiment quelque chose qui ne colle pas dans ses dires. Au fond, je sais qu'elle n'en pense pas un mot et tente simplement de m'atteindre.

Chez ces profils particuliers, les propos, décisions, projets et comportements changent comme des girouettes, souvent du tout au tout. Malgré cela, ils sont prompts à critiquer ceux qui révolutionnent leur vie. Particulièrement leur progéniture. Les critiques sont acerbes et les mots ne sont pas suffisamment durs pour exprimer leur jugement et leurs opinions. Et ces opinions ne sont pas nécessairement prononcées devant les intéressés. David pense à une attitude de son père et de sa belle-mère :

Leurs opinions politiques étaient également ambivalentes : pendant des décennies, ils ont critiqué Israël car c'était un État laïque. Mon père était même furieux contre mon frère, qui fut le premier à y émigrer. Finalement, ils habitent tous là-bas maintenant !

Le paradoxe d'un manipulateur qui prône les grands principes humanitaires est sa grande intolérance. Il laisse échapper des propos racistes ou xénophobes, alors qu'il se dit par ailleurs ouvert au monde entier (il peut même être d'origine étrangère lui-même !). Il semble radical sur le plan de ses opinions politiques et religieuses. Il semble l'être, effectivement… car le propre du manipulateur est de créer une illusion sur ce qu'il n'est pas. Il peut tenir des propos grandiloquents sur l'importance de sauver la planète et de respecter l'environnement, alors qu'il jette des papiers par terre, ne fait pas le tri des déchets recyclables et ne fait pas cas de son utilisation de matériels ou produits polluants.

David témoigne de ce comportement trompeur et contradictoire chez son père :

Son intolérance envers ceux qui n'étaient pas juifs religieux frisait l'insupportable. Un jour, je vis mon père piquer une colère car il y avait sur la couverture d'un magazine juif des enfants sans kippa (la calotte recouvrant la tête chez les religieux). Son extrême intolérance me révulsait, alors que lui, l'apôtre de la religion, se conduisait d'une façon odieuse. En fait, il me rappelait souvent Torquemada, ce moine qui avait assassiné tant de gens au nom de la religion, sous couvert de l'Inquisition espagnole au XVe siècle.

Pour rebondir sur ce dernier exemple concernant la religion, je remarque que de nombreux individus à la personnalité narcissique arborent de **faux engagements religieux**. Ils se montrent actifs au sein de leur paroisse, par exemple, alors qu'ils sont totalement infâmes envers leur famille et leur entourage professionnel. Ils font de grands discours sur l'amour universel alors qu'ils ne sont pas capables d'aimer profondément et de façon inconditionnelle leurs propres enfants. Ils n'ont donc que l'apparence de ce qui les arrange.

Deux enfants, deux mesures

En référence à l'expression « deux poids, deux mesures », le manipulateur ne traite pas ses enfants sur le même pied d'égalité.

Lucie, mariée à un manipulateur, en a été témoin avec ses propres enfants :

Je suis l'ex-épouse d'un médecin que je croyais doux et capable de me donner tendresse et bonheur. Il s'avéra que cet homme, pervers de caractère, a détruit ma vie et celles de nos filles. Il ne traitait pas celles-ci de la même façon. Autant mon aînée a été placée sur un piédestal, autant la cadette n'a jamais été acceptée par son père, ni même par la famille de son père ! Je n'ai jamais compris pourquoi…

David n'était pas non plus accepté par son père :

Quand j'ai eu 17 ans, j'ai demandé pour la première fois à mon père une participation financière pour mes vacances aux États-Unis. Il a refusé. Or, il avait emmené mon grand frère puis ma grande sœur dans différents voyages ; c'était une sorte de récompense suprême pour les ados de la fratrie. Ce ne sera jamais mon cas.

Petit déjà, la préférence pour son frère était visible :

J'étais obligé de porter une kippa en velours et non tricotée, alors que tous les jeunes de mon âge en portaient des tricotées (bien plus jolies). Mon grand frère avait le droit de porter une kippa tricotée, comme il avait le droit d'aller dans une synagogue proche, alors que je devais aller avec mon père à 40 minutes à pied dans une synagogue orthodoxe. Tant mieux pour mon grand frère. Ce que je dénonce ici n'est pas une conviction religieuse, aussi absurde soit-elle, sur un bout de tissu, mais de nouveau l'ambivalence, le « deux poids, deux mesures » et surtout, les arguments qui tombent d'eux-mêmes.

Soit le choix d'en préférer un parmi la progéniture est définitif et clairement établi, comme le montre l'exemple précédent, soit il y a **alternance**.

Dans le deuxième cas, je nomme ce système : **les vases communicants**. Quand l'un se remplit d'affection, d'attentions ou de privilèges, l'autre se vide autant !

Ainsi, une mère ou un père à la personnalité narcissique use d'un système de récompenses-punitions selon les périodes. Ce n'est pas nécessairement à chacun son tour : le privilège peut être offert à un seul enfant pendant des années ! C'est aussi le système « **privilèges-rejets** ». L'affection, les dons, les efforts financiers, les rapprochements, les confidences, les plaintes, les promesses et même les mensonges sont distribués différemment selon le lien qu'il ou elle souhaite créer avec un enfant plus qu'un autre de sa progéniture.

Pour Fabienne, la différence entre elle et son frère fut flagrante tout au long de sa vie :

Ma mère a organisé les 50 ans de mon frère aîné en mobilisant toute la famille : « C'est important 50 ans ! On va lui faire une surprise, un cadeau magnifique et un repas. » Elle était celle qui avait organisé la superfête, la mère parfaite…

L'année suivante, c'était à mon tour d'avoir 50 ans ; mais ce n'était plus du tout aussi important, ces 50 ans… J'ai reçu chez moi une petite plante verte, cadeau conjoint de ma mère et de ma tante !

Deux poids, deux mesures ? Ma mère a toujours laissé entendre que mon frère aîné était son enfant préféré. Un jour, elle m'a dit : « Quand j'ai été enceinte de toi, c'était trop tôt. Quand je pense qu'à cause de toi, je n'ai pas pu m'occuper correctement de ton frère ! »

J'ai admis qu'il était le préféré, que c'était normal parce qu'il était brillant. De bonnes âmes m'ont répété : « Ton problème, c'est de ne pas être la fille que ta mère souhaitait », suggérant peut-être que je devrais faire quelques efforts supplémentaires pour lui plaire, à moins qu'il s'agisse de mon destin…

Je me rends compte aujourd'hui qu'aucune fille n'aurait grâce à ses yeux, mais que celui qui pâtit le plus de sa perversité, ce n'est pas moi, mais justement ce fils « préféré » qui court après l'approbation de sa mère qu'il n'obtiendra jamais. Même s'il est vrai qu'il est brillant, il ne le sera jamais assez pour elle. Elle l'utilise en tant qu'enfant favori dans le but de faire du mal aux autres, mais elle exerce sur lui et son couple une pression insupportable. Elle le compare sans cesse à notre père disparu, que mon frère n'égalera jamais selon elle…

Fabienne est médecin. Ce statut, sa capacité à poursuivre des études longues et difficiles, sa réussite professionnelle n'ont en rien changé l'attitude de sa mère envers elle au cours des ans. Elle évoque un aspect de sa réflexion concernant la souffrance non pas de l'enfant rejeté, mais de l'enfant «chouchou». Je remarque à travers l'histoire de nombreuses fratries que celui qui souffre le plus n'est peut-être pas celui qu'on croit. Mais il ne s'agit pas des mêmes souffrances, ni des mêmes sentiments. L'enfant rejeté se sentira mal aimé, seul, sale, coupable, idiot, incapable, nul, inutile et d'autres sentiments de cette catégorie. Alors que l'enfant fétiche va devoir régulièrement se prouver qu'il est à la hauteur de l'admiration qu'on lui porte. Il va se sentir étouffé par un amour envahissant et progressivement intrusif. Il va se culpabiliser inconsciemment d'être l'objet d'autant d'attentions par rapport au reste de la fratrie. Aussi, il va réaliser, quand il grandira, que tous ces privilèges doivent un jour se payer d'une manière ou d'une autre.

En effet, ce système se produit à l'insu des enfants. Il n'est pas établi pour être visible (il faut pouvoir manipuler!).

L'enfant préféré, devenu adulte, ressentira une pression de plus en plus importante afin de «rembourser sa dette» de façon éternelle. Cette mère (ou ce père) se sent en droit de s'imposer, malgré peut-être le couple que son enfant a construit.

Si les enfants ne se parlent pas entre eux (situation qu'un parent manipulateur réussit souvent à produire quand ils deviennent adultes), ce lien particulier individualisé reste invisible très longtemps. La vérité explose à l'occasion d'un décès. En voici deux cas:

Maud prend enfin du recul, mais elle n'est pas seule:

Après des années de harcèlement, je viens de me rendre compte que mes parents étaient de funestes manipulateurs... fort contents de semer la zizanie entre la mauvaise fille (moi) et la fille bien (ma sœur). Nous venons de comprendre ce processus de destruction toutes les deux!

J'ai pris la fuite car il valait mieux... J'ai une grande faille: j'ai perdu un petit garçon et depuis, mes parents s'amusent beaucoup de ma fragilité psychologique... Mais, comble de l'horreur, ma sœur vient de perdre son petit garçon également ! Pour mes parents, il semble que cela soit beaucoup plus horrible pour elle que pour moi... Comme c'est la fille « bien », ils disent qu'elle sera beaucoup plus forte que moi. Qu'elle au moins n'est pas aussi faible que moi... Cela n'a aucun sens !

Françoise nous fait part de cet exemple :

Au cours de la semaine de la mort de mon père, ma mère nous a laissé gérer toutes les démarches sans intervenir une seule fois. Mais quelques heures après l'enterrement, j'ai été choquée de son comportement : elle distribuait l'or de mon père ! D'abord, elle destina sa bague à mon frère. Puis, elle distribua une gourmette et une chaîne à mes enfants. Avec surprise, j'ai dû intervenir pour que les filles de ma sœur (celle avec laquelle elle s'entend pourtant le mieux depuis tout cela) aient également un souvenir de leur grand-père.

Dans le cas où la manipulatrice décède, ses enfants auront la surprise de découvrir des **distributions de biens mobiliers et immobiliers illogiques** lors de l'ouverture du testament. Comment **punir au-delà de la mort ceux qui ne se sont pas finalement soumis** ? Comment **créer la discorde et la jalousie entre ses enfants** ? Comment détenir encore le pouvoir jouissif de générer des émotions négatives chez autrui alors qu'on n'est plus vivant pour le constater ?

Les enfants peuvent découvrir les conséquences des privilèges inégaux par hasard. Virginie se souvient :

À l'adolescence, j'ai surpris une conversation entre mon père et ma mère à propos du fait que la location d'une chambre d'étudiant était prévue pour mon frère et pas pour moi. Or, mes parents ont toujours clamé qu'ils ne faisaient aucune différence entre mon frère et moi. C'était leur dogme éducatif favori. Mon père s'en étonnait donc. Ma mère (manipulatrice) lui a expliqué brièvement qu'il n'était pas question de me laisser la même liberté qu'à mon frère. Mon père ne semblait pas comprendre pourquoi. Elle a énoncé simplement, pour l'éclairer, un dicton « bien connu » selon elle : « Rentre tes poules, je sors mon coq ! » Voilà où menaient les grandes protestations d'égalité de cette femme moderne !

Il existe malheureusement des liens « de clan » que tisse un parent pervers narcissique avec l'un de ses enfants, et ce, pour une raison qui va vous apparaître clairement des décennies plus tard : parce que le frère ou la sœur est également manipulateur ! En effet, dans le cas où un parent et un enfant auraient ce même profil, l'alliance est quasi systématique. Et durable…

Qui dit qu'ils ont de véritables sentiments l'un envers l'autre ? Le parent manipulateur évite cependant de décharger ses émotions de colère vis-à-vis de la progéniture qui lui ressemble tant.

Des réactions disproportionnées

Le parent à la personnalité narcissique est un handicapé des émotions. Cela ne veut pas nécessairement dire qu'il n'en a pas. Il en ressent, certes, mais de façon inappropriée :

- L'émotion surgit à un moment inapproprié (exemple : une joie lors d'un enterrement) ;
- Elle est d'une intensité exagérée (en furie) ou anormalement faible (indifférent) selon le contexte ;
- Elle est déclenchée à un moment inattendu par un détail, comme une réflexion d'autrui qui ne se veut pourtant pas blessante ;
- Elle est capable de durer (le parent peut bouder des jours entiers), mais le plus souvent, le pic violent d'émotions ne dure que quelques heures, et disparaît étrangement comme si le sujet de la dispute n'avait jamais existé.

Autrement dit, **les émotions sont exacerbées**! Les manipulateurs sont constamment traversés par des émotions qu'ils tentent de cacher avec succès aux étrangers, mais dont ils se déchargent allègrement sur leur conjoint et leurs enfants. Ainsi, ces derniers sont témoins de crises émotionnelles passagères, exagérées et récurrentes. Pour éviter la survenue de ces crises, les jeunes enfants se contrôlent autant que possible, se taisent, se réfugient dans leur chambre aussitôt après le repas, ne racontent que des aspects légers et sans véritable intérêt de leur vie, et surtout, n'émettent aucune critique.

La moindre remarque est mal interprétée. Le parent narcissique se met alors immédiatement en mode défensif et est prêt à attaquer, dénigrer, détruire.

La mère de David lui raconta une anecdote qui a pris une énorme importance dans la mémoire collective de la famille:

Durant les premiers jours de vacances au bord de la mer dans le sud de la France, ma grande sœur, alors âgée de six ans, fit une réflexion amusante qui fit rire la famille. Mon père, furieux qu'on ait pu rire pendant sa prière, a alors claqué la porte et n'a plus adressé la parole à sa famille pendant le reste des vacances! La maison était à 3 km des commerces, où ma grand-mère maternelle et ma mère allaient faire les courses. Un jour où elles remontaient à pied, en pleine chaleur et chargées de lourds sacs de provisions, mon père est passé à côté d'elles en voiture sans s'arrêter pour les aider. Il fallait qu'il punisse toute sa belle-famille!

Dans l'exemple précédent, nous voyons comment un manipulateur utilise la bouderie comme une arme majeure pour déstabiliser le reste de la famille. La plupart du temps, ces périodes de bouderie durent entre trois heures et trois jours. À ce comportement d'anticommunication s'ajoutent d'autres comportements coercitifs, c'est-à-dire opprimants et despotiques.

Un dialogue de sourds

Il n'y a pas de communication authentique possible avec une personnalité narcissique. La discussion dérive en quelques secondes car vos propos sont soit interprétés de façon insensée, soit dérangeants, soit encore inintéressants à ses yeux. Françoise dit que dès que son mari et elle évoquaient, juste pour discuter, des menues difficultés de leur vie, l'un ou l'autre de ses parents, tous deux manipulateurs, détournaient le sujet vers leur soi-disant «misérable» passé et les difficultés qu'ils avaient traversées.
Ces interprétations sont étonnantes par leur diversité et par leur absurdité. Elles génèrent donc instantanément des émotions négatives de part et d'autre. Le plus souvent, le parent manipulateur se croit attaqué personnellement et alterne des sentiments de tristesse et de colère, et ce, en quelques minutes!

Françoise parle également de ces émotions exaltées:

Ce que je prenais pour des discussions diverses et des échanges de points de vue n'étaient au final que des tentatives de me convaincre de sa vision à elle, avec une voix qui prenait vite hauteur, ampleur et force.

Sabrina veut témoigner de l'impulsivité et des réactions exagérées de sa mère:

Ma mère m'a surprise un jour dans ma chambre à lire un livre trouvé dans la bibliothèque parentale. C'était après le départ de mon père et je devais avoir 17 ans. C'était un livre de littérature ancienne, d'un style littéraire que je situerais vers la fin du XIXe siècle, parsemé de passages érotiques. Ma mère et moi ne parlions jamais de sexe et elle ne m'a même jamais emmenée chez le gynécologue. Comme dans beaucoup de familles, je suppose, c'était un sujet tabou. Toujours est-il que lorsqu'elle a découvert le livre que je tenais dans les mains, elle est entrée dans une rage folle. Elle m'a crié sans délicatesse que c'était un livre de mon père et qu'elle l'avait déjà surpris en train de le lire en cachette. Je peux comprendre que ça ait ravivé de mauvais souvenirs, mais je comprends moins que, sous le coup de la fureur, elle a fini par me donner tellement de coups que je me suis retrouvée recroquevillée dans un coin de ma chambre, à me protéger tant bien que mal avec mes avant-bras !

Par la suite, je me rappelle qu'elle a voulu encore une fois porter la main sur moi. Alors qu'elle avait le bras en l'air, je me souviens de lui avoir dit calmement (en apparence du moins), en la regardant droit dans les yeux, qu'elle n'avait plus intérêt à porter la main sur moi. Une expression de surprise sur le visage, elle a suspendu son geste et ne m'a plus jamais donné de raclées.

Le second événement date de la même époque. J'avais conscience de ne plus savoir quelle attitude adopter face aux sautes d'humeur et à la dépression de ma mère. Bien que n'ayant jamais eu de réels échanges avec elle sur nos ressentiments respectifs, je me suis dit que parler pouvait être la solution. Un jour, avant de commencer le repas du soir, je lui ai donc demandé de discuter. En expliquant ce que je ressentais vis-à-vis de son comportement, je me suis efforcée, me semble-t-il, de ne pas être trop accusatrice pour qu'elle ne se sente pas agressée et pour que cela n'engendre pas de réactions en cascade. Il est possible néanmoins que, peu habituée à ce genre d'échanges, j'aie été trop maladroite. La colère de ma mère s'est accrue au fur et à mesure de la conversation, bien que, de mon côté, je sois restée calme (c'est mon tempérament, je m'emporte rarement). Je ne me souviens plus de la teneur exacte de la conversation mais bien de comment cela s'est terminé. Me rendant compte de la stérilité de notre échange, je me suis levée de table. Ma mère a fait de même, toujours en criant, a empoigné le plat en verre contenant le rôti et l'a lancé violemment à mes pieds. Complètement abasourdie, j'en ai conclu qu'il était inutile de retenter ce genre de démarche…

Qui osera lui faire remarquer sa folie ?

Face à des propos « fous », une démonstration d'immaturité stupéfiante, des comportements aberrants, des prises de position ambivalentes, des mensonges, des omissions incompréhensibles ou encore des réactions émotionnelles exacerbées, nous sommes sidérés. Cette suspension dans le temps rend compte du brouillage cérébral qui vient de se produire chez les interlocuteurs de toute personne qui manipule. Ce qui vient d'être prononcé avec tant d'aplomb génère une confusion mentale très courante chez les victimes des personnalités narcissiques. Certaines disent littéralement : « Il (elle) m'a brouillé le cerveau. » Nous sommes alors interloqués, voire sous le choc. La répartie, le réflexe juste ne vient pas. Nous ne parvenons pas à construire sur-le-champ une réponse qui rétablira la vérité. Les secondes passent, alors que le manipulateur a pu faire entendre de tous une information, une réflexion, une affirmation fausse, folle, illogique ou méchante, sans que personne n'y réagisse…

Ce n'est que quelques minutes, heures, jours ou même années plus tard que certains interlocuteurs réalisent l'aberration du propos ou que la situation était finalement intolérable.

Une mère n'a cessé de dire à ses enfants qui approchaient la cinquantaine : « Je vous ai élevés toute seule. » Ce n'est qu'au bout de 30 ans qu'ils réalisèrent, en discutant entre eux, que cette mère n'avait justement *jamais* été seule au foyer, ni avant son divorce ni même après, puisqu'elle s'était mise à vivre avec son amant en famille recomposée un an après le divorce (l'aîné avait 10 ans) ! Les premiers témoins de la situation réelle, ses propres enfants, n'avaient jamais réagi à cette affirmation, alors qu'elle était on ne peut plus fausse. Par ailleurs, elle a annoncé son ancienne condition de mère célibataire à ses clients, ses voisins et même des étrangers, dans un besoin ultime de se « *narcissiser* », comme si l'épreuve d'élever des enfants seule lui donnait à la fois une place de victime et une valeur supplémentaire. Une formule gagnante pour attirer à la fois la compassion et l'admiration ?

Vous observerez également que ce genre « d'annonce » se produit à des moments inappropriés et qu'elle est inutile aux autres. Narcisse se parle à lui-même : il décrit ce qu'il voit dans son reflet.

Ainsi, la première des raisons qui peuvent expliquer que nous ne contredisons pas une formulation stupéfiante est qu'elle est **stupéfiante,** justement !

Mais il existe une autre raison tout aussi valable : **il est inutile de contredire une personnalité narcissique**. C'est totalement inefficace !

Un manipulateur ne supporte aucune remise en question. Cela lui est impossible en raison de son égotisme. Une mère ou un père manipulateur est incapable d'entendre de la part de sa progéniture le moindre reproche.

Vers 22 ans, Denis a écrit une lettre à sa mère pour lui expliquer ce qui n'allait pas entre eux. Sans résultat positif. Pour elle, sa lettre était uniquement la preuve qu'il « allait mal psychologiquement » !

Voici un aperçu des **réactions de rejet de toute remise en question** d'une personnalité narcissique.

- Soit sa réaction est immédiatement puissante en émotions : cris, colère, pleurs, bouderie, etc.
- Soit elle nie sur-le-champ avoir dit ou fait ce que vous avez pourtant entendu ou observé il y a quelques secondes : « Je n'ai jamais dit ça ! »
- Soit elle attaque votre personne en vous traitant de « paranoïaque », de « susceptible », « d'insupportable », de « méchant », « d'agressif » tout en ajoutant : « Tu n'as pas du tout compris ce que j'ai dit ! »
- Soit elle se met à interpréter que vous lui voulez toujours du mal quoi qu'elle fasse ou dise. Elle vous rappelle que vous avez votre idée fausse et préconçue à son endroit, et ajoute souvent qu'elle ne comprend pas pourquoi vous ne la comprenez pas.

- Soit elle quitte la pièce en lançant : « On ne peut pas parler avec toi ! » ou encore : « Il faut toujours que tu aies raison ! », ce qui discrédite alors tout apport de votre part dans la discussion.
- Soit elle reste dans la pièce et boude.
- Soit elle raccroche le téléphone sans prévenir ni dire au revoir.

En bref, vous ne pouvez pas obtenir gain de cause si vous souhaitez remettre les choses à leur juste place !

Voici un exemple vécu par David lorsqu'il avait 12 ans :

Mon père et moi avions un point de désaccord à propos des membres de la famille de ma mère. En entendant certaines inepties, j'ai osé dire que « je connaissais mieux la famille (du côté maternel) que lui ». Ce qui était absolument vrai. À cet instant, il a fait demi-tour de notre randonnée et m'a boudé pendant toute la soirée. Sa femme, également manipulatrice, m'a pris cérémonieusement à part pour me faire la remontrance ; séance de culpabilité à la fin de laquelle j'ai éclaté en sanglots à cause de mon crime…

N'est-il pas étonnant d'observer que presque personne ne réagit ouvertement en s'élevant contre ces processus ? C'est vrai mais pas pour tout le monde. Beaucoup réagissent, mais au vu d'une réaction folle comme celle observée précédemment, ils finissent par ne plus prendre la peine de dénoncer le procédé en cours. Il existe des interlocuteurs qui décèlent immédiatement le jeu de mensonges d'un manipulateur. Ils s'abstiennent d'y réagir, non par sidération, mais parce qu'ils savent, par habitude, que le conflit stérile va s'enclencher sans aucune résolution possible. L'expérience leur a également montré que leur parent hypernarcissique n'a aucune motivation à opérer le moindre changement dans ses comportements.

Caroline a écrit à sa mère ce qu'elle lui reproche en évoquant ses souvenirs, en vain :

J'ai souvent fait comme avec des personnes perturbées afin de ne pas déclencher un délire supplémentaire : On lui dit : « Oui, c'est ça… tu es parfaite, tu as sûrement raison, fais comme tu veux… »

« Je me souviens, lorsque mon père et toi êtes arrivés chez nous, après la naissance de ma fille. Tu as été prise de sursauts de rire alors que nous prenions l'apéritif. Tu t'es levée pour venir me dire à l'oreille "Celle-là, si c'était l'autre qui te l'avait faite (en parlant de mon ex), elle pleurerait moins !" Je n'ai pas bougé, je n'ai rien dit quand mon mari m'a demandé ce qui te faisait marrer. J'avais honte de devoir constater ta folie et ta méchanceté ! Lorsque le lendemain, papa m'a demandé pourquoi j'avais une drôle de tête, je lui ai avoué ce que tu m'avais dit à l'oreille. Il t'a alors demandé : "Tu n'as pas dit ça ?" Tu t'es mise à chialer en répondant : "Je ne me souviens pas…" J'ai laissé tomber la discussion lorsque j'ai vu la tête désespérée de mon père, et aussi parce que j'avais un bébé de quelques semaines dont je préférais m'occuper. Beaucoup d'autres comportements de ta part me laissent stupéfaite et me confortent dans mon opinion que tu as une énorme souffrance psychique qui a fait beaucoup de dégâts autour de toi. Lorsque tu me reproches de ne pas avoir de respect ou de retenue envers toi, je te signale que je me retiens de t'assommer depuis que j'ai 11 ans ! C'est noté dans mon journal intime d'alors. J'attendais une demande de pardon, un geste généreux, une demande d'excuses (Sait-on jamais ?), un déclic… C'est te dire si je me suis retenue ! »

Quelle a été la réaction de sa mère à cette lettre ? La réponse va sûrement vous surprendre : la mère, que je ne connais pas, a ressenti le besoin de m'envoyer spontanément tout un dossier dans le but de me démontrer que sa fille Caroline était une manipulatrice et qu'elle s'en était enfin libérée ! Je me suis aperçue au cours de la lecture des courriers de la mère et des réponses de la fille que cette dernière n'était pas manipulatrice mais que la mère en manifestait tous les critères! Autrement dit, malgré les détails de leur vécu commun et les rappels de ses attitudes, il n'y a eu aucune prise de conscience ni aucun changement de la part de la mère, réellement manipulatrice.

Pour conclure ce chapitre, je constate qu'il est presque aussi aberrant de notre part de persévérer à donner du crédit à une personnalité narcissique que de vouloir s'en faire aimer, ou du moins estimer! Dans les deux cas, c'est trop souvent peine perdue. Ce sentiment d'impuissance face à son parent manipulateur est particulièrement difficile à vivre tant que nous espérons un changement, même tardif. Il disparaîtra pour laisser place à l'acceptation que, d'une part, nous n'avons pas choisi ce parent, et que, d'autre part, la pathologie peut survenir dans toutes les familles sans que quiconque en soit responsable.

Chapitre 5

Une mauvaise santé... vraiment ?

Face aux problèmes de santé, qu'il s'agisse des leurs ou de ceux des autres, les pères et les mères à la personnalité narcissique ne réagissent pas totalement de la même façon.

Le thème de la santé est assez central et significatif, surtout chez la femme. Cependant, je vous prie de faire attention de ne pas conclure trop rapidement à une mère manipulatrice si la vôtre se plaint facilement de sa santé. N'évacuez jamais de votre esprit la liste des 30 caractéristiques pour établir ce diagnostic. Beaucoup de personnes âgées captent l'attention par des propos autour de leur mauvaise santé. Je ne sais pas si elles souhaitent faire pitié ou générer de la culpabilité, mais nous observons que la nourriture et la santé sont particulièrement au cœur de leurs préoccupations. Un parent manipulateur vieillissant garde tout de même les caractéristiques liées à sa personnalité pathologique.

La mère hypernarcissique joue beaucoup plus autour de ce thème que le père avec la même pathologie, comme nous le verrons dans les pages qui suivent.

Elle doute de votre mauvaise santé

Mère ou pas, une perverse narcissique ressent une indifférence profonde envers les problèmes de santé d'autrui. Le paradoxe apparent est qu'elle se montre au contraire intéressée et même de bon conseil pour toute personne extérieure à la famille nucléaire. Elle a l'art de faire illusion en se montrant empathique et serviable à l'égard d'un étranger à la famille, alors qu'il n'en sera rien vis-à-vis de sa propre progéniture (ou son conjoint, soit dit en passant).

Si l'un de ses enfants montre des signes de maladie, notamment des symptômes alarmants et inhabituels, la mère manipulatrice relativise systématiquement. Trop systématiquement d'ailleurs. Au point que ce réflexe illogique s'ajoute à la liste d'indices sérieux marquant l'état d'une mère hypernarcissique. Elle est capable d'arguer lors d'un reproche que vous lui feriez concernant son manque de réactivité, de soutien, d'aide ou simplement d'amour maternel, qu'elle est « résolument optimiste ». C'est un faux argument. L'optimisme peut se constater en de nombreuses circonstances, mais l'être à outrance, sans prendre en compte la réalité, revient ici à se débarrasser promptement d'un problème qu'on ne souhaite en aucun cas prendre en charge. Ainsi, une mère manipulatrice que vous tenez au courant de vos déboires de santé se contente uniquement d'offrir quelques conseils de bonne attitude à tenir (comme par exemple : « Prends de la vitamine C » ou « Ne prends pas le risque de partir en vacances maintenant »).

Certaines d'entre elles vont remettre en question un diagnostic médical posé à la suite de consultations de professionnels. Elle sait mieux que les experts ! Si elle procède ainsi, ce n'est généralement pas pour alourdir le pronostic, mais au contraire pour l'alléger. Autrement dit, à ses yeux, vous n'êtes pas si malade que cela ! Le simple fait d'être votre génitrice lui suffit pour se persuader qu'elle vous connaît mieux que quiconque.

Je conçois deux hypothèses d'explications au fait que cette mère ne peut pas admettre un éventuel état dramatique de votre santé. D'une part, je traduis volontiers qu'elle ne souhaite pas s'occuper de vous matériellement, ni se rendre disponible, afin de préserver sa quiétude et de poursuivre ses propres projets. C'est justement ce qui est arrivé à Sophie :

À 23 ans, j'ai dû prévoir me faire recoller une oreille. Ma mère m'a dit de ne pas le faire parce qu'elle allait se sentir obligée de s'occuper de moi, alors que ce n'est pas une maladie ! Malgré tout, je l'ai fait… pendant que mes parents étaient en voyage.

D'autre part, ce réflexe pourrait être conséquent à un refus d'envisager que vous, sa progéniture, ne seriez pas « construit » correctement et que cela proviendrait de sa part génétique ou héréditaire.

Malgré le diagnostic professionnel auquel une mère de ce profil n'accorde pas véritablement de crédit, elle vous donnera avec une rapidité déconcertante un tout autre diagnostic ! À l'instar de ce qui s'est produit pour Virginie :

À 40 ans, je suis tombée malade. Je ne pouvais presque plus marcher et j'étais exténuée.

J'ai dû être hospitalisée à plusieurs reprises dans le service de médecine interne du professeur B. Alors que le diagnostic de sclérose en plaques n'était pas encore posé, je m'étais traînée chez mes parents, espérant assez naïvement être réconfortée. J'ai fait part à ma mère de mon inquiétude. Elle a affirmé, péremptoire, que je « n'avais rien » et que le professeur B. me faisait revenir dans son service pour des examens complémentaires parce qu'il était épris de moi ! Ma mère n'avait jamais rencontré ce médecin et n'était d'ailleurs jamais venue à l'hôpital me rendre visite. Je crois que le vrai sens de cette affirmation stupéfiante était : « Si tu t'imagines que je vais me soucier de ta santé ! »

Ce déni d'un diagnostic d'une maladie vous concernant peut conduire la mère à vous accuser de simuler (ce qu'elle est parfaitement capable de faire elle-même !).

Fabienne raconte :

Ma mère n'a que mépris pour les gens malades ; elle n'a aucune compassion pour sa sœur qui vit près d'elle et qui a souvent des soucis de santé. Elle ne l'aide pas, alors qu'elle a une voiture et pourrait lui rendre service. Elle justifie cette non-assistance par son doute quant à la véracité des plaintes de sa sœur qui, selon elle, feint d'être malade (« Tu parles ! Si tu lui proposes d'aller faire les magasins, elle court comme un lapin ! »). De plus, elle tente d'en convaincre la famille dans l'espoir que nous allons tous la rejeter en lui reprochant sa simulation.

En revanche, lorsque ma mère est contrariée (souvent quand elle n'arrive pas à obtenir ce qu'elle veut), elle est au plus mal... Elle dit souffrir d'une migraine, réussit à convaincre tout le monde qu'elle est à plaindre et ma tante est la première à lui proposer son aide (qu'elle rejette rageusement).

Il doute de vos médecins

Le père manipulateur, lui, exprime son doute face à votre souffrance, votre dépression, vos difficultés psychiques, d'apprentissage ou motrices, ainsi que votre éventuelle maladie organique d'une façon légèrement différente. Certes, il dénigre votre faiblesse sans compassion, mais il déconsidère encore plus le corps médical ! Ce n'est pas tant le corps médical qu'il discrédite, mais ses représentants. Il décrédibilise sans vergogne tous ceux qui vont s'approcher de sa progéniture, que cela soit dans le domaine de la santé physique ou mentale.

En effet, il ne prend pas au sérieux les diagnostics, quels qu'ils soient. Il est convaincu d'en savoir davantage sur la question que les spécialistes eux-mêmes ! Il est capable d'inventer n'importe quelle aberration en faisant croire qu'il connaît la science. Il s'arrange pour empêcher le traitement apporté à son enfant. Il exige que les choses soient perçues sous son angle et que le traitement se fasse autrement, voire pas du tout !

Ainsi, le fait de dénier peut servir ses intérêts, ses exigences et ses principes ; pas ceux de ses enfants. David se souvient comment son père a osé corrompre un médecin, sûrement peu scrupuleux lui-même :

Étant enfant, j'avais du psoriasis sur un ongle du pouce qui nécessitait des soins matin, midi et soir ! C'est aussi pourquoi ma mère ne voulait pas que je quitte l'école communale qui était proche de chez elle, où j'habitais. J'avais neuf ans lorsque, devant la cour d'appel, il a produit un certificat d'un Dr S., qui ne m'avait vu qu'une seule fois. Il affirmait avec complaisance de l'excellence de mon état de santé, disant qu'il n'y avait aucune contre-indication médicale pour que je fréquente... une école juive ! Cette école était trop loin pour que je puisse suivre mon traitement, mais mon père voulait poursuivre son propre objectif, par principe...

Le père manipulateur refuse quasi systématiquement les rendez-vous familiaux avec un thérapeute ou un médecin dès lors qu'il s'agit d'aborder le problème de sa progéniture. En général, il reproche à sa femme de ne pas avoir fait un suivi correct. Il ne veut pas non plus se déplacer, invoque une trop grande charge de travail ou annonce que « cela ne sert à rien ». Il est capable d'annoncer haut et fort que le médecin ou le psychothérapeute recommandé pour son enfant est nul, incapable, vénal ou charlatan sans jamais l'avoir rencontré !

Dans le cas où les parents sont divorcés, il se sent en droit de réfuter le choix qu'a fait son ex-femme quant à la thérapie ou au praticien. L'enfant perd ainsi des années avant qu'un traitement efficace commence, puisque son père fait constamment en sorte de s'y opposer. Cela va du choix d'un orthophoniste, d'un chirurgien, d'un pédopsychiatre à celui d'un dentiste.

Voici ce qui est arrivé aux deux enfants (sur trois) de Blandine, tout juste divorcée d'un manipulateur :

Le pédopsychiatre, Dr H, étant à l'origine un ami de la famille, le père n'a pas supporté l'idée qu'il puisse suivre les enfants sans que lui-même contrôle la situation. Il a essayé de manipuler les enfants afin que ceux-ci mettent en doute la confidentialité de ce qu'ils confiaient au Dr H, en leur faisant croire que celui-ci « répétait tout car il était un ami de maman » ! Le médecin et moi avons essayé de résister, persuadés qu'un suivi était indispensable aux enfants. Le père est alors allé jusqu'à écrire à l'Ordre des Médecins afin d'exiger que ce pédopsychiatre ne suive plus nos enfants ! Il aurait trouvé auprès de son avocate un texte de loi stipulant qu'il ne pouvait pas s'opposer à ce que ses enfants soient suivis ; mais qu'il pouvait s'opposer à ce que ses enfants soient suivis par telle personne en particulier.

Au-delà d'une problématique médicale, le père manipulateur fera de même pour un professeur de judo, de piano, de danse ou de toute autre discipline, du moment qu'il est choisi par son ex-épouse. Soit cela se fait selon ses exigences, soit cela ne se fait pas du tout ! De plus, outre son besoin d'appliquer un veto de façon absurde pour démontrer force et pouvoir à son ex-proie conjugale, il ne veut pas payer ! **L'aspect financier d'un traitement médical le rebute totalement.** Il entrevoit les frais liés à un supplément d'honoraires non remboursé par la sécurité sociale, les frais de transport, le temps « perdu », le manque à gagner pendant qu'il accompagne l'enfant en traitement ou à son sport.

Dans l'enceinte du domicile, ces prétextes pour ne pas accompagner sa progéniture sont souvent clairement énoncés. Sans aucune honte. Or, le père manipulateur manifeste exactement le contraire en dehors du cercle nucléaire de la famille. Il se dit inquiet de l'état de l'enfant et prêt à tout faire pour trouver des solutions.

À la maison, son discours tourne autour du manque de confiance en « ces soi-disant experts ». Il n'en est rien. Sa réaction n'a pas à voir avec un manque de confiance envers les professionnels. Le plus souvent, il ne les a jamais vus et ne connaît rien aux méthodes de traitement proposées ! Il est donc très rarement en situation de juger. D'une manière générale, **le manipulateur se sent menacé par tout individu qui serait plus diplômé, plus compétent et plus expérimenté que lui.** J'ajouterais que dans le cas où il serait père, laisser quelqu'un qu'il ne peut influencer facilement ni corrompre par la séduction entrer en contact avec son enfant est encore plus menaçant : l'enfant pourrait exprimer des « choses » que tout manipulateur ne supporte pas de voir filtrer hors de son contrôle.

Cependant, on peut le faire céder avec de l'insistance ou du culot en prenant une décision sans le prévenir, mais en l'informant après (selon les cas). La loi, dans certains pays, dit que les deux parents doivent donner leur accord pour un traitement même psychologique auprès d'un pédopsychiatre ou d'un pédopsychologue, tant qu'il est mineur. La frilosité courante des professionnels auprès des enfants à outrepasser cette règle n'arrangera pas le parent protecteur et attentif qui, lui, compte bien trouver une solution rapidement aux problèmes présentés par l'enfant. Heureusement, certains pédopsychiatres ont compris qu'il est des cas où un non-traitement peut être plus grave qu'une prise de risque. Beaucoup d'enfants peuvent se retenir d'aller raconter au parent qui fait obstruction leur visite chez « la dame » ou « le monsieur » avec qui ils parlent ou « font des jeux ». À un moment, il faut choisir selon la priorité de ses valeurs…

Finalement, lorsque le père à la personnalité narcissique se trouve face à un professionnel de la santé, deux cas de figure possibles se présentent.

Le premier, c'est la tactique du bluff. Il écoute, acquiesce, mais n'a pas de questions à poser. Le plus souvent, il semble être d'accord et ne présente aucune objection. Le professionnel peut alors difficilement détecter à qui il a affaire. Dès que le rendez-vous est terminé et qu'il est sorti du bureau, le manipulateur exprime devant sa femme et son enfant, s'il est présent, des propos contraires à son attitude précédente. Il est en total désaccord. Il réfute le diagnostic ou le traitement. Il dénigre le professionnel, doute de sa compétence, de son impartialité, voire de son honnêteté. Cette attitude lui donne alors le prétexte pour arrêter toute quête supplémentaire de solutions qui pourraient aider son enfant en souffrance, et donc, pour ne pas s'impliquer davantage. Il conclut alors qu'il avait bien raison, au tout début, de ne pas faire confiance à ces gens-là et de ne pas soulever des montagnes pour un si petit bobo…

Dans le deuxième cas de figure, face au professionnel de la santé, le père manipulateur intervient de façon agressive. Il interrompt l'explication du spécialiste, pose des questions inutiles et décalées, doute verbalement et au moins physiquement, par des mimiques, des réponses qu'on lui fournit. Il entrevoit des obstacles aux traitements proposés, quoi qu'on lui propose. Il est opposé à l'intervention du spécialiste auprès de sa progéniture. Comme avec sa conjointe, il veut à tout prix avoir raison. Et **avoir raison, c'est s'opposer** ! Quitte à être totalement irrationnel, ridicule, mais surtout dans ce cas-ci, dangereux pour la santé physique ou mentale de son jeune mineur.

Si l'emprise sur son fils ou sa fille est encore probante après l'âge de la majorité, les attitudes décrites précédemment sont les mêmes. Surtout si le jeune demeure encore au foyer de ses parents.

Noémie raconte comment s'est passé l'entretien chez sa psychiatre lorsque son père a été convié. Noémie a 19 ans. Son père est manipulateur et elle ne l'avait pas encore compris au moment de ces faits récents :

Je garde un horrible souvenir de l'entretien avec ma psychiatre, ma mère, mon père et moi-même. Docteur A. avait demandé à mes parents de venir pour leur expliquer les problèmes dont je souffrais, notamment une dépression, de l'angoisse et une forte anxiété. Mon père a tout d'abord dit: «Je n'irai pas jusqu'à Paris pour ça!» Après que l'on ait longuement insisté, il est finalement venu à contrecœur et, lors de l'entretien, a dit à la psychiatre: «C'est vous qui la rendez malade! Tout le monde est un peu angoissé, c'est normal! Venir ici pour vous entendre dire à ma fille que si elle n'a pas envie d'aller en cours, c'est à cause de l'angoisse, c'est aberrant!» Il coupait la parole au médecin, regardait par la fenêtre... Et moi, j'étais en sanglots. Je regardais avec tristesse, désespoir, horreur et détresse le docteur A. Quant à ma mère, elle ne savait plus quoi dire, ni quoi faire. Elle souffrait de me voir ainsi et de constater la réaction de mon père. La psychiatre lui a d'ailleurs répondu: «Monsieur, vos émotions vous appartiennent. Ne me coupez pas, s'il vous plaît.»

Depuis, à la maison, à table ou lorsque l'on discute, il se moque de moi, car je vais voir une psychiatre et une psychologue. Il rit! Comme il s'entend très mal avec ma mère, il dit des choses très abaissantes comme: «C'est ta mère qui devrait aller voir des psys, elle en a bien besoin!», «On gaspille l'argent, c'est n'importe quoi!» Alors qu'il refuse de débourser un centime pour mes rendez-vous! C'est ma mère qui me paye tous les entretiens et l'inscription au groupe d'affirmation et d'estime de soi... qui me sont indispensables!

Ce qui est très contradictoire, c'est qu'en parallèle, lorsque je l'entends discuter avec sa sœur (qui est au courant de mes soucis et qui approuve ma démarche de me faire aider), il change complètement de point de vue! Devant elle, il se met à dire que c'est bien! C'est très douloureux car dès qu'elle n'est plus là, les moqueries et le désaccord reviennent.

Il me dit aussi que les médicaments ne servent à rien, que je devrais arrêter de les prendre. C'est ce qui s'est passé l'année dernière: j'étais sous anxiolytiques et j'ai arrêté immédiatement! À l'époque, je ne savais pas que mon père était un manipulateur, je l'écoutais et c'était de pire en pire, jusqu'au point où je n'ai plus voulu rien faire, pas même des études supérieures. Je pleurais tous les jours enfermée dans ma chambre. Mon père me laissait dans cet état-là. Pour lui, c'était normal que je vive comme cela. Il passait ses journées tranquillement devant la télé, faisait à manger, ne se souciait guère de ce qui pouvait m'arriver.

Mon père est aussi infect avec ma mère. Le docteur A. m'a appris que c'est de la maltraitance psychologique. Par exemple, je me souviens qu'il lui a dit un jour, lors d'un repas où nous étions tous les quatre: «T'as pas fait les courses! T'as encore rien acheté! T'as pas honte de donner de la merde à manger à tes enfants?»

Une fausse empathie pour les autres

Ceux et celles, lucides, qui ont une mère à la personnalité narcissique, ont quelques difficultés à faire connaître à l'entourage de celle-ci, dont la famille au sens large, la véritable nature de cette femme qu'ils ont eu tout loisir d'observer depuis leur enfance.

En effet, dénoncer ce leurre n'apporte pas nécessairement les fruits escomptés. Bon nombre d'amis et de membres de la famille de la manipulatrice veulent inconsciemment préserver l'image d'une femme sympathique, soucieuse des autres, aidante et concernée par les problèmes d'autrui. Il est difficile pour le commun des mortels d'admettre soudain qu'un individu qu'on a cru sincère n'est qu'un escroc du sentiment. Pire, réaliser qu'une personne qui semble si normale ne détient pas une once de véritable compassion peut être quasi insupportable.

Si vous tentez de faire ouvrir les yeux devant ces aspects aux gens que vous estimez et que vous ne voulez pas voir «trompés», attendez-vous à constater un réflexe de désapprobation. Malgré tout, votre démarche pourra peut-être créer un premier doute.

Pauline dénonce les comportements de sa mère, que peu connaissent:

J'ai souvent tenté d'expliquer la situation que j'ai vécue à des proches tels que ma tante psychologue ou des moins proches. Je n'étais manifestement pas très convaincante. Pour les gens de l'extérieur, ma mère n'était pas celle que je tentais de leur décrire. C'était une femme brillante, diplômée en médecine avec les plus grandes distinctions et elle était cultivée. Elle s'intéressait aux autres en situation de détresse. Maman est allée voir cent fois en clinique un neveu accidenté de la route, mais ne prenait presque jamais de nouvelles de moi, sa fille, récemment diagnostiquée de sclérose en plaques (SEP) parce que « le téléphone coûtait trop cher » !

Par ailleurs, lorsque j'habitais chez elle, j'étais toujours choquée par la voix suave que ma mère adoptait dès que le téléphone sonnait, alors qu'elle n'avait que des paroles dures avec moi…

Ma mère travaillait pour mon père, qui était médecin généraliste. Elle répondait au téléphone. Elle avait un tel manque d'écoute envers les anxieux, les déprimés, etc., qu'elle faisait fuir la clientèle par des remarques totalement inadéquates. Au bout de 10 ans, mon père a dû changer de profession, tant ma mère était d'une jalousie maladive envers les jeunes patientes. Elle manquait également totalement de compassion…

Le manipulateur simule beaucoup plus de choses que ne peut l'imaginer son entourage. Malgré tout, je pense qu'il est nécessaire de dénoncer avec précision et arguments en quoi le manipulateur de votre famille joue un jeu affectif inégal selon chacun. Le risque de ne pas être cru existe, mais la chance de l'être existe aussi.

Nous venons de voir qu'il est capable de simuler l'empathie envers certaines personnes, mêmes étrangères, mais qu'il feint le plus souvent d'être la victime afin de générer l'empathie, une attention particulière sur sa personne, un sentiment de culpabilité ou la disponibilité des autres.

Ce sont elles, les victimes!

Si le manipulateur nie votre mauvais état de santé, il n'en est pas de même pour le sien. Bien au contraire! Il est capable de se comparer à son propre enfant en se faisant passer pour plus malade ou plus blessé que lui. L'exemple suivant est édifiant. Caroline rappelle par écrit à sa mère l'anecdote suivante:

«Tu ne m'as jamais consolée quand j'avais physiquement ou moralement mal (tu m'assénais que "je l'avais bien cherché"!) En cas de coup dur physique, tu n'as su que me demander d'être forte et de ne pas me plaindre. Un matin, à l'hôpital, on m'a prélevé, sans anesthésie, six fois de la moelle dans les têtes de fémurs. Au retour, tu m'as demandé de conduire, avec mon pansement et mes trous dans le dos, car tu étais "secouée par cette boucherie"!»

Toutes les tactiques de manipulation pour se faire passer pour une victime d'une santé fragile ne sont pas aussi flagrantes. Je rappelle que les personnalités narcissiques ne sont pas aussi subtiles dans leur famille immédiate qu'elles le sont en présence d'un public. J'imagine que la mère de Caroline aurait pris le volant et n'aurait rien dit de tel s'il y avait eu une tierce personne avec elles.

Son égocentrisme, associé à un manque d'empathie profond pour ses propres enfants, peut rendre des situations ubuesques. Sophie n'a compris que récemment le lien entre la pathologie de personnalité de sa mère et l'observation suivante:

Quand je parle de ma santé ou de celle de mes enfants, elle parle de celle des autres! Elle ne prête aucune attention à des choses graves qui peuvent m'atteindre ou arriver à ses petits-enfants. J'ai eu une péritonite puis une paralysie de la jambe. Mes enfants, pour leur part, sont passés par la dépression et un lourd traitement hormonal de croissance. Mes propos sur la gravité de nos problèmes de santé ne l'ont jamais concrètement interpellée.

David a remarqué le même réflexe chez son père manipulateur :

À 16 ans, je venais de sortir de l'hôpital à cause de douleurs extrêmement violentes au ventre ; on n'en a d'ailleurs jamais découvert la cause. La semaine suivante, alors que je confiais à mon père que mon ventre était ce qui m'avait fait le plus mal. Il a vivement nié, rétorquant que ses douleurs au dos étaient bien plus virulentes !

Elle joue de ses bobos pour obtenir des bénéfices

Si la femme à la personnalité narcissique est contrariée, il y a de grandes chances qu'elle ne l'exprime que par des **attitudes non verbales afin de susciter l'attention et la culpabilité**. Ces attitudes sont la bouderie, les mimiques désapprobatrices, l'indifférence feinte, mais aussi le fait d'accentuer l'importance d'une défaillance physique (en marchant plus lentement et en se distançant des autres, en insistant sur sa difficulté à marcher, en soupirant, en boitant soudainement). Il est assez comique de constater *a posteriori* que l'exagération de la faiblesse se produit à un moment très calculé. Les enfants de ces manipulatrices qui ont fini par comprendre le manège relativisent immédiatement. Ils n'y réagissent plus en se portant « au secours » de la « malade », au risque de passer pour des individus ingrats !

Par naïveté et culpabilité, Carole s'est longtemps fait prendre au jeu de sa mère :

Je devais céder à tous ses caprices. Elle m'a fait revenir de toute urgence de mon premier remplacement de médecin pour assister à l'enterrement d'un grand-oncle que je ne voyais jamais, alors que je m'étais engagée à assurer la garde 24 heures sur 24.

Pendant 10 ans, chaque fois que nous étions en vacances (jamais pendant plus de 15 jours) elle a essayé de me faire rentrer pour ma grand-mère soi-disant malade. À notre retour, ma grand-mère allait toujours très bien !

Par la suite, chaque fois que j'étais à l'étranger pour des vacances ou un congrès, c'est elle qui se retrouvait aux urgences pour des troubles fonctionnels.

Si je résistais, elle me faisait appeler par une de ses amies pour me culpabiliser et me dire à quel point j'étais indigne d'une mère aussi admirable.

Quel que soit l'état de santé défaillant réel ou fictif (de l'arthrite, une fragilité cardiaque, une opération récente, des séquelles, un cancer, etc.) celui-ci donne une belle occasion à la manipulatrice de faire valoir sans trop d'efforts son état de victime. L'homme manipulateur use rarement de ce stratagème. À ses yeux, la maladie et la souffrance sont plutôt des manifestations de faiblesse. Il n'est donc pas question d'insister sur une souffrance et de s'en plaindre afin de ne pas laisser paraître ce type de fragilité à long terme.

Aussi, une fois que des soins ou des visites ont été prodigués sur une certaine période auprès d'un parent manipulateur, parce qu'il a été hospitalisé par exemple, celui-ci s'attend à une servitude à plus long terme ! Il n'y a pas de vraie demande de service. Il veut qu'on lui soit dévoué, même au-delà du besoin. Il interagit avec vous comme si votre disponibilité était acquise et illimitée dans sa durée et dans sa forme. Nicole nous confie une petite anecdote à ce sujet :

Quelques jours avant que ma mère sorte de l'hôpital, elle a dit au personnel : « Pour les repas, je n'irai pas dîner dans la résidence car ma fille et mon gendre vont me les préparer ! » Sauf que ni la fille ni le gendre n'étaient au courant !

Cependant, vous pourrez être surpris par une attitude opposée, en apparence : elle minimise son mal tout en vous le détaillant. Elle vous demande de ne pas vous inquiéter mais ne donne pas les termes exacts du diagnostic médical (ce qui crée évidemment une inquiétude puisque vous n'avez pas l'information précise !). Elle ne donne plus de nouvelles par la suite. Elle teste sans doute votre promptitude à prendre des nouvelles de son problème de santé, qui ne semblait pourtant pas alarmant. Un autre paradoxe se présente : si vous ne vous inquiétez pas, vous n'avez donc aucune raison de prendre des nouvelles sur ce sujet de santé. Or, la mère manipulatrice va secrètement vous en vouloir. Les éléphants ont bonne mémoire ; si vous ne les confortez pas dans leur ego, les manipulateurs aussi…

J'ai tendance à penser que, contrairement au commun des mortels, détailler ses maux ne génère pas un abattement mais un **regain d'énergie** chez la manipulatrice !

De plus, si son conjoint rencontre des problèmes de santé à long terme, la femme à la personnalité narcissique se maintient au contraire en pleine forme ! Quel est ce mystérieux transfert des énergies psychiques et physiques ? Des milliers d'entre vous ont constaté cet étrange phénomène, non encore expliqué par la science.

Françoise fut troublée de constater cette manifestation entre son père et sa mère :

Depuis quelques années, à chaque visite tous les quatre à six mois, je voyais mon père dépérir, alors que ma mère, malgré son handicap physique assez lourd (une jambe qu'elle traîne et le bras gauche bloqué), apparaissait de plus en plus jeune, forte et sans faille !

Or, selon mon entourage, ma mère était très « malade et dépressive ». Je me demande si elle l'était vraiment ou s'il s'agissait d'une de ses nombreuses manipulations pour se victimiser.

Mauvaise santé réelle ou pas, la manipulatrice en tire bénéfice. Si elle vit seule à un certain âge, la manipulatrice ne prend pas nécessairement soin de sa santé. Manquerait-il une bonne âme à ses côtés pour s'en préoccuper sérieusement et démontrer qu'elle est digne d'intérêt ? Tout conseil venant de sa progéniture, même adulte et avisée, est refoulé avec véhémence. Pourtant, son entourage proche subit les conséquences du manque de discipline qui lui permettrait de préserver une santé normale. Par exemple, il faudra ralentir les déplacements pédestres, voire y renoncer à cause de l'obésité ou d'un autre handicap physique qui n'a pas été pris en charge à temps par des soins médicaux, corporels ou une alimentation raisonnée.

La manipulatrice fait preuve de discipline pour améliorer son image publique (vêtements, accessoires, maquillage, coiffure...), mais semble déléguer aux autres (ou aux assurances santé par des cures coûteuses !) le maintien de sa santé, tout en refusant les conseils bienveillants de la famille proche.

Denis est découragé de l'attitude irresponsable de sa mère en la matière :

Ma mère ne marche plus seule. Elle reste des journées entières à la maison devant la télévision, ce qui, selon moi, est mauvais pour elle. Elle se plaint entre autres d'avoir mal au genou, mais ne fait pas les exercices d'étirement qui, selon ses dires, lui sont bénéfiques ! Elle dit aussi devoir chercher un médecin traitant de confiance sans jamais le faire...

Si vous repérez ces démonstrations d'immaturité chez votre mère (en dehors d'une autre pathologie les justifiant, telle une schizophrénie), posez-vous la question des bénéfices secondaires que celle-ci retire.

Qu'est-ce qu'un bénéfice secondaire ? Il s'agit globalement d'un privilège obtenu à partir d'un inconvénient. Par exemple, si une personne est agoraphobe et qu'elle n'ose plus sortir de chez elle ou d'un périmètre serré autour de son domicile, son bénéfice sera de s'assurer que son mari et ses enfants (en alternance) puissent être toujours auprès d'elle lorsqu'elle sort au-delà de ce périmètre. Sa maladie, sa dépendance, lui donnent de bons prétextes pour rendre dépendante sa famille et la contrôler d'une manière subtile. C'est ce qui explique que beaucoup d'agoraphobes ne viennent consulter un thérapeute spécialisé qu'au bout de 15 ans.

Lorsque le manipulateur, et surtout la mère manipulatrice, se dit victime de quelqu'un ou d'une injustice, qu'elle a une maladie ou un handicap physique, elle s'attend à du soutien et en obtient plus que nécessaire. Ce soutien se manifeste sous forme de présence de diverses personnes, d'allégements financiers, de transports gratuits, de services non rémunérés, voire d'une aide financière.

Par exemple, une mère manipulatrice obèse ralentit la marche de tous. C'est alors qu'une personne prend l'initiative de lui prendre le bras, s'assoit avec elle lorsqu'elle souhaite se reposer et lui fait la conversation. La manipulatrice empêche alors cette personne de marcher à son rythme ou même de visiter un site jusqu'au bout. Son but égocentrique est de ne pas se sentir seule, quitte à s'illusionner sur l'affection qu'on lui porte. Si elle soigne son handicap, personne ne lui prêtera une attention particulière. Il n'est donc pas question de faire des efforts sérieux pour maigrir...

Un autre handicap physique réel ou exagéré comporte le bénéfice de ne pas se déplacer, de ne pas faire les courses, ni de s'occuper de la maison ou même d'aller travailler. Recevoir de l'argent des institutions sociales ou ne pas en dépenser en laissant les autres régler les factures peut être une conséquence.

Certes, il serait possible d'améliorer l'état de santé en obéissant aux consignes du médecin, mais si les bénéfices dépassent les inconvénients à ses yeux, le manipulateur ne fera aucun effort. Cela, sans compter sur ses mensonges concernant la gravité, voire l'existence d'un vrai problème de santé...

Elle se dit constamment fatiguée

Comment user de l'énergie des autres pour ne pas assumer au minimum ses responsabilités d'épouse et de mère ? Comment consumer de larges plages de tranquillité quand on ne veut pas s'impliquer ? La recette semble être connue de toutes les manipulatrices : évoquer la fatigue !

C'est le mot magique pour que son besoin devienne soudain prioritaire. À un enfant qui réclame de l'attention pour réciter sa poésie, elle répond dans un soupir : « Quoi encore ? Oh ! Tu me fatigues… »

Combien de mères manipulatrices se sont rendues disponibles pour accompagner les devoirs scolaires de leurs enfants ? Je dis bien *accompagner* et non *vérifier* que les tâches scolaires soient faites par la simple question : «As-tu fait tes devoirs ?» (Deux secondes de mobilité buccale pour articuler cette question !) À l'inverse de l'hypercontrôle des pères manipulateurs concernant les devoirs scolaires, ce profil de mères ne s'y intéresse nullement.

Prétexter la fatigue incite chaque membre de l'entourage à se réorganiser et à s'adapter à cette nouvelle donnée. Même une promenade ou une visite culturelle pourtant acceptée, voire proposée par la manipulatrice, sera écourtée par la soudaine fatigue de Madame. Un projet de sortie sociale peut être annulé au dernier moment. Une soirée avec des amis ou des connaissances sera probablement écourtée pour la même raison. Et cela, quasi systématiquement.

Or, votre observation objective des raisons d'une telle fatigue, et surtout d'une telle récurrence, vous fera conclure qu'il n'y en a… aucune !

La mère de Denise jouait beaucoup sur sa santé pour culpabiliser toute la famille :

Lorsqu'elle était contrariée, par exemple par les résultats scolaires de mon frère, elle s'enfermait en pleurs dans sa chambre et nous faisait sentir coupables, mon père et moi, de son état de fatigue ! Pendant un jour ou deux, elle refusait de s'occuper de nous et mon père devait faire la cuisine.

Quelles sont les véritables intentions d'un tel procédé ? Premièrement, générer l'attention égocentrique de plusieurs proches, voire de tout un groupe, qui s'adapte alors par empathie, sur sa personne. Deuxièmement, amener l'entourage à s'agiter à sa place et à combler sa paresse. Troisièmement, donner une explication suffisante pour justifier un refus d'implication dans un domaine qui lui est pénible sans jamais l'exprimer clairement. La manipulation fonctionne encore mieux quand la fatigue « lui tombe dessus » soudainement ! Elle laisse ainsi croire que son intention première était de participer pleinement à l'activité mais qu'elle devient victime d'un mal qu'on ne peut surpasser !

Le simple fait de dire « je suis fatiguée » annule tout effort à ses yeux mais également à ceux de l'entourage ! Or, combien de parents préparent un repas tout en étant fatigués ? Combien font réciter les devoirs scolaires, font prendre le bain, nettoient les oreilles, répondent aux questions de leur progéniture alors qu'ils ont travaillé toute la journée ?

Caroline écrit à sa mère :

« Souviens-toi que tu as toujours été très fatiguée alors que tu ne faisais pas grand-chose ! Tu utilisais des expressions comme « fragile des nerfs… Bizarrement, tu n'étais pas fatiguée pour actionner ta langue de vipère et surtout aller festoyer régulièrement ! »

Sophie observe la même chose :

Ma mère s'est toujours dite « fatiguée » depuis mon enfance ! À l'heure actuelle, elle se dit « angoissée ». Elle sous-entend que l'on ne prend pas assez de ses nouvelles. J'ai un peu de mal à y croire, car soudain elle peut se contredire en banalisant ce qu'elle a…

La mère manipulatrice est « fatiguée » et cela va durer toute VOTRE vie ! Sa fatigue finira par vous épuiser à votre tour si vous vous y soumettez. Il importe de prendre soin de soi et d'établir ses limites afin de se protéger du lourd fardeau de ces prétendus problèmes de santé « chroniques » et des dommages potentiels qu'ils pourraient avoir sur votre propre état de santé.

Chapitre 6

Des parents trop égocentriques

Un des points communs à tous les manipulateurs est l'égocentrisme. Il s'agit d'une tendance à centrer tout sur soi-même et à juger par rapport à soi ou à son propre intérêt.

En revanche, l'égoïsme est une option chez eux. L'égoïsme est une tendance qui porte une personne à se préoccuper exclusivement de son plaisir personnel et de son propre intérêt sans se soucier de ceux des autres. Ainsi, certains manipulateurs vont se révéler égoïstes, ouvertement ou pas, alors que d'autres vont se montrer *a contrario* altruistes, envahissants, possessifs et généreux, tant que cela leur est favorable, voire profitable.

La difficulté de communication authentique et sincère se rapporte à l'aspect égocentrique. Les conversations ont à peine le temps de s'élaborer que le parent manipulateur « ramène tout à lui ». Il laisse donc l'impression qu'il est indifférent à ce qui vous arrive. En réalité, il mémorise ce que vous voulez bien lui dire de vous, malgré le fait qu'il ne vous renvoie pas un commentaire adapté à vos attentes. Il y a un réel décalage en l'espace de quelques secondes ou minutes, comme le montre l'exemple suivant.

Alors que Véronique n'avait jamais rien demandé à sa mère manipulatrice, celle-ci lui dit de but en blanc : « *Déjà, vous devriez être contents, vous n'avez pas besoin de m'aider financièrement ! Il y a beaucoup d'enfants aujourd'hui qui ont leurs parents sur le dos.* »

Véronique répondit : « *C'est vrai, mais je peux te répondre la même chose pour moi. Aujourd'hui, avec la crise, je connais beaucoup de parents qui sont obligés d'aider leurs enfants et tu n'as pas besoin de le faire ; je me débrouille...* »

La manipulatrice répondit alors du tac au tac : « *C'est exact, eh bien, c'est que je ne dois pas avoir trop mal réussi mon éducation alors !* »

Une des particularités du manipulateur est de lancer un débat sur un sujet qui n'a pas lieu d'être. Vous vous sentez alors obligé d'y répondre d'une façon ou d'une autre. Sa spécificité est de toujours retomber « sur ses pattes », quel que soit le premier message. Autrement dit, il a toujours raison !

L'écoute aversive

Dans le fond, ce qui vous arrive, et surtout les bonnes nouvelles et vos succès, ne l'intéresse pas. Denis parle des comportements de sa mère manipulatrice :

Dans les premières heures d'une visite, mon compagnon a tenté de parler d'un sujet différent du tout petit cercle de préoccupations de ma mère (par exemple, sa santé qui va mal mais qu'elle ne soigne pas puisque ses projets sont soi-disant contrecarrés par les autres qui n'exécutent pas immédiatement leur part ! Elle compte d'ailleurs les harceler par téléphone). Elle l'interrompt aussitôt, sans fard : « J'en ai rien à foutre ! »

Or, contrairement à l'exemple précédent, le parent manipulateur ne formule pas verbalement son désintérêt. Il fera, comme tous les manipulateurs, une écoute particulière qu'on appelle écoute aversive. Ainsi, pendant que vous lui parlez de vous, il s'intéresse au programme qui passe à la télévision, à l'environnement, à son courrier ou à ce qui se présente sur son ordinateur, etc. Il ne vous regarde pas puisque le regard est porté sur autre chose. Immanquablement, vous avez l'impression que vos propos sont sans intérêt ou que vous le dérangez. C'est le message inconscient qu'envoie le manipulateur. **Vous ne l'intéressez pas.** Or, le comble est que si vous vous agacez de ce comportement et que vous lui demandez : « Tu ne m'écoutes pas ! Qu'est-ce que j'ai dit ? », il répétera mot à mot la dernière phrase ! Ce qui est important dans ce que j'évoque de cette communication n'est pas tant d'écouter mot à mot, mais de s'intéresser vraiment à l'autre et de le lui montrer (acquiescements, mimiques, onomatopées, questions, reformulations, rajouts verbaux). Ces moments de véritable écoute sont rares avec une personnalité narcissique. Parfois, le manipulateur ne fait pas semblant d'écouter votre belle histoire : il vous interrompt sans s'excuser au préalable et vous parle d'une tout autre chose !

Las, les enfants de cette personnalité narcissique finissent par ne plus évoquer les aspects positifs de leur vie. Ils s'adaptent en choisissant des sujets de conversation proches des intérêts du parent en question, ou pire, de la pluie et du beau temps…

Voici ce que dit un fils de sa mère :

Ces dernières années, au téléphone, elle ne veut rien entendre de moi ni de ce qui m'arrive vraiment. Elle n'est intéressée que par ce qui lui arrive (et surtout ses problèmes de santé). J'élude donc, et je parle du temps qu'il fait. Malgré tout, elle me le reproche en disant que je suis fuyant. Double injonction…

Un manque d'intérêt sincère pour votre vie

Si le manipulateur manque d'intérêt sincère pour vous, il est malheureusement sincèrement désintéressé ! Trop concentré sur ses propres préoccupations, **il manque profondément d'empathie**. Il n'a que faire de votre bien-être, de vos sentiments et de vos émotions. Nous sommes au cœur de NOTRE problématique : **son narcissisme pathologique**.

David a été marqué par la réaction suivante :

Quand ma grand-mère est décédée, j'ai appelé mon père pour le lui annoncer. J'étais bouleversé, j'attendais de la compassion. Il a réagi comme si je venais de lui annoncer une nouvelle banale.

Il comprend également un désintérêt pour lui par l'observation suivante :

Durant les grandes vacances, j'étais dans l'obligation de passer un mois chez ma mère et un mois chez mon père. Souvent, pendant les mois que je devais passer avec lui, mon père m'envoyait en colonie de vacances religieuse. Finalement, il arrivait que je ne le voie pas pendant la période où il était censé avoir ma garde !

Son art consiste à illusionner le monde par le schéma inverse : faire croire qu'il a au contraire beaucoup d'intérêt pour autrui. Nous avons déjà abordé, au chapitre précédent, ces attitudes trompeuses sur sa véritable nature, lorsqu'il se conduit avec chaleur humaine vis-à-vis des autres.

Son manque de moralité, de compassion et d'intérêt pour autrui est visible aux yeux de la famille nucléaire. Il ou elle ne s'en cache pas. On pourrait alors penser que ce parent fera exception pour ses propres enfants, mais il n'en est strictement rien ! À part pour réclamer leur visite ou leur présence pour combler sa solitude, ce parent fera encore moins d'efforts pour simuler un quelconque intérêt pour la vie et les éventuelles difficultés de leurs enfants. Je rappelle cependant qu'il y a deux poids deux mesures, selon la place affective prise par chacun dans la fratrie. Dans ce cas, l'un des enfants sera privilégié par rapport aux autres et recevra davantage de manifestations d'attention.

Celles-ci sont-elles sincères ? C'est possible ; au moins temporairement. Tant que l'enfant en question répond au besoin de son parent hypernarcissique. Quant à l'enfant unique, il peut lui sembler être au cœur des préoccupations de son parent (particulièrement la mère, qui fera de sa fille très jeune une confidente et une copine), mais tout peut basculer en quelques semaines si l'enfant unique manifeste soudain une passion pour quelqu'un d'autre…

Enfant triste, parent méprisant

Je remarque que le manipulateur ressent les émotions d'autrui d'une façon fort étrange : **la joie le dérange, la colère le ravit, la peur l'excite et la tristesse le rend méprisant.**

Devant l'expression d'une émotion de tristesse accompagnée de pleurs, l'homme manipulateur entre dans un monologue non pas consolateur, mais bien au contraire, agressif et méprisant. C'est ce qui est arrivé à Laurence, 18 ans, lorsqu'un soir, elle a voulu expliquer à son père pourquoi elle n'allait pas bien depuis deux ans :

Mon père m'a catégoriquement interdit de « pleurer dans sa maison ». Il refusait « d'entrer dans un sujet de conversation où je risquais de pleurer », il ne voulait pas « avoir à manœuvrer avec moi qui pleure » et il n'acceptait absolument pas que je « pleure sous son toit, alors que j'avais tout ce que je voulais » ! Bien entendu, il n'a rien voulu entendre. Il ne m'a pas regardée dans les yeux de toute la conversation, qui d'ailleurs n'a mené à rien. Il est resté fermé comme une huître. Lorsque je lui ai demandé s'il s'intéressait à moi, il a dit d'un ton ferme : « Si je dis non, tu vas aller pleurer dans ta chambre », le regard fixé sur la télévision.

Lorsqu'il m'a rejoint dans ma chambre quelques minutes plus tard, il a déformé mes propos et a entamé un autre monologue sur mon « caractère émotionnel ». Puis il m'a dit : « Si tu n'es pas capable de changer pour qu'on puisse s'entendre, il va falloir que tu penses à... » et c'est alors que je lui ai dit sans le regarder mais d'un ton ferme : « Je vais partir en appartement en ville ! » Paradoxalement, il s'est alors lancé dans un troisième monologue dans lequel il me prédisait l'enfer que j'allais vivre : « Tu vas voir comme c'est difficile de tenir un appartement, de travailler et d'être aux études ». Il a insisté sur le fait que tout était pour le mieux tant que je vivrais sous son toit et qu'il refuserait de m'aider si je partais en appartement ! « Tu es bien ici, tu ne t'en rends juste pas compte ! » a-t-il prononcé cinq fois dans la soirée.

Cet exemple est un témoignage très intéressant sur deux points : vous constatez clairement que les émotions de tristesse de sa fille mettent extrêmement mal à l'aise le père manipulateur d'une part, mais que soudain la décision de sa fille pourtant jeune, de partir définitivement, le fait paniquer à l'idée d'être seul d'autre part. Son discours change alors radicalement pour l'inciter à rester. En quelques secondes ! La suite de cette conversation est également intéressante. Elle vous permet de repérer comment un manipulateur bondit d'un sujet de discussion à l'autre afin d'attaquer l'intégrité de son enfant et le contrôler.

Le père de Laurence a poursuivi :

« Moi, je m'entends bien avec ton frère. Avec ton frère, il n'y a aucun problème ! Mais toi, si tu continues à vouloir m'affronter ou à penser que tu n'es pas bien ici, je pense qu'il va falloir que tu ailles consulter ! »

Laurence a alors détourné les yeux de l'écran d'ordinateur pour le fixer de son regard le plus soutenu possible, le visage impassible et a répondu : « C'est ce que je vais faire. Dès que je commence l'université, je pense aller consulter un psychologue ».

Laurence dit avoir nettement pu voir la surprise dans les yeux de son père. C'est alors qu'il s'est mis à l'insulter et à la dévaloriser. Il a ajouté que si son choix était d'aller voir un psychologue, elle pouvait « *aller pleurer sur le bras d'un inconnu et dire à quel point elle était malheureuse alors que ce n'était pas vrai !»* La discussion n'a mené à rien, encore une fois...

Pire, devant son jeune garçon en pleurs, le mépris et la colère d'un père pervers narcissique redouble. Il refuse catégoriquement de telles faiblesses chez sa progéniture. Cet enfant qui lui ressemble si peu par son manque de caractère, pense-t-il, génère chez lui un sentiment de haine. Cela lui est totalement insupportable. Le père hurle, secoue son fils, le punit et le maltraite. Le problème est que la colère se décline par des attitudes de destruction psychique que l'enfant subira toute son enfance, voire toute sa vie s'il reste en contact avec ce père. Le comble est qu'il existe une forte probabilité que ce garçon recherche aussi une reconnaissance paternelle bienveillante. Il peut ainsi gâcher son existence par de multiples sabotages inconscients. Une psychothérapie précoce est préconisée. Elle doit rester secrète car le père manipulateur condamne l'intervention des professionnels dans SON éducation, puisqu'il traduit cela par de l'ingérence, et que cela représente pour lui une menace. Pour se sortir de cette souffrance du rejet paternel, le garçon va devoir comprendre la pathologie de son père d'une part, s'en déresponsabiliser, et d'autre part, apprendre à stopper ses actes inconscients de sabotage pour vivre enfin une vie heureuse une fois adulte. Sans aide ou la chance de vivre les circonstances d'une bonne résilience, je suis pessimiste quant au bonheur futur de cet enfant...

Le même mépris se déclenche chez un père à la personnalité narcissique lorsque son bébé est atteint d'une maladie organique ou d'un handicap physique (dans le deuxième cas, il aurait quitté la mère et l'enfant bien avant d'avoir essayé de lui donner une éducation : ce fils n'est pas le sien !). Sans aucune empathie pour la maladie d'un bébé, il ne supporte pas une telle démonstration de faiblesse (qui augure de la suite, selon lui) et encore moins ses pleurs...

Dans un tout autre contexte, l'égocentrisme exacerbé d'un manipulateur lui fait adopter spontanément des attitudes ou prendre des décisions inadmissibles d'après les codes sociaux.

Dans le cadre de la filiation, ces comportements ou ces propos sont encore plus aberrants si l'on considère que l'amour devait être au cœur des liens parentaux.

Ils ne font aucun effort en famille

La vie en famille, en couple ou en communauté nous incite à nous adapter et à faire des concessions pour respecter les besoins des autres.

Le manipulateur ne s'adapte aux *desiderata* des autres que si cela ne le dérange pas ou seulement si cela l'arrange !

La notion d'effort pour faire plaisir ou être agréable à sa famille nucléaire (conjoint et enfants) renvoie à une profonde résistance. Sa famille doit alors subir ses états d'âme…

Denis nous narre :

Quand ma mère n'a pas de nouvelles de son amant marié, qu'elle n'a pas le droit d'appeler elle-même, elle devient exécrable avec nous sans la moindre excuse ou explication à notre égard. Elle est totalement renfermée et reste devant la télévision sans se préoccuper de notre présence. Il m'a fallu du temps pour comprendre le lien…

Il est aussi étonnant de constater la récurrence de témoignages montrant des parents à la personnalité narcissique qui ne s'efforcent pas de modifier leur mauvaise humeur en présence de leurs enfants devenus adultes et qui viennent enfin les visiter. Seules les premières heures ont des chances d'être normales, cordiales, avenantes et chaleureuses. Parfois, au mieux, trois jours… Cela me semble être une nouvelle démonstration de leur incapacité à gérer leurs émotions de colère ou de tristesse, qui sont rarement dues aux comportements éventuellement désagréables des personnes en présence. Et cela vous pose problème tout simplement parce qu'en n'ayant aucune explication liée à leur mauvaise humeur, vous allez probablement vous questionner pour savoir en quoi vous l'avez provoquée. Or, rien ne confirme que cela soit volontaire de leur part. En effet, les parents hypernarcissiques réclament souvent la visite de leur progéniture adulte, mais ils ne se rendent pas nécessairement compte que ces moments passés ensemble sont très pénibles pour leurs enfants.

Voici l'exemple d'un père manipulateur. Le père d'Yvan ne voulait pas qu'il se marie à Lyna sous prétexte que cette union formelle impliquait une « responsabilité financière obligatoire » vis-à-vis de sa femme et de son enfant !

Lyna raconte plus précisément la chronologie de ces événements :

Malgré son avis, nous avions décidé de « régulariser » notre situation et de nous marier en décembre, au 7e mois de ma grossesse. Nous pensions juste faire un mariage civil en petit comité (parents, grands-parents, frère) suivi d'un très bon repas. Nous avons dû annuler, car le père d'Yvan nous a annoncé qu'il ne pourrait être présent parce qu'il avait un stage de ski !

Du coup, il n'était plus possible de se marier avant la naissance du bébé. Nous avons donc remis le mariage à l'été suivant. Mes parents, qui étaient plutôt frustrés de ne pas pouvoir offrir un beau mariage à leur fille, nous ont alors demandé de faire un mariage traditionnel (mairie, église, banquet, etc.).

Notre fils est né début février. L'accouchement a été catastrophique, ma vie a été en danger. Au total, il m'a fallu quatre mois de traitement intensif avant de sortir de ces problèmes de santé. Pendant cette période, les relations avec les parents d'Yvan se sont encore détériorées. En effet, ils se plaignaient car ils voulaient que leur fils passe ses fins de semaine chez eux avec le bébé. Or, Yvan était seul à notre domicile pendant la semaine (pour sa thèse). Alors que moi, j'étais à 130 km, chez mes parents, avec le bébé. J'avais besoin de soins quotidiens (deux fois par jour) et ne pouvais pas m'occuper de notre bébé ni le jour ni la nuit. Yvan ne venait donc me rejoindre que le week-end. S'il était allé chez ses parents avec le bébé, il n'aurait pas pu passer de temps avec moi. L'équipe médicale m'avait évité l'hospitalisation pour que je puisse rester auprès du bébé, mais mon état de santé demeurait préoccupant. Bien entendu, les parents d'Yvan pouvaient venir voir le bébé quand ils le voulaient là où j'étais, c'est-à-dire à 130 km, mais cela ne leur convenait pas !

Des services difficiles à obtenir

Le parent manipulateur ne rend pas service à ses enfants. Cela lui demande encore des efforts, une réorganisation, une disponibilité de temps qu'il ne veut pas leur offrir. Il n'est pas concerné par le soulagement que son aide pourrait apporter.

Milena a maintes fois remarqué cela chez sa mère, perverse narcissique :

Je lui ai laissé de l'argent pour récupérer des livres que j'avais commandés et lui ai demandé de récupérer mon permis de conduire. Je lui ai aussi laissé un peu d'argent pour les frais d'envoi. Évidemment, je n'ai rien reçu et j'ai dû me débrouiller lors d'une rare visite pour récupérer mon permis (à l'étranger !).

Marion, originaire de Grèce, a observé la même résistance à aider chez sa mère et son frère, malheureusement tous deux manipulateurs :

En ce qui concerne les services pour ma résidence en Grèce que ma mère et mon frère devaient me rendre puisqu'ils l'occupaient régulièrement, les tâches étaient toujours TRÈS difficiles pour eux ! Finalement je m'arrangeais depuis la France pour trouver une solution moi-même. C'était vraiment plus compliqué pour moi, car il y avait toujours un flou au sujet de l'avancement des différentes affaires : les petits travaux, l'installation de l'air conditionné, l'entretien du jardin…

Pourtant, tout manipulateur sait offrir son aide à ceux de l'entourage qui en auraient besoin, mais il le fait rarement de son plein gré et sincèrement avec ses propres enfants.

Il semble que le parent à la personnalité narcissique, indifférent aux besoins matériels de sa progéniture, ne ressent aucune culpabilité. Il ne prend pas la peine d'envisager les conséquences de son inertie.

Cette non-volonté d'aider serait à considérer comme une attitude de sanction, un comportement coercitif (opprimant) qui prend alors une valeur de message. À moins que cela ne soit la démonstration d'un égocentrisme pur !

Dans le cas de Sabrina, ces deux hypothèses peuvent expliquer ce qui suit :

La plaque d'immatriculation de ma voiture est au nom de ma mère. Elle reçoit donc la taxe annuelle de circulation et les contraventions éventuelles. Ayant quitté son domicile avant l'arrivée des contraventions, je n'étais pas au courant de leur existence. Comme elle ne me les a pas fait parvenir à ma nouvelle adresse, que je lui avais pourtant communiquée, j'ai soupçonné une manœuvre de sa part. J'ai fait les démarches pour changer de plaque. Malheureusement, cela nécessitait une série de documents que seule ma mère possédait, ainsi qu'une attestation signée de sa main qu'elle acceptait le changement. Je lui ai fait parvenir par courrier la liste des documents à me renvoyer, en mentionnant bien ma nouvelle adresse. Je n'ai eu aucune nouvelle pendant un an ! Les services administratifs à qui j'ai expliqué la situation m'ont dit qu'ils ne pouvaient rien faire sans ces documents. Or, je me sentais incapable d'appeler ma mère pour régler le problème. Puis un jour, j'ai reçu la visite d'un policier à mon domicile. Il venait pour relayer la plainte de ma mère concernant les contraventions et le changement de plaque !

Heureusement, j'avais gardé le double de tous les documents envoyés. J'ai expliqué clairement les démarches entreprises et le fait que je n'avais eu aucune nouvelle de sa part. C'est alors que le policier m'a appris qu'elle avait déménagé et n'avait peut-être pas reçu les documents ! Passer par un intermédiaire et faire du chantage ressemblaient parfaitement à son attitude habituelle pour me déstabiliser.

Se plier à leurs premières volontés

Les hommes et les femmes à la personnalité narcissique ont besoin, croient-ils, d'avoir toujours raison, de décider, même contre l'avis de la majorité, d'être servis comme des monarques des temps anciens et de sentir qu'ils ont le privilège de ne pas obéir aux règles imposées par la société, les institutions, les organismes divers et variés. Autrement dit, ils passent leur existence à vérifier que leurs volontés sont exaucées par autrui. Le versant égocentrique de cet aspect se constate facilement au fait qu'ils ne tiennent aucunement compte des prises de risque que l'autre doit alors assumer, ou tout simplement de la réorganisation que cela lui demande !

Fabienne donne deux exemples de ces aspects chez sa mère :

Quand je partais en voyage professionnel, ma mère me demandait de lui rapporter des bonnets de douche offerts dans les hôtels car ils étaient plus fins que ceux du commerce. À mon retour, elle me les réclamait et me remerciait chaleureusement. Mais cette demande est devenue aliénante, car lorsque j'ai oublié une seule fois les bonnets de douche, sa réaction a été démesurée : « Comment as-tu pu oublier ça ? Ce n'est pas grand-chose pourtant ! Ça fait plaisir, tiens, de voir que tu penses à moi ! » Je me suis culpabilisée et au voyage suivant, me suis dépêchée de prendre les bonnets comme s'il s'agissait d'une affaire d'État, mais avec un vague sentiment de malaise d'être piégée. Je me sentais obligée de penser à elle jusque dans les détails, même si j'étais loin d'elle. Elle me faisait faire des gestes à distance en me forçant à admettre tacitement que rien ne devait être plus important que de répondre à ses petits désirs.

La mère de Fabienne use d'une méthode efficace pour obtenir ce qu'elle veut : elle sait qu'un des principes importants de Fabienne est d'honorer ses promesses. Alors, la manipulatrice lui en extorque une puis rappelle « qu'on se doit de toujours tenir ses promesses ». Les manœuvres des manipulateurs ne peuvent fonctionner que si vous croyez en certains principes (qu'on appelle cognitions), qu'ils brandissent allègrement au moment opportun. Or, ces principes permettent de vivre en bonne harmonie en société. La croyance de Fabienne concernant les engagements lui vaut d'être perçue comme une personne fiable. C'est une qualité très appréciable, mais en faire un principe la rend rigide et constante, quelles que soient les circonstances. Un principe n'est pas en rapport avec une situation particulière. Il vaut pour toutes les circonstances. Voilà le piège… Autrement dit, si Fabienne s'engage dans une promesse mais que la situation ne se prête pas à l'honorer, elle trouve tous les moyens possibles pour lever l'obstacle, quitte à se mettre elle-même en difficulté.

Fabienne décrit un procédé courant par lequel sa mère l'amène à s'engager sans qu'elle le décide elle-même :

Ma mère obtient la promesse en affirmant (au présent ou au futur) et non en demandant clairement, avec le risque de s'entendre refuser un souhait. Par exemple : « Tu m'appelles dès que tu arrives ! » Le ton est péremptoire et elle n'a même pas besoin de l'assentiment, c'est dit. Si j'ai le malheur de ne pas appeler immédiatement à mon arrivée, elle me rappelle que j'ai promis, qu'on doit tenir ses promesses, que ça n'est vraiment pas gentil, etc.

Des années plus tard, Fabienne, comme tant d'autres, réalisera qu'elle n'a pas formulé de promesse, mais que son interlocutrice le lui a imposé…

Le manipulateur s'appuie sur vos cognitions, dont vos principes, pour vous faire plier dans le sens qui l'arrange. Il fait passer l'idée qu'il y tient moralement autant que vous. Or, en tant que membre privilégié de la famille, vous observez des actes contraires à la convention énoncée. Voici une deuxième anecdote qui fait rejoindre deux attitudes égocentriques du manipulateur : les fausses promesses qu'il énonce pour que son interlocuteur baisse sa garde, et ainsi obtenir gain de cause, mais aussi son idée toute personnelle d'être au-dessus des lois et des règles (qui sont faites pour les moutons, selon lui).

Fabienne nous fait part de cet exemple :

Ma mère, entrant avec son chien dans un musée, se voit empêcher de passer la porte, car les chiens y sont interdits. Elle est outrée qu'on ose lui demander, à elle, de respecter la loi. Alors, dans un premier temps, elle se fâche : « Mais enfin, c'est ridicule ! En quoi mon chien peut-il être nuisible ? » Le gardien est inflexible et répète poliment qu'il est désolé mais que c'est la règle. Je propose de laisser le chien dans la voiture ; elle me fusille du regard comme si je la trahissais gravement, en affirmant toute rouge qu'il n'en est pas question, qu'elle préfère ne pas entrer au musée ! J'envisage donc qu'on n'entre pas au musée. C'est alors qu'elle prend une voix douce et un joli sourire en s'adressant au gardien : « Mais ce n'est pas un chien, voyons, il est tout petit ! » Rire amusé du gardien.

« Et si je le garde dans mes bras, vous me laissez entrer ? Je vous promets de le garder dans mes bras, il n'abîmera rien ! » Devant tant de charme, le gardien fléchit (à ma grande surprise). Nous entrons donc et au moment où la porte se referme sur nous, ma mère pose le chien par terre ! Je dis, suffoquée : « Mais tu viens de promettre de le garder dans tes bras ! » Elle me regarde, sincèrement étonnée de tant de naïveté : « Pfff ! On s'en fiche ! » Et là, on se dit : « C'est moi qui ne suis pas normale ? »

Ils envahissent votre territoire

Nombreux sont ceux parmi vous qui laissent une clé à la famille, des voisins, des amis, majoritairement pour une raison simple : par mesure de sécurité dans le cas où vous perdriez ou oublieriez les vôtres, mais aussi pour intervenir en cas d'urgence en votre absence. Tout cela se passe normalement. La clé ne sert pas tant qu'il n'y a pas de problème. Aucun ami, voisin ou membre de la famille ne se permet sans raison ni permission de s'introduire dans votre demeure.

Si vous leur confiez vos clés...

Or, si vous confiez vos clés par mesure de sécurité à votre mère manipulatrice, votre territoire devient alors le sien ! Comme par évidence…

Denise l'a mal vécu :

Habitant à une époque le même immeuble que mes parents, je leur avais laissé mes clés, au cas où je claquerais la porte avec mes clés à l'intérieur. Mais j'ai réalisé que ma mère en profitait pour venir chez moi en mon absence et faisait comme si elle était chez elle ; elle trouvait le moindre prétexte pour pénétrer chez moi, comme utiliser mon pèse-personne car elle n'en avait pas ! En plus, à travers ses réflexions, je me suis rendu compte qu'elle avait dû regarder dans mes papiers. De ce fait, je lui ai retiré mes clés et elle l'a très mal pris.

Marion en a aussi fait la mauvaise expérience :

À la fin de l'été, ma mère et mon frère ont gardé d'office les clés de mon appartement d'Athènes. Selon eux, il était hors de question de me les rendre ! Le prétexte était qu'ils allaient s'occuper de l'appartement puisque j'étais loin… Mon frère, qui avait un droit de visite pour voir ses enfants trois fois par semaine, m'a annoncé par téléphone, sans même me demander la permission, qu'il y séjournerait avec eux : « Comme tu n'es pas en Grèce j'irai à l'appartement avec les enfants.» Je lui ai répondu : «Je suis heureuse de te rendre service, mon frère, j'adore mes neveux et je veux les rendre heureux.» Je précise qu'auparavant, il était obligé de se balader avec deux enfants de cinq et sept ans trois fois par semaine dans des aires de jeu... Il ne m'a jamais remerciée.

D'autre part, ma mère et lui occupaient mon appartement en toute liberté et ne se souciaient pas de respecter mes choix ni de se faire discrets. En effet, quand je venais en Grèce pour me reposer une semaine, mon appartement était transformé ! Les meubles avaient changé de place, la décoration était modifiée, les chaussons de mon frère traînaient dans le salon, des tas de vis étaient stockés dans des petits bocaux, bref, je ne me sentais plus chez moi. Il m'a fallu deux jours pour restaurer l'aspect d'origine du lieu pour pouvoir profiter de son calme et de sa belle vue sur la mer.

Une intrusion dans votre intimité

L'intrusion dans votre territoire prend des allures plus perturbantes encore lorsque la manipulatrice s'immisce dans votre intimité.

Françoise avait également confié ses clés à sa mère manipulatrice :

Ma mère possédait les clés de la maison, car elle ramenait les enfants pour le goûter après l'école. J'attribuais à l'époque certains comportements étranges au cerveau de ma mère, affecté par l'AVC, mais sûrement pas à quelque chose fait sciemment. Habitant à quelques minutes à pied, elle entrait chez nous avec ses clés sans sonner ! Elle nous surprenait à chaque visite impromptue et cela mettait mon époux mal à l'aise. Après le rappel de quelques règles de base, telles que l'horaire de ses visites matinales, qu'il ne fallait pas aller me rejoindre dans la salle de bain mais attendre que j'aie fini de prendre ma douche, les choses sont plus ou moins rentrées dans l'ordre.

En revanche, une chose a perduré durant toutes les vacances que nous avons passées avec ma mère alors que j'étais mariée : elle rentrait souvent dans notre chambre sans frapper au préalable pour, disait-elle, nous réveiller ! La seule solution, comme cette porte ne fermait pas à clé, était de me lever avant elle…

On a beau être en famille, cela perturbe ceux qui en subissent les effets : une façon subtile de nier vos besoins, voire votre existence ?

C'est en tout cas ainsi que l'a vécu Denis :

Adulte, les dernières années avant la mort de mon père, quand je venais les voir chez eux, mes parents entraient dans la salle de bain quand j'y étais sans avertir. Ils ne prenaient pas en compte le fait que j'exprimais clairement que je n'étais pas d'accord. J'étais atterré, je ne comprenais pas pourquoi ils faisaient cela. Ma mère a tenté de continuer après la mort de mon père. Je suis arrivé tant bien que mal à poser des barrières. Même chose avec la chambre : ma mère entrait dans ma chambre quand je restais tard au lit le matin ou que je faisais de longues siestes, durant ma dépression, de 19 à 24 ans. Je le comprenais comme une manière de me secouer, de s'opposer à ma dépression. Mais je n'étais pas d'accord, je le vivais comme une intrusion. Elle allait même beaucoup plus loin : elle amenait aussi dans ma chambre des gens comme si je n'étais pas au lit ! Elle ne prévenait pas, ne m'expliquait rien, ne me demandait pas de me lever avant, non, elle les amenait comme si je n'étais pas là. Le menuisier (qui devait travailler sur mes volets) était extrêmement gêné. Je le fus encore plus lorsqu'elle amena pour je ne sais quelle raison (bidon) deux jeunes filles du village que je connaissais très peu ! Plus tard, j'ai tenté de coincer une chaise contre la poignée, mais elle rentrait quand même, en ne faisant aucun commentaire sur la chaise ! Lors de notre dernier séjour, ma mère est entrée dans la chambre où mon compagnon et moi étions au lit, sans frapper !

S'immiscer dans l'intimité d'un petit enfant est une étape normale et nécessaire. Les soins corporels qu'un adulte doit lui procurer sont indispensables à une bonne hygiène et en aucun cas un enfant de moins de quatre ans ne saurait s'exécuter seul. Au fur et à mesure, l'autonomie de l'enfant s'exerce et il se construit son territoire. À la préadolescence, il inscrit sur un panneau à la porte de sa chambre des consignes de respect de son territoire (« Frapper avant d'entrer ! », « Interdit d'entrer », etc.) il vit et expérimente de profonds changements de tous ordres. Il perçoit qu'il est des domaines qui ne « regardent pas » ses parents. Les confidences sont réservées aux copains (les copines plus souvent) ou à ce que l'on appelle un journal intime. À l'adolescence, c'est souvent les deux. Particulièrement pour les filles. À cela, les parents s'adaptent, car ils savent que ces comportements ne sont pas dirigés contre eux, ni ciblés, mais qu'ils font partie de la transition naturelle vers l'âge adulte. La mère manipulatrice, elle, semble avoir de la difficulté dans cette acceptation. Pour être tranquille, elle se comporte comme si les enfants étaient déjà autonomes (sauf dans le cas d'un enfant unique), mais d'un autre côté elle veut contrôler leur monde intérieur. Elle désire connaître tous leurs secrets, comme pour posséder leur âme (ce qu'elle fait déjà avec son conjoint). Outre certaines questions trop intrusives pour que l'adolescent y réponde volontiers, elle n'hésite pas à écouter discrètement ses conversations téléphoniques, à exiger d'être parmi ses « amis » sur Facebook ou autre réseau social du Web, à lire ses courriels et ceux reçus dans le cas où il ne se serait pas déconnecté de son réseau et même à lire son journal intime !

Sabrina en fit également la découverte :

Un jour, ma mère fit une allusion pendant le souper à un fait qu'elle était dans l'impossibilité de connaître à moins d'avoir lu mon journal. Je ne me souviens plus du sujet en question, mais il devait s'agir d'une critique envers elle. Je me souviens très bien avoir vu dans son regard plein de reproches, un air de vengeance ou une sorte d'ironie mauvaise. Elle n'a jamais nié par la suite lire mes journaux intimes, malgré mes efforts pour les cacher. Quoi qu'il en soit, outre le sentiment de culpabilité d'avoir « trahi » ma mère, je me suis sentie trahie également. Sentiment particulièrement paradoxal ! J'ai eu la sensation de n'avoir plus aucun moyen de m'échapper, aucune intimité, ce qui était très angoissant pour moi.

En réalisant soudain l'ingérence illégitime dont il est victime, l'adolescent devient anxieux à l'idée que TOUT soit connu de sa mère. Le sentiment d'être constamment observé, trahi, transparent, leur devient intolérable. L'enfant ne se soumet pas à cette situation, donc il commence à cacher des choses. Même ce qui ne nécessiterait pas d'être dissimulé… Il s'échappe, il fuit, il ment, il codifie, il use de stratégies, etc. Tout est bon pour préserver son intimité sans se montrer nécessairement agressif.

À 20 ans, Fabienne souhaite quitter le domicile familial. Ses parents, propriétaires d'un logement à l'étage de dessous, lui demandent de s'y installer, ce qu'elle fait pour ne pas mettre en péril ses études de médecine et éviter de payer un loyer. C'est une erreur quand on a une mère manipulatrice, mais Fabienne ne le sait pas à cette époque… Sous prétexte d'en être la propriétaire, la mère entre en l'absence de sa fille, ouvre son courrier, même personnel, et consulte ses comptes bancaires. Lorsqu'elle s'en aperçoit, Fabienne reproche l'ingérence à sa mère, qui s'empresse de rétorquer, en riant : « Oh mon Dieu ! Parce que tu as des secrets ? » Sa défense consiste en une ironie moqueuse face à la réaction tout à fait légitime de sa fille. Puis, l'attaque se poursuit violemment en changeant de sujet, ce qui est typique des personnalités narcissiques lorsqu'elles sont acculées à admettre qu'elles ont tort, ce qu'elles refusent de faire. Ainsi, la mère lui reproche le désordre et la saleté de son appartement, ce qui sont de fausses allégations. Elle compromet son mari, qui ne doit certainement pas être au courant, en ajoutant: « D'ailleurs, Papa trouve que cela sent mauvais chez toi! » Un jour, Fabienne explose et quitte dès le lendemain le logement. Pendant des années, sa mère ne saura pas sa nouvelle adresse...

On peut penser que Fabienne a retenu une leçon cuisante au point de mettre en péril ses études: ne plus laisser sa mère s'ingérer dans ses affaires. Or, bien des années plus tard, alors qu'elle est adulte et médecin, Fabienne lui laisse une deuxième chance. Erreur...

Ma mère habite à 350 km de chez moi, mais elle a longtemps eu les clés de ma maison.

Comment a-t-elle fait pour les obtenir? Elle a prétendu qu'il était plus pratique qu'elle ait les clés toute l'année plutôt que de passer à mon bureau (à 5 minutes à pied) les prendre lorsqu'elle me rendait visite...

À chaque visite, elle changeait la disposition de mes meubles, m'imposait ses objets décoratifs. Elle achetait des cache-pots, des plantes sans me demander s'ils me plaisaient, mettait de nouveaux rideaux, des plaids sur le divan. Elle achetait des assiettes, des choses qu'on utilise tous les jours; elle ne les choisissait pas au hasard: elle réalisait que j'en avais besoin et me devançait dans mes achats, me coupant l'herbe sous le pied. Je me retrouvais avec des assiettes moches que je n'osais pas jeter par respect pour elle, qui avait été si gentille de m'offrir ce qui me manquait. Elle s'installait chez moi; ma maison était en quelque sorte une de ses « dépendances », et m'envahissait avec ses choix, son goût, ses décisions, je finissais par habiter « chez elle ».

Bien entendu, toute critique était très mal perçue, « ridicule », « dénuée de bon sens ». Si j'insistais pour faire autrement que ce qu'elle avait projeté, cela provoquait une colère d'une violence disproportionnée et incompréhensible. Toute personne sage et tempérée aurait capitulé sur ce qu'on pouvait prendre pour des caprices...

Quand elle repartait, je remettais ma maison en place, mais à sa visite suivante, elle recommençait sans rien dire ni tenir compte de mes remarques…

Votre domicile devient le leur

Vous donnez une main, elle vous prend un bras ! Si vous hébergez votre mère manipulatrice quelque temps chez vous avec ces paroles de bienvenue « Fais comme chez toi », je vous garantis qu'elle se conduira sans respect des règles qui régissent votre demeure. Elle propagera ses livres, ses magazines, ses chaussures, ses vestes, ses recharges d'appareils électroniques tels que le téléphone ou l'ordinateur, sur toutes les prises disponibles… et ce, sans vous demander la permission.

La mère manipulatrice envahira physiquement votre territoire en quelques jours. Elle ne tardera pas à critiquer votre ameublement, à proposer un autre emplacement pour un cadre et à vous informer qu'il est temps de laver tous les rideaux du salon ! Au lieu de considérer ses interventions comme des conseils judicieux et bienveillants, vous aurez tendance à les interpréter à l'inverse. Ce sera une belle occasion pour elle de vous signifier que vous n'êtes toujours pas à la hauteur, alors même que vous êtes adulte et autonome. Et cela vous agace. Quelques réflexions supplémentaires et vous deviendrez irascible… et bien sûr, elle ne comprendra pas pourquoi vous êtes si stressé et nerveux !

Dans certains cas, la situation empirera : la manipulatrice s'installera chez vous plus longtemps que prévu ! La tension qu'elle générera ne semblera pas la perturber. Pour justifier qu'elle ne peut retourner chez elle pour le moment, elle évoque des raisons que vous croyez justifiées. Votre empathie et votre bonté vous rendent alors plus généreux que nécessaire. En sacrifiant votre bien-être et celui de votre conjoint, si vous vivez en couple, vous serez altruiste, certes, mais un altruiste coincé par la situation et de mauvaise humeur. Et vous serez tout juste remercié du bout des lèvres. Le pire sera encore à venir : l'ambiance pourra devenir insoutenable au point que vous soyez obligé de quitter votre propre domicile pour souffler un peu. C'est malheureusement ce qui est arrivé à Milena :

Lorsque j'ai commencé à travailler en Bulgarie, je m'assumais entièrement. Un jour, ma mère est rentrée de Russie avec son mari pour s'installer définitivement en Bulgarie. Ils ont débarqué chez moi ! J'habitais juste une grande pièce qui me servait de chambre et de bureau. Tous les deux fumaient énormément, même s'ils savaient que j'étais asthmatique. Finalement, une collègue qui habitait seule dans son appartement m'a proposé de cohabiter avec elle. Cela m'a vraiment sauvée !

Entre-temps, j'ai fait des démarches pour quitter la Bulgarie et j'ai réussi à me faire engager par une famille francophone de Bruxelles comme fille au pair.

Comment parer à cet envahissement ? Anticipez ! Si vous avez repéré de quelles manières votre mère investit les lieux et vous dérange, faites en sorte que cela ne se reproduise plus. La première des formules efficaces est de ne pas l'inviter chez vous ! Dans la conjoncture où vous y seriez tenu, ne serait-ce que pour des raisons de rassemblement familial – ou un autre événement – près de votre lieu d'habitation, faites le tour du propriétaire comme si elle n'avait jamais mis les pieds chez vous. Donnez-lui alors vos consignes strictes. Oui, je dis bien : strictes. Montrez-vous tatillon, psychorigide, ultra-ordonné, phobique des salles de bain et des toilettes sales, obsessionnel du rangement et des espaces éclaircis. Même si vous n'êtes rien de cela, son opinion sur vos exigences à la militaire ne doit pas vous toucher. Un manipulateur change d'opinion sur autrui selon les situations, donc si un jour elle vous trouve laxiste, désordonné et immature, vous supporterez bien qu'elle vous trouve obsessionnel et rigide le lendemain, non ?

Montrez-lui où sont les éponges et les produits de nettoyage, comment mettre les ustensiles dans le lave-vaisselle, comment s'allume la télévision et comment fonctionnent les autres appareils utiles. Montrez-lui d'emblée que vous ne serez pas à son service pour des broutilles. La mère hypernarcissique a une tendance à faire croire qu'elle n'a jamais compris comment fonctionnaient les machines, ni comment faire d'autres choses qui l'embêtent. Ces prétextes l'amènent à demander systématiquement aux autres de faire les tâches à sa place. La demande est rarement claire. Le plus souvent, elle prononce des phrases du genre : « Comment ça marche, ce truc-là ? » Vous ne voulez plus être son serviteur. Ne le lui dites pas clairement, car vous seriez tenté de justifier cette décision et cela mènerait à une dispute.

Bref, faites en sorte qu'elle n'apprécie pas venir chez vous, car vous ne la servez plus. Vous allez constater qu'elle prendra des dispositions différentes à l'avenir, comme notamment de se faire héberger chez votre fratrie ou des connaissances, en cas de besoin. Elle n'ira pas à l'hôtel, cela lui occasionnerait trop de dépenses et elle serait isolée !

En ce qui concerne les clés, je vous recommande de les confier à des voisins ou amis de confiance, mais de ne pas lui prêter un trousseau. Si les circonstances vous obligent à le faire, exigez, comme s'il s'agissait d'un rappel évident (avec un ton de circonstances), qu'elle vous prévienne de son arrivée et qu'elle sonne à la porte.

Je n'ai obtenu qu'un seul exemple d'un père abusant de la possibilité d'entrer librement au domicile d'un de ses enfants adultes. Contrairement au cas des mères manipulatrices, je ne peux en faire une généralité plausible, jusqu'à preuve du contraire.

Un manque de soutien dans les moments importants

Outre le fait qu'il n'aide pas matériellement sa progéniture, le parent à la personnalité narcissique ne fait pas preuve de soutien moral ni affectif.

Vous constaterez qu'envers les étrangers à la famille, les discours et les actes sont empreints de compassion, de compréhension et de démarches d'aide dont ses propres enfants ne bénéficient pas ; d'où la difficulté, pour les personnes de l'extérieur de percevoir les profonds manquements et la véritable personnalité d'un pervers narcissique. Ce dernier a un double visage et ne se comporte qu'en fonction de ses intérêts et de ce que peuvent lui retourner les individus en termes d'image sociale positive.

Françoise se souvient de ce manque de soutien au moment de sa grossesse :

Lorsque j'ai annoncé ma première grossesse, mes parents m'ont informée qu'ils partaient vivre définitivement au Portugal quelques semaines plus tard. J'appréhendais les mois de grossesse et l'accouchement. J'imaginais une proximité maternelle bien légitime en ces circonstances. Lorsque j'ai cherché à comprendre, on m'a répondu : « Nous allons profiter de la vie maintenant ! » et même « Je ne suis pas là pour élever mes petits-enfants, je vous ai déjà élevés : à chacun son supplice ! » Et moi qui n'arrivais toujours pas à comprendre que des grands-parents ne soient pas fiers et heureux de partager du temps avec leurs petits-enfants. Cette cassure très douloureuse a été pour moi une des plus marquantes. Par la suite, mes parents se sont déplacés pour la naissance de mes deux fils et ont essayé de rattraper ce lien avec mes enfants en les prenant deux à trois semaines en été, mais au fond de moi, je suis restée sur l'incompréhension de ce que j'ai vécu comme un deuxième abandon.

Lyna et Yvan ont eux aussi essuyé un refus de soutien au moment où Lyna, qui souffrait de trois graves maladies après son accouchement, quatre mois auparavant, en avait le plus besoin :

Comme les beaux-parents avaient une semaine de vacances, Yvan leur a proposé de venir chez nous pour passer du temps avec le bébé et lui. Ainsi, mes parents pourraient se reposer un peu (surtout la nuit) alors que moi, je devais rester en convalescence. Bien entendu, il a essuyé un refus. Son père voulait prendre « de vraies vacances » et leur demande était toujours la même : leur fils devait venir chez eux avec le bébé la fin de semaine sinon « le bébé (âgé de moins de quatre mois) ne connaîtrait pas leur maison » ! Mon état d'esprit était le suivant : j'allais peut-être mourir sans voir grandir mon bébé, et dans ce cas mon mari allait se retrouver seul avec un enfant à élever sans avoir encore de situation professionnelle. Je n'étais plus en état de subir de nouvelles pressions et j'ai très mal pris le refus de mes beaux-parents. Leur fils ne leur demandait pas d'argent, seulement un soutien affectif, et même cela n'était pas possible !

Un manque de protection

De la même façon, le parent hypernarcissique est rarement à la hauteur des attentes de sa progéniture quand il s'agit de la protéger d'autres adultes pervers, dont les pervers sexuels…

Cette incapacité à accueillir, à reconnaître la souffrance et la douleur physique de ses enfants l'installe le plus souvent dans une attitude de déni, quand elle ne le pousse pas simplement à reporter la faute sur la victime (exemple : «Tu as bien dû le chercher, non ?).

Françoise poursuit :

La promesse de protection s'est écroulée définitivement lorsque j'ai découvert que ma mère, même si certaines personnes de mon entourage l'ont alertée de la situation, n'a pas cherché à percer la vérité ni à me protéger des attouchements que je subissais. Elle niait toujours et encore la souffrance de la petite fille que j'étais (à quatre ou cinq ans).

Les cas d'inceste, d'abus sexuels ou de viols totalement niés par la mère manipulatrice sont revenus fréquemment dans les témoignages. Les faits sont malheureusement prescrits ou passés. Ce refus de la réalité s'expliquerait-il par le fait que la mère se fait une idée d'elle-même en tant qu'individu irréprochable ? Serait-ce parce qu'il lui est insupportable de s'imaginer avoir été une mère non protectrice, et que pour éviter de se le reprocher, elle nie tout simplement que cette réalité ait un jour existé ? C'est fort probable, à l'instar de la réflexion suivante, celle d'Alice :

J'ai deux sœurs : une qui a 8 ans de moins que moi, et l'autre, 15 ans de moins. À 17 ans, la cadette a avoué que notre grand-père paternel l'avait soumise des années durant à des pratiques sexuelles. La benjamine a retrouvé, enfoui dans sa mémoire, le fait que cela lui était arrivé aussi ! Je ne l'ai su que des années plus tard, au moment de mon divorce. Rien n'a été fait, ni auprès de la justice ni auprès de psychologues. Ah si ! Ma mère est allée en voir une, une seule fois, pour se déculpabiliser !

Je ne peux pas m'empêcher de penser qu'une mère attentive, moins narcissique, aurait dû se rendre compte de la situation, surtout qu'elle les avait eues toutes les deux dans sa classe pendant deux ans. Aujourd'hui, en tant que professeur au lycée, je suis très à l'écoute des enfants en souffrance et je détecte des quantités de drames. Je tente de les aider, surtout quand les parents sont nocifs pour leurs enfants…

L'incapacité à faire face aux vrais problèmes graves de la vie, pour cause d'immaturité, vient s'ajouter à l'hypothèse précédente.

De plus, mais c'est plus rare, une mère profondément perverse est capable, même si elle a repéré un abus sexuel commis par un homme de la famille ou de l'entourage, de fermer les yeux, comme si elle en retirait une excitation personnelle.

Nous avons le cas plus flagrant de ces mères qui attendent le retour de leur mari violent et intolérant envers ses enfants pour qu'il leur inflige la punition de leur vie ! On l'aura deviné, il s'agit de coups portés avec les mains, une ceinture, un bâton, une badine ou un martinet. Cette femme-là s'évite, elle, de battre ses enfants !

J'ai cependant observé que les mères manipulatrices d'un enfant unique s'impliquent différemment. Je considère, d'après les témoignages, qu'au contraire, elles sont plutôt dans l'hyperprotection, ce que j'ai tendance à qualifier de prétexte à la possessivité et au contrôle. Autrement dit, plus sa fille ou son fils est fragilisé, blessé ou malade, plus cette mère sera présente, « contrôlante » et ravie de se croire la seule capable de comprendre, de soutenir et d'aider son pauvre bébé, même lorsque celui-ci est adulte et parfois même déjà en couple !

Elle n'aurait pas voulu d'enfant

« Avoir des enfants, cela vous transforme ! » Si cela semble vrai pour la plupart des parents, ce n'est pas le cas d'un parent manipulateur. Rien ne le transforme ! Au contraire, sa progéniture aura l'obligation de s'adapter tant bien que mal à cette étrange personnalité.

La mère manipulatrice utilise sa maternité comme un faire-valoir (sans compter qu'elle accumule alors les occasions de se faire plaindre et d'être d'ores et déjà « fatiguée »). Le fait d'enfanter et d'élever des enfants (un seul peut amplement suffire) l'établit d'emblée dans la normalité sociale. Certes, cela est valable pour des milliards de femmes sur la planète, sauf que, dans le cas qui nous intéresse, être une véritable mère pour ses enfants n'est pas dans le programme… Les mettre au monde, oui. Les considérer comme prioritaires ensuite et prendre réellement soin d'eux avec amour devient beaucoup plus compliqué, voire rare.

Martine écrit :

Si encore, avec sa mentalité de petite fille, ma mère nous avait élevées, ma sœur et moi, comme des petits chats au lieu de nous élever comme des poissons rouges ! Elle aurait chouchouté, embrassé, câliné ses petits chats ; elle nous aurait appris à nous faire belles, par exemple. Mais non, dans notre aquarium, ma mère nous regardait à distance sans nous toucher, ne nous montrait rien de la vie, croyait que notre bassin était bien suffisant et que le danger se trouvait à l'extérieur. Elle pensait que beaucoup de choses étaient superflues, que ses amis étaient plus amusants que la famille. Nos conjoints, puis nos enfants, ne présentaient qu'un intérêt limité à ses yeux. J'ajoute que ma mère ne semble pas à l'aise avec nous, alors qu'elle a toujours été très à l'aise avec ses amis. Je suis presque certaine qu'elle a regretté de s'être mariée et qu'elle n'avait pas vraiment envie d'avoir des enfants. Mes fils ressentent aussi ce malaise. Elle est donc sans doute dans une situation d'hypocrisie de vie.

Je ne dis pas qu'il n'y a pas de vrais instants chaleureux parfois, mais **sur le long terme**, l'Amour ne suit pas…

La femme hypernarcissique fait des enfants comme la plupart des femmes. Elle ne réalise l'ampleur de la tâche qu'une fois enceinte ou au moment de la mise au monde. Elle saisit alors que l'enfant représente une menace pour sa liberté d'une part et qu'il lui retire, par sa simple présence, le privilège d'être placée sur un piédestal d'autre part. Pour ce dernier point, elle le reprendra très vite !

L'immaturité liée à cette personnalité est exacerbée. Elle s'arrange pour faire croire aux autres qu'elle a besoin d'aide et de soutien plus que quiconque. Elle fait en sorte que le mari devienne une « mère » pour leur enfant, mais également pour elle-même. Le discours qu'elle peut tenir sur les notions de nouvelles responsabilités de mère ne tient pas face aux faits observables. Si elle avance que cette naissance l'a transformée (déjà ?), c'est faux.

Si elle soutient qu'elle se sent responsable du bonheur de l'enfant, c'est faux. De son éducation, peut-être (avoir des enfants bien élevés est valorisant pour elle). De son bonheur et de son épanouissement, sûrement pas. Son enfant incarne une menace pour son intégrité et le problème est que cela va durer toute sa vie.

Anne a souffert de cela dès sa naissance :

Durant ma petite enfance, j'ai été ballottée dès mes huit mois : je faisais l'aller-retour entre Paris et Bruxelles, vivant en grande partie avec mes grands-parents. Mon père étant pilote d'avion de ligne, je voyageais « seule » confiée à une hôtesse. Je fatiguais trop ma mère, j'étais responsable de son malheur et de son mal-être.

J'ai toujours résisté et puisé dans mes ressources afin d'y faire face. J'avais compris très tôt que ma famille n'était pas normale. Après un suicide raté à six ans (j'ai avalé tous les médicaments de l'armoire à pharmacie), je me suis dit que vu les résultats de mon acte (échec, indifférence des adultes et un jour d'intenses vomissements), ce n'était pas la bonne option ; il valait mieux trouver comment survivre…

J'ai pu faire le deuil de « l'illusion » que j'avais une mère. J'étais son souffre-douleur et elle m'a souvent volontairement porté préjudice.

Mes parents sont morts tous les deux. Mon père assassiné par arme à feu (il était également manipulateur) et ma mère d'un cancer du poumon, dont j'étais évidemment responsable, à ses dires !

Le désarroi de ces mères pathologiques face à un enfant qui ne demande qu'à profiter de la vie, n'est pas aussi ostentatoire que dans l'exemple précédent. Si l'enfant se montre dépendant de son amour et cherche à lui plaire constamment, elle se penche enfin vers lui… pour se délecter de son reflet dans ses yeux. En effet, la mère à la personnalité narcissique ne s'attache à son enfant (et ne croit l'aimer, donc) que si ce dernier lui manifeste de l'amour.

Aime-moi d'abord !

Voici une autre particularité, et non des moindres, d'une mère manipulatrice : **elle n'aime que si on l'aime** ! Son propre enfant est concerné.

Une progéniture qui ne nourrit pas ou plus son ego, quel que soit son âge, n'intéresse plus cette mère. Son amour, son attachement attentif dirons-nous plutôt, n'est pas inné. L'instinct maternel ne semble jamais se déclencher. Pourtant, elle répète à qui veut l'entendre (et même directement aux plus concernés), que ses enfants ont été (sont) ce qu'il y a eu (a) de plus important dans sa vie. Les faits, sur des décennies, montrent l'inverse. Ils sont moins importants que son image sociale, que sa carrière, que l'argent, que sa liberté, que sa fatigue…

Son ego surdimensionné doit être nourri chaque jour par autrui (n'importe qui fait l'affaire) ou en présence d'autrui (et là aussi, n'importe qui suffit !). Un des aliments les plus prisés des manipulateurs est le compliment. Faites un compliment à votre mère manipulatrice (ou remerciez-la exagérément) et vous obtiendrez une trêve des réflexions agressives à votre encontre pendant entre trois et cinq heures ! Si rien ne vous vient, vous aurez de nouveau le loisir d'observer qu'elle parle sans cesse d'elle-même au présent ou au passé en des termes très élogieux. Elle ne peut pas s'en empêcher, c'est compulsif. Ce phénomène d'autoappréciation à l'extrême (en degré de mensonges et en fréquence) augmente significativement en présence d'autres personnes, qui n'ont évidemment rien demandé de tel… c'en est pathétique.

Un amour conditionnel

Les puristes diront qu'un amour « conditionnel » n'existe pas en tant qu'Amour et j'approuve cette idée. L'Amour est ou n'est pas. Il naît de la personne qui le ressent et souvent même sans en décrypter les raisons. Il n'est donc pas conditionnel. Malgré ces considérations, je persiste dans cette notion fort paradoxale par elle-même avec l'idée de démontrer que les sentiments positifs qu'ont les manipulateurs envers vous sont ambigus.

Je révèle dans cet ouvrage qu'une mère (ou un père) dotée d'une personnalité narcissique, d'un trouble sérieux de la personnalité donc, **n'aime pas fondamentalement son enfant**. Cela choque car il est bon et rassurant de penser que tous les parents de la Terre aiment leurs enfants ; que tous les parents, par essence, vont pardonner à leurs enfants… Cela ne se passe pas ainsi avec un parent manipulateur.

Christine me confie une lettre de sa mère manipulatrice adressée à son fils de 17 ans, Maximilien. Ce dernier est atteint d'une maladie grave : la mucoviscidose. Cet élément a son importance dans la situation suivante :

« *Maximilien, cher petit-fils,*

Nous sommes le 14 janvier et depuis le premier, je n'ai aucune nouvelle de toi, si ce n'est par ta maman, ton cousin ou ta cousine !

Nous habitons la même ville, tu ne viens jamais me voir, si ce n'est pour le repas du jeudi !

J'en déduis que tu n'en as rien à faire de moi ni de savoir comment je vais !

Depuis que j'ai 15 ans, je me suis occupée de mes sœurs et frères, puis de mes enfants et puis de TOI, toujours à l'écoute de votre bien-être.

J'ai beaucoup d'amour pour toi, peut-être trop, puisque ta maman a décidé de m'écarter de votre vie.

Et toi, j'ai l'impression que tu ne m'aimes plus, je n'ai droit qu'au silence ou à des réflexions à la limite de la correction.

C'est ton choix ! Je ne veux pas aller contre et je respecte tes lignes de conduite, aussi pour ne plus t'imposer quoi que ce soit, je te dispense de repas du jeudi !

J'ai 65 ans, Maximilien, j'ai assez donné dans ma vie pour avoir le bonheur de recevoir un peu ! Un coup de téléphone prend une minute, alors ne me sors pas les excuses des devoirs ou des copains.

Tu as toujours eu de ma part plus que tes cousins et c'était avec amour. Mais là, j'arrête. J'ai énormément de peine, je vais faire avec !

La décision est dans ton camp. À toi de voir si je mérite ou non ton attitude envers moi.

Moi, je t'aime.

Mamie »

Nous retrouvons dans ce courrier beaucoup des aspects typiques de cette personnalité :

- les propos aberrants, car contradictoires dans leur expression même (« *je n'ai aucune nouvelle de toi, si ce n'est par ta maman, ton cousin ou ta cousine* », donc elle en a par trois personnes ; « *tu ne viens jamais me voir, si ce n'est pour le repas du jeudi* », ce qui veut dire clairement qu'il la visite au moins une fois par semaine ! ; « *J'ai beaucoup d'amour pour toi, peut-être trop, puisque ta maman a décidé de m'écarter de votre vie* », sous-entendant qu'une grand-mère très aimante serait menaçante et jalousée par la mère et que cela est la seule interprétation possible à la distanciation) ;
- les interprétations provocatrices (« *tu n'en as rien à faire de moi* ») ;
- l'inversion des rôles en ce qui concerne la gravité des situations de chacun (elle dit : « *ni de savoir comment je vais* », alors que son petit-fils est atteint de mucoviscidose, ce dont elle ne fait aucune mention) ;
- l'égocentrisme ;
- l'autoappréciation (« *Depuis que j'ai 15 ans, je me suis occupée de mes sœurs et frères, puis de mes enfants et puis de TOI, toujours à l'écoute de votre bien-être* » ; « *j'ai assez donné dans ma vie* ») ;
- les propos liés à l'amour, trop souvent répétés chez les manipulatrices (« *Tu as toujours eu de ma part plus que tes cousins et c'était avec amour* » ; « *J'ai beaucoup d'amour pour toi, peut-être trop* ») ;

- la victimisation (*« si je mérite ou non ton attitude envers moi » ; « Moi, je t'aime »*) ;
- la sanction (*« je te dispense de repas du jeudi ! »*) ;
- et globalement, une belle démonstration de l'amour conditionnel que tous les enfants et petits-enfants de manipulateurs découvriront un jour. Vous trouverez le même processus de la part d'un père manipulateur.

L'égocentrisme pathologique de ces personnalités, c'est-à-dire le besoin constant et impérieux de se sentir *« narcissisé »* de quelque façon que ce soit, est probablement l'explication de leur manque d'amour et d'attention pour leurs propres enfants.

Caroline écrit avec une totale sincérité à sa mère qu'elle ne voit plus :

« Quant à la communication, la vraie, elle n'a jamais été établie. Ce que tu appelles "communication" se résume à écouter tes monologues égocentriques, tes avis sur des tas de personnes (la plupart inconnues) et tes confidences qui ont une apparence de vérité. Pourrais-tu m'expliquer l'intérêt qu'il y a eu à me confier, quand j'avais 20 ans (tu jouais à la copine à l'époque) : "Je me suis inventé une appendicite quand j'ai su que j'étais enceinte de ton frère afin de le faire sauter. Mais ça n'a pas marché ; c'est peut-être pour ça qu'il a toujours été malade, petit." Je n'ai rien répondu. Peu importe, d'ailleurs, tu avais versé ta merde sur moi… Ça te suffisait.

Tu ne sais que te justifier avec ton système de victimisation bidon. Tu ne reconnaîtras jamais de façon adulte que tu n'as jamais eu une once d'instinct maternel… »

Parfois, le parent à la personnalité narcissique n'exhibe aucune photo ou presque d'un de ses enfants. Éprouverait-il de la honte vis-à-vis de sa progéniture en ne mentionnant que rarement celle-ci ? À mon avis, il ou elle parle le moins possible de son enfant qui l'aurait surpassé. Il ne s'agirait donc pas de honte mais d'envie, de jalousie et d'une peur sourde d'être comparé (à son désavantage) à son enfant adulte. Fabienne est sûrement concernée :

Ma mère aime beaucoup les photos et chez elle sont affichés dans des cadres les portraits de ses enfants et petits-enfants… sauf de moi !

De plus, une seule photo de mon fils est visible, alors que les autres petits-enfants s'y trouvent sur plusieurs photos. Un jour, une des photos m'a intriguée par sa forme, elle semblait avoir été découpée.

Quand je l'ai interrogée sur ce sujet, elle m'a répondu : « Ah oui ! Tu étais à côté de lui mais je t'ai enlevée. » Devant mon air médusé, elle a ajouté : « Mais oui, tu étais moche sur la photo ! D'ailleurs tu l'as dit toi-même… »

Elle se détache plus vite que vous !

Contre toute attente, la mère qui a démontré un besoin régulier de préserver le lien vous rejette soudain.

Jusque-là, elle s'immisce dans votre vie privée, réclame votre présence et souhaite être souvent à vos côtés, même en vacances. Elle occupe votre territoire, vous reproche de ne pas lui donner assez de nouvelles, boude lorsque vous lui répondez mal, etc. Elle réclame un lien, même si celui-ci est conflictuel ou basé sur l'hypocrisie. Tant que vous arborez des comportements d'apaisement, ce phénomène violent de séparation et de rejet de votre personne ne se manifeste pas.

Son attachement est conditionnel ; son détachement est ultrarapide !

C'est un comportement sidérant supplémentaire. Comment peut-on se détacher si radicalement de ses propres enfants ? Comment ne plus les aimer soudainement ? Si vous comprenez qu'il n'y a jamais eu de véritable et profond Amour depuis votre naissance (et souvent même avant), tout prend sens !

Alors que vous avez répondu à toutes ses attentes et ses exigences, alors que vous l'avez préservée en taisant vos observations de sa folie, en ne la contrariant pas dans ses mensonges ahurissants, en sacrifiant des moments intimes, personnels ou familiaux pour la rassurer, etc., vous allez être rejeté comme si vous n'aviez jamais existé ! C'est un comble, me direz-vous. C'est une leçon. C'est une des raisons pour lesquelles j'introduis de vrais témoignages dans ce livre. Toutes les narrations se rejoignent et confirment ceci : quoi que VOUS fassiez, quelle que soit votre personnalité, quoi que vous donniez ou sacrifiez au parent manipulateur, vous ne changerez RIEN à son trouble de personnalité.

Denis a fini par le comprendre :

Ma mère disait régulièrement en ma présence qu'elle était habituée à se détacher de pans entiers de sa vie, mais aussi des gens qui l'avaient déçue. J'imagine qu'elle se détache ainsi de moi depuis que je ne lui parle plus. Je l'ai même espéré, à un moment. Cela me laisse maintenant largement indifférent.

Aussi, sachez que le petit-fils, Maximilien, a répondu du tac au tac à sa grand-mère (celle qui lui a fait des reproches par lettre). Depuis, lui et sa mère n'ont plus de nouvelles...

Si votre attitude, vos refus, vos limites ne conviennent pas à votre mère manipulatrice, elle vous sanctionnera très rapidement d'une façon ou d'une autre (vous le comprenez, maintenant que vous savez qu'elle ne ressent pas d'amour). Elle agira comme si vous n'étiez plus de son monde. En tous les cas, vous ne « l'intéresserez » plus ! Si tant est que vous l'ayez jamais intéressée...

Enfin, voici la copie d'une partie de lettre qu'une mère manipulatrice a adressée à sa fille (adulte et en couple) :

« *En ce qui me concerne, tu as toujours été une amie pour moi et non ma fille. Je ne ressens donc aucun attachement envers toi plus fort ou plus important que ce que je ressens envers toutes mes autres amies. Et malheureusement, la personne que tu es en train de devenir depuis que tu as quitté la maison ne me convient plus. Tu ne m'apportes rien de positif dans ma vie. Je ne suis même pas capable de te dire je t'aime, car je n'en ressens pas l'émotion.* »

Édifiant...

Il est très rare d'obtenir une telle confidence écrite.

Les enfants de pères manipulateurs ne sont pas mieux lotis. Parfois l'attachement est présent dans la relation, mais pas l'Amour avec un grand « A »... Il semble que la progéniture des femmes de ce profil souffre davantage et plus longtemps de l'absence d'amour inconditionnel que celle des pères ; comme s'il était entendu de façon innée que les hommes n'offrent qu'un amour conditionnel à leurs enfants, comme s'il fallait leur prouver une valeur particulière pour en être apprécié, donc aimé.

Chapitre 7

Quand les parents sont particulièrement pervers...

Les témoignages qui suivent décrivent une augmentation de plusieurs degrés du niveau de perversité d'un parent, voire des deux. Les parents dont il est question ici disposent d'une créativité étonnante ainsi que d'une imagination sophistiquée pour dominer l'autre par des moyens inhabituels et le faire souffrir volontairement. Obtenir l'obéissance par la terreur de la sanction est l'un des buts du parent manipulateur atteint de perversité. Ce qui suit peut vous choquer profondément si vous ne l'avez jamais vécu, mais encore plus si vous l'avez vécu...

Alice et sa sœur jumelle ont toutes deux le souvenir de multiples situations depuis l'âge d'un an et demi :

Nos parents nous mettaient en danger : nous sommes toujours allées seules à l'école à pied, depuis la maternelle, à deux ans et demi (!), jusqu'à la fin de la maternelle. À l'époque, il n'y avait pas de route à traverser ; par contre, au primaire, nous devions marcher 5 km et il y avait plusieurs routes à traverser.

Quand nos parents sortaient le soir, ils nous laissaient seules à quatre ans ! Ils nous prévenaient qu'ils avaient mis du talc par terre et que si jamais on se levait du lit, ils le sauraient et qu'ils nous frapperaient comme jamais !

Voici un mensonge qui nous a bouleversées :

Nous avons habité en région parisienne jusqu'à l'âge de huit ans. Là, nous avions la chance d'avoir une nounou merveilleuse, aimante, gentille et respectueuse. Un jour, et une fois seulement, elle a dit à ma mère que nous n'avions pas été sages. Ma mère l'a répété à notre père… Le lendemain, nous avions tellement de bleus que ma nounou nous a dit : « Plus jamais je ne dirai quoi que ce soit, les juju ! » Par contre, ma mère savait ce qui allait se passer en le répétant à mon père… Nous avons brutalement quitté la région parisienne pour aller à Marseille. Nous n'avons pas pu dire au revoir à notre merveilleuse nounou et à son mari ! Plus tard, à l'âge de 18 ans, lorsque nous avons voulu les contacter, nos parents nous ont dit : « Ils ont déménagé et ne nous ont pas laissé leur adresse » ; moi et ma sœur en avons été bien tristes.

Lorsque j'ai eu 38 ans, après ma psychothérapie, je me suis dit qu'il fallait les retrouver. Si nous nous en étions sorties, c'était surtout grâce à leur Amour. Ainsi, je suis retournée à la source : ma nounou et son mari étaient toujours là et n'avaient jamais déménagé ! Depuis, nous nous voyons régulièrement et j'en suis très heureuse.

Nos parents ne se sont jamais intéressés à nous ni à rien de ce qui nous concernait (école, sport, études, etc.).

À huit ans, à Marseille, comme nous n'avions plus de nounou, nos parents nous ont donné les clés de la maison. Pour faire des économies, nous faisions le ménage, les repas, le repassage et allions même souvent chercher ma mère à pied au boulot. Elle passait alors son temps à nous parler de ses problèmes, sans bien sûr nous demander comment nous allions. C'était le monde à l'envers !

Alice a 47 ans. Elle est mariée et a deux enfants. Elle est maintenant médecin anesthésiste. Comme nous commençons à le comprendre, non seulement ses deux parents sont manipulateurs, mais ils sont également sadiques. Cette perversité est masquée par un statut social assez élevé et une bonne culture. Ces deux aspects sont extrêmement courants chez les manipulateurs « pervers de caractère ». Il est très rare de trouver ce genre de personnalité dans les milieux très modestes. Un manipulateur ne se satisfait pas de la médiocrité. Il veut briller dans les hautes sphères élitistes et en est intellectuellement tout à fait capable.

Ainsi, le père d'Alice et de sa sœur était violent, sadique, sauvage, mais avait un deuxième visage charmant. Il était toujours prêt à aider les gens de l'extérieur, parlait 15 langues et était plutôt intelligent. Il était architecte, mais fut licencié de son travail à 30 ans pour des actes de violence. Depuis, il n'a plus jamais travaillé et s'est fait passer pour un dépressif en lisant les critères de médecine correspondants afin d'obtenir le statut de handicapé. Il était très autoritaire et toute la famille le craignait. Sa mère, également perverse, encourageait son mari à frapper leurs enfants. Elle était chargée de production à la télévision et devint même directrice !

Peu de gens pouvaient se douter de ce qui se passait à la maison. Pour comprendre la différence avec des parents manipulateurs classiques, je souhaite continuer de vous livrer les révélations d'Alice :

Autonomes depuis l'âge de huit ans, nous n'avions pas grand-chose à manger quand nos parents étaient absents : pas de repas le soir, pas d'argent pour vivre...

Nous sommes parties de la maison à 17 ans et on ne mangeait pas tous les jours. On a travaillé pour tout se payer, nos études, le studio...

Ma mère gagnait très bien sa vie et ne nous donnait rien ; on pensait que c'était normal !

Maintenant, elle dépense tout ce qu'elle a pour, dit-elle, ne rien nous laisser...

Sur le plan de la santé, nos parents nous ont totalement privées de soins. Une fois, je me suis cassé la main et c'est l'école qui a exigé une radio au septième jour ! Enfin, on a pu me soigner et me plâtrer.

Pour les vacances de Noël, nous partions chaque fois en mer à bord d'un bateau où nous gelions. L'horreur !

Jamais on ne nous a fêté nos anniversaires.

Notre mère refusait qu'on lui souhaite une bonne fête des Mères. Cela nous vexait et nous frustrait.

À 17 ans, lorsque j'ai annoncé notre départ, car je ne supportais plus la violence de notre père, ma mère a répliqué : « Chouette ! Je vais récupérer votre chambre pour moi ! »

Ma sœur s'est fait violer à 20 ans par mon oncle. Ma mère n'a pas bougé le petit doigt pour l'aider. Tout ce qu'elle a exigé c'est que l'on se taise !

Quand j'ai accouché, à 30 km de chez eux, ma mère ne s'est pas déplacée.

Sur le plan émotionnel, tout sonnait faux : elle disait qu'elle nous aimait, mais aucun acte ne correspondait à ses propos.

À cinq ans, je lui ai demandé de quitter notre fou de père ; elle a répondu : « Mais non les filles, c'est à cause de vous que je reste ! » Elle n'hésitait pas non plus à dire : « J'ai toujours été parfaite pour vous. Je n'ai rien à me reprocher ! »

Mon père, lui, nie carrément les sévices quotidiens qu'il nous a infligés : coups de poing, coups de pied, cheveux arrachés…

La famille entière nous a rejetées quand ma sœur a enfin annoncé avoir été victime de viol par notre oncle, alors que notre mère continuait de nier la vérité. Nous avions 38 ans. Depuis 10 ans, nous n'avons plus aucun contact avec notre famille ni nos parents.

Ma psychothérapeute m'a fait découvrir vos livres ainsi que ceux d'autres auteurs. Tout est alors devenu limpide. Ça a été une deuxième naissance. Je vivais enfin ! Aujourd'hui, je savoure chaque seconde, mes sens sont très développés et je repère immédiatement un manipulateur. Je me fais confiance.

Heureusement, j'ai la chance d'avoir une sœur jumelle. Sans elle, je pense que je serais devenue folle. À deux, c'est plus facile de quitter définitivement ses parents. Je pense que c'est la solution. Adieu les parents toxiques !

Les manipulateurs ayant ce profil sont profondément atteints de perversité. Je les appelle des manipulateurs pervers. Ils sont devenus parents par accident. Il est évident, dans cette narration et bien d'autres, qu'en aucun cas ce couple ne souhaitait être perturbé dans son fonctionnement, et je dirais même son dysfonctionnement, par des enfants bien encombrants.

Ces « pervers de caractère » sont englués dans un gouffre narcissique qui les amène à dénier que d'autres puissent avoir leur propre narcissisme (normal), au point de vouloir écraser leur progéniture. Ils ne semblent pas souffrir ni se sentir coupables du mal qu'ils font, ni de la douleur physique ou de la souffrance psychique qu'ils génèrent chez les autres. Lorsque la mère des jumelles dit qu'elle n'a rien à se reprocher et qu'elle est une mère parfaite, elle le pense vraiment. Elle ne peut pas s'imaginer être une mauvaise mère. Elle ne veut pas avouer son caractère mauvais. Encore moins à elle-même. Difficile dans ce cas de convaincre ces individus de se soigner.

Alors que les manipulateurs classiques peuvent ne pas se rendre compte du mal qu'ils font, les pervers de caractères sont tout à fait conscients de ce qu'ils disent et de ce qu'ils font. Il n'y a pas de transe ni de délire, quand bien même vous trouvez tout cela fort délirant. Leurs comportements agressifs leur redonnent du pouvoir et c'est ce qui compte. Le problème c'est qu'ils doivent recommencer tous les jours ! Les premières personnes touchées sont le conjoint et les enfants du couple. Il se peut que pendant des décennies aucun membre du réseau amical ni professionnel ne puisse prendre conscience de cette particularité. Ce qui ne veut pas dire que personne ne s'est rendu compte de l'aspect manipulateur du personnage. Je parle ici de l'aspect pervers et sadique. Ces personnes ont une intelligence normale et peuvent poursuivre des études poussées afin d'obtenir des diplômes reconnus, et ensuite des postes à responsabilité. Il est prioritaire pour elles, sur le plan narcissique, d'être reconnues comme des personnes exceptionnelles.

Tout comme pour les manipulateurs classiques, **leur image sociale est fondamentale** !

Peu importe si elles traumatisent leurs enfants et les malmènent, du moment que tout le monde à l'extérieur de la famille les croit formidables.

Or, ce sont des personnes particulièrement dangereuses. Non seulement le conjoint sain mais leurs enfants dépérissent dans cette ambiance de folie sournoise. Ils peuvent même aller jusqu'à se suicider.

Effectivement, elles distillent leur venin tout en vampirisant l'énergie psychique de leurs proches comme le fait toute personnalité narcissique, mais y ajoutent la violence physique et sexuelle de façon progressive. En revanche, il n'y a pas de progression lorsque cette perversité s'attaque à leurs propres enfants. Il y a à la fois possession et déni d'une individualité de l'enfant, tout en l'obligeant à une autonomie extrêmement précoce, comme si l'enfant devait connaître « les choses de la vie le plus tôt possible ».

Environ 90 % des pervers de caractère sont des hommes. Un homme et une femme tous deux pervers de caractère peuvent se marier. Dans ce cas, les enfants sont vraiment de trop ! C'était le cas cité plus haut des deux parents d'Alice et de sa sœur jumelle.

Une dimension du pervers de caractère reste cependant secrète vis-à-vis du monde extérieur : **son obsession du sexe**.

La conjointe « officielle » peut en subir les conséquences (rarement dans la phase d'emprise) ou au contraire ne plus être touchée charnellement en seulement quelques mois sous prétexte de frigidité ! Dans le deuxième cas, elle peut difficilement croire à une obsession sexuelle. Or, cet homme est envahi par des pulsions sexuelles qu'il réussit à épancher grâce à des relations extraconjugales, des rapports réguliers avec des prostituées ou tout simplement des activités sur des sites Internet spécialisés. Il s'agit d'un besoin quotidien. Il ou elle se figure être un initiateur hors pair en cette matière. Ce n'est peut-être pas faux tant son imagination et sa créativité sont hors du commun. Souvent d'ailleurs sur le registre du sadomasochisme, du voyeurisme et de l'exhibitionnisme. Ses fantasmes sont très extravagants et une seule personne ne suffit pas à assouvir ses besoins. Ainsi, il insiste pour faire l'amour à trois et bien souvent pour se rendre dans les clubs échangistes. Attention de ne pas interpréter que les personnes, femmes et hommes, dotées d'une forte imagination et qui ont des fantasmes sexuels originaux sont des pervers de caractère. Il faut présenter au moins 27 caractéristiques du manipulateur sur les 30, mais en plus une perversité morale, psychique avec l'intention de détruire l'identité de l'autre. À la personnalité narcissique, d'autres critères s'ajoutent pour déterminer le profil du pervers de caractère. Je ne vous en donne ici qu'une fraction d'entre eux pour que vous ayez une meilleure idée de leur mentalité et de leur fonctionnement, avec ou sans enfants.

Leur empathie pour autrui est totalement feinte et leur obsession du sexe les amène à embrasser certaines professions telles que la gynécologie, la sexologie et la chirurgie. Ce sont des professions où le pouvoir sur autrui est légitimé, d'autant qu'on doit avoir confiance dans leurs intentions altruistes. Le chirurgien détient même le pouvoir de réparer ce que Dieu n'a pas pu conserver ! Attention, tous les chirurgiens ou les gynécologues ne sont pas des manipulateurs pervers de caractère, mais il est certain que pour ces derniers, ces professions proposent des pratiques très attirantes en raison de leur nature.

Les pervers de caractère n'ont pas de limites transgénérationnelles. Ce qui veut dire qu'outre le principe que les enfants doivent connaître les choses de la vie le plus tôt possible, ils croient qu'ils doivent entrer dans le monde des adultes de façon tout aussi précoce. Et c'est à l'adulte de les y initier. Étant donné leur obsession du sexe et leur conviction d'être des révélateurs en cette matière, vous imaginez aisément que **l'inceste** est aux portes. Il n'est pas systématique mais le danger est réel. Attention, ce n'est pas le cas avec un manipulateur classique : celui-ci ne bat pas ses enfants et il n'a aucune disposition pour en abuser sexuellement.

Par ailleurs, il ne faut pas interpréter que tous les pédophiles sont nécessairement des manipulateurs d'une part et des pervers de caractère d'autre part. Il existe d'autres hypothèses et d'autres causes à la pédophilie.

En résumé, non seulement les enfants de pervers de caractère se font battre pour un rien, mais ils risquent également d'être abusés sexuellement. Lors d'un divorce, surtout lorsqu'il est demandé par la mère saine, il n'est pas rare que certains enfants se libèrent enfin de leur secret qu'ils sont, ou ont été, victimes d'attouchements ou de viols. Ils se sentent enfin protégés pour oser un tel aveu. Or, le père pervers en plein divorce dira avec véhémence que cela est une totale invention de la part de la mère pour se venger de lui. Il reviendra alors au juge (peut-être à la suite d'une enquête policière en cas de plainte) de déceler si la mentalité du père correspond à celui d'un pervers de caractère. Si ce n'est pas le cas, les doutes peuvent être levés. L'inconvénient est que la femme de cet homme ne révèle pas tout de leur réalité intime par honte. Et c'est pourtant elle qui le connaît le mieux.

Le pervers de caractère se prend pour Dieu, voire juste au-dessous. Il croit que les règles de vie et les lois ne s'appliquent pas à lui. Il les ignore tout simplement. Il a une très forte tendance au mensonge quel qu'il soit et réfute effrontément une réalité pourtant évidente pour tous. Ses enfants sont particulièrement marqués par de tels agissements contre la réalité.

De plus, le pervers de caractère n'hésite pas à utiliser **un vocabulaire cru, grossier, anatomique et sexué**, même devant ses enfants ! Il affectionne les insultes féminines telles que « salope », « pute », « pétasse », mais aussi à connotation physique : « grosse vache », « promener ton cul », etc. Une femme manipulatrice perverse de caractère en fait autant à l'encontre des femmes, qu'elle considère toutes comme des rivales sexuelles potentielles, mais insulte aussi facilement la virilité des hommes en général et de son mari en particulier. De sa bouche sort des grossièretés violentes telles que « Sale pédé ! », « Impuissant, va ! », «Tu te fais sucer la bite par les putes ! », etc. Et tout cela, devant les enfants !

La misogynie est à son comble. Aussi bien de la part des femmes perverses que des hommes. Un homme pervers de caractère qui divorce va tenter de « mouler » son fils à son image, s'il en a un qui peut lui ressembler quelque peu, au moins physiquement. Il lui enseignera à détester les femmes, et sa mère en particulier. Malheureusement, pour plaire à leur père inconsciemment, bon nombre de garçons, à partir de l'âge de neuf ans, peuvent se faire piéger dans ce système. Ils deviennent alors agressifs vis-à-vis de leur mère et cessent de lui obéir. Ils se moquent d'elle, répètent ses phrases comme un perroquet, l'ignorent, lui font croire qu'elle les dégoûte, lui répondent mal, l'insultent avec les mots du pervers, etc.

Parfois, ce phénomène d'aliénation mentale de l'enfant sur son parent sain se produit alors que toute la famille est encore sous le même toit.

J'ai remarqué, au cours de nombreuses confidences de l'autre parent sain, que l'hygiène corporelle des manipulateurs pervers est douteuse (ils ne se lavent pas le sexe ni surtout l'anus correctement), qu'ils laissent des traces de défécation dans la cuvette des toilettes, qu'ils sont souvent affectés d'un TOC, c'est-à-dire un trouble obsessionnel compulsif, notamment de rangement et de nettoyage de la cuisine, des étagères mais aussi des fermetures (des portes, du gaz, des volets, du véhicule, etc.). Ils sont fascinés par la mort et comme ils se croient au-dessus des règles de vie même les plus naturelles, ils prennent des risques inconsidérés en voiture en présence de leur femme et de leurs enfants (conduite trop rapide, dépassement interdit juste avant un virage, frôlement des bas-côtés, etc.). Généralement, ils conduisent mal. Autre fait à remarquer, un certain nombre d'entre eux semblent détester les chats ! Probablement parce que ces derniers sont totalement indépendants et ne se laissent jamais dominer. Ils n'hésitent pas, sans se faire voir, à leur donner des coups de pied et à les insulter comme ils insulteraient une femme. Dans d'autres cas, le chat disparaît au retour d'un congé sans que l'on comprenne pourquoi...

J'aimerais relater par un autre témoignage ce que peut faire une mère perverse de caractère à ses enfants, car l'absence de la dimension sexuelle chez les mères (en général) doit nous rendre vigilants quant aux autres aspects. Astrid se souvient :

J'avais 21 ans lorsque j'ai « découché » pour la première fois de ma vie de la maison familiale. Lorsque je l'ai refait peu de temps après, ma mère m'a dit ne pas pouvoir supporter ce que les voisins ou amis pourraient dire s'ils me voyaient rentrer le matin. Aussi, puisque je fréquentais quelqu'un, elle a dit préférer, pour éviter les « qu'en-dira-t-on » que je quitte la maison et aille habiter avec lui. Or, nous étions en plein hiver ; elle ne connaissait pas le garçon et ne savait absolument pas où je dormirais. Ni moi d'ailleurs, car il n'avait pas de logement fixe. Elle m'a fait promettre que je ne dirais à personne que l'idée venait d'elle, afin que chacun pense que j'étais partie de moi-même.

Elle avait un jeu récurent lorsque mon frère, ma sœur et moi étions petits : elle s'allongeait sur son lit avec nous, puis nous disait soudain

« je meurs » et arrêtait de bouger comme si elle était morte ! Mon frère et ma sœur hurlaient, en sanglots, et moi, l'aînée, je ravalais les miens et pensais à la chatouiller (au bout d'un moment) malgré la frayeur que l'évocation de ce contact physique provoquait…

Le jour de la mort de mon père (j'avais 21 ans), elle m'a dit que c'était moi qui l'avais tué (mais elle ne m'a pas dit pourquoi) ; elle me l'a répété le jour de son enterrement.

Ce même jour, elle a aussi dit à mon frère, ma sœur et moi, que dorénavant, « son sort était entre nos mains ». Nous avions 21, 20 et 18 ans.

Ce jour-là, je me suis réfugiée dans ma chambre pour pleurer. Je n'avais pas pleuré pendant l'enterrement. Ma mère est entrée dans ma chambre et m'a ordonné « d'arrêter mon cinéma et de venir faire le café pour les invités ».

Voici les expressions qu'elle a utilisées pendant ses crises et même dans d'autres contextes, en tête à tête ou en très petit comité (de l'extérieur, nous avions l'air d'être une famille modèle) :

(Traduction littérale en français)

« Je me déchire la chatte à vous dire que… à vous répéter… » ; « … que je te chie dans la bouche… »

Plus récemment et sans être particulièrement en crise : « Sa merde sort de sa bouche » et « Il parle avec son cul ».

Quand j'ai enfin réussi à lui demander de me parler de son enfance et de me dire si ses parents avaient levé la main sur elle, elle m'a répondu avec de la haine dans les yeux : « Il n'y a que toi pour avoir des idées de vengeance ! »

Lorsqu'on avait moins de 10 ans, elle menaçait mon père, devant nous, de nous prendre et nous emmener avec elle se jeter dans la Seine !

Quand j'étais jeune, je lui ai demandé ce qui était le plus important pour elle entre les « qu'en-dira-t-on » et le bonheur de ses enfants. Elle m'a répondu : « les qu'en-dira-t-on » et a poursuivi « qu'ensuite on pouvait toujours essayer d'apprendre à être heureux ».

Nous pouvons décrypter les attitudes suivantes de cette mère :

- Elle est indifférente au sort de sa fille ;
- Elle rejette clairement sa fille, mais ne veut pas que cela se perçoive en public. Elle sait donc que ce qu'elle fait sera mal jugé par les autres ;
- Elle provoque, sous prétexte de jeu et d'humour, de fortes émotions négatives, et est indifférente aux éventuelles conséquences psychiques sur ses enfants. À moins qu'elle ne soit pas indifférente mais stimulée par le pouvoir de placer autrui dans un tel désarroi ! De plus, ce fameux jeu peut représenter un moyen pervers et narcissique de vérifier l'attachement et l'amour qu'ont ses enfants envers elle ;
- Elle culpabilise gravement sa fille d'être responsable de la mort de son père, alors que celle-ci n'a que 21 ans. Cela la dédouane d'avoir eu une quelconque influence sur l'état de santé de son mari. Et pourtant, les pervers de caractère peuvent tuer sans couteau ni arme à feu ;
- Elle inverse les rôles et se soustrait à son devoir de protection et de prise en charge de sa progéniture à la mort du père. De femme-enfant, elle passe, du jour au lendemain, à enfant-femme ;
- Elle n'a aucune empathie envers sa fille qui pleure son père. Elle projette son propre registre en affirmant que sa fille fait « du cinéma » ;
- Les gens de l'extérieur peuvent ne pas deviner ce qu'il se passe une fois la porte fermée. Son image sociale de bonne mère doit être absolument préservée ;
- Elle éructe des expressions perverses scatologiques et liées au sexe ;
- Elle n'hésite pas à projeter ses propres intentions sur sa fille (la vengeance) ;

- Elle menace de se suicider en présence des enfants, et pire, de les emmener avec elle dans son gouffre ;
- Elle affirme sans scrupule préférer son image sociale au bonheur de sa progéniture.

Dans un ouvrage de Jean Bergeret intitulé *La personnalité normale et pathologique*[7], est mentionnée une étude de Ey, Bernard et Brisset (1967). Ces derniers proposent une description de « l'impulsivité perverse » qui correspond bien, dit Jean Bergeret, à nos « pervers » de caractère. Il s'agit des traits suivants : «Tension agressive, impulsivité, rancœur, ressentiment, irritabilité, indiscipline, inaffectivité, inadaptabilité, amoralité, rétivité (*réfractaire, NDLA*), obstination, insensibilité à l'amour, à l'attachement, au respect, à la douleur personnelle comme à celle des autres, sournoiserie, vindicativité, violence, rébellion, perfidie, traîtrise, cynisme, hypocrisie... La liste des traits exposés ainsi semble inépuisable et toujours aller dans le sens des cas cliniques que nous rencontrons dans notre catégorie des "pervers" de caractère.»

Je suis entièrement en accord avec cette description qui résume bien la complexité et la pathologie du personnage. Vous remarquerez que le tableau clinique d'un manipulateur (classique, donc) n'est pas aussi démoniaque.

Maintenant que nous avons abordé le « pire » de ce qu'un parent manipulateur (et pervers de surcroît) pouvait exercer comme emprise sur sa progéniture, il est temps de se tourner vers le « mieux », c'est-à-dire les possibilités pour une victime de s'échapper et de se reconstruire après des années d'abus et de mal-être. Le prochain chapitre aborde non seulement les sérieuses conséquences et séquelles de la manipulation parentale

7. Jean Bergeret, *La personnalité normale et pathologique,* 3e édition, Dunod, 1996, p. 282.

sur la vie de l'enfant (jeune ou adulte), mais évoque aussi les portes de sortie et les pistes de solution envisageables afin de reprendre le contrôle de sa vie et de se libérer de la relation toxique.

Chapitre 8

Peut-on s'en sortir ?

Après avoir exposé les différentes facettes du parent manipulateur, retournons à présent le miroir du côté des fils et filles qui les subissent soit au quotidien, soit de façon épisodique puisqu'ils sont devenus indépendants. Quel que soit l'âge de ses enfants, un parent manipulateur continue à les traiter sans réel respect et à abuser de leur éventuelle disponibilité. Avoir été élevé par un parent à la personnalité narcissique n'est pas anodin et porte à conséquences. Mais heureusement, des pistes existent vers la libération, le bien-être, voire le bonheur futur !

De sérieuses conséquences

Dans mes premiers ouvrages sur les manipulateurs[8], j'explorais leurs caractéristiques et les conséquences sur autrui, quel que soit leur sexe, dans tous les secteurs de la vie, puis plus particulièrement dans le couple.

Les conséquences sur les victimes ayant vécu ou travaillé avec ces personnalités sont maintenant repérables :

---

8. *Les manipulateurs sont parmi nous* et *Les manipulateurs et l'amour*, publiés aux Editions de l'Homme.

- La personne ressasse des échanges passés avec le manipulateur;
- Elle parle constamment de cet individu perturbant;
- Elle devient anxieuse (ou l'est davantage);
- Elle a des troubles du sommeil;
- Elle subit des réactions psychosomatiques dont certaines se chronicisent;
- Elle perd confiance en elle et donc n'agit plus spontanément;
- Elle doute de ses perceptions et de ses opinions;
- Elle ne s'exprime plus librement (ou le fait encore moins);
- Elle renonce à poser des limites ou à refuser;
- Elle cède sur l'insistance du manipulateur malgré une première résistance;
- Ses décisions ne sont plus logiques;
- Elle se sent démunie;
- Elle perd énormément d'énergie lors de discussions et en fin de journée;
- Elle a du mal à se concentrer et à être aussi performante que son potentiel le lui permettrait;
- Elle cache sa réalité douloureuse ou honteuse aux autres;
- Elle se culpabilise de la situation et pense qu'elle peut rétablir l'équilibre seule;
- Elle garde l'espoir d'un retour à la normale, mais tombe en dépression sans même s'en rendre compte;
- Elle peut avoir des « envies de meurtre » ou plus exactement rêver que l'individu disparaisse d'un coup de la planète (par accident, le plus souvent);
- Elle peut être assaillie par des pensées suicidaires;
- Elle peut se suicider.

Or, lorsque vous êtes élevé par un parent à la personnalité narcissique, les modifications psychologiques, comportementales et physiques (maladies) ne sont pas flagrantes. La souffrance est plus sourde. Les manœuvres insidieuses « endorment » les membres de la famille, alors que chacun subit une part des conséquences énoncées ci-dessus. Je souhaite donc ajouter ici des conséquences relatives à la vie de famille.

L'impact sur les jeunes enfants

Aussi peu probable que cela paraisse, un enfant pourtant élevé par un parent manipulateur peut faire confiance de façon précoce à ses perceptions. Il s'appuie naturellement sur ce qu'il a bel et bien vu et entendu, il mémorise sans traduction déformée et est alors capable de restituer de façon neutre toutes les informations. Cet enfant-là ne voit aucunement le danger d'un tel processus. Il ne le choisit pas d'ailleurs. S'il a l'idée de confronter de manière factuelle les propos et les agissements illogiques du parent hypernarcissique pour remettre la vérité des faits en place, la foudre s'abat sur lui ! Ce profil de parent ne supporte aucune critique de quiconque, et encore moins d'un individu haut comme trois pommes qu'il veut soumettre et dominer…

L'enfant se tait-il pour autant ? Souvent, oui. Il s'adapte et laisse dire les choses auxquelles il ne donne pas crédit. Il essaye même de ne pas les laisser paraître.

Certains manient la plume à travers des poèmes ou des narrations quotidiennes dans leur journal intime. À l'instar d'Antoine, qui avait 10 ans au moment où il a écrit ce poème (que je recopie mot à mot, et qui a été découvert par sa mère) :

Le roi
Sous sa cape blanche comme la neige
pense que ses yeux sont des étoiles.
La lumière de son âme est pourtant faible,
sa noirceur plus grande que lui
où la lumière ne peut pénétrer
là où il pense, rien ne voit.

Il n'est que destruction
Mais il peut être bon
Personne ne sait comment il est.
Apparemment imbattable, il est pourtant
peut-être bon mais son cœur
peut être en pierre et finir en
enfer comme Ades. D'après lui
tout est inférieur !
Mais rien qu'un homme pacha
et bien traité
ne peut faire face
contre les autres au cœur pur.
Malgré sa force, son courage
Il n'est que mouche face au reste,
semblable aux autres, le pensent certains.
Rien ne peut vaincre les personnes unies.

Son père, divorcé de sa mère, est manipulateur. Personne ne le lui a encore dit. Et pourtant, il sent la noirceur de cet homme…

Par ailleurs, un enfant au tempérament extraverti peut, au contraire, ne jamais se résoudre à accepter un tel dysfonctionnement et continuer de défier le parent manipulateur. Ce dernier, incapable de supporter la moindre remise en question commence à détester cet enfant. Celui-ci est souvent le premier de la fratrie à quitter le domicile familial. Trop jeune, là encore…

Qu'advient-il de cet enfant parti avant l'heure de la maison ? Certains mesurent justement le bénéfice de tout un apprentissage à l'autonomie et construisent leur début de vie avec la détermination de réussir malgré le manque d'amour de ce parent. Je pense que cela est d'autant plus possible, malgré la rudesse du vécu des jeunes d'à peine 18 ans, s'il obtient le soutien affectif de l'autre parent ou d'un membre très présent de la famille. Cet enfant sait qu'il est aimé par ailleurs et il peut construire sa vie.

D'autres enfants de parents à la personnalité narcissique ne s'en sortent pas si bien. Ni psychologiquement ni matériellement. Pour quelques-uns, la rébellion les fait réagir et partir sans planifier une suite à leur existence. Alors, ils errent sans le soutien d'autres membres familiaux. La perturbation qui s'ensuit et leur manque de maturité affective leur font faire de sordides rencontres. Certains plongent dans l'alcool ou la drogue. D'autres « s'alimentent » de psychotropes (antidépresseurs, anxiolytiques, etc.). Ils se sentent nuls et incapables… Ils se perdent dans les tréfonds de la dépression et certains se suicident (et se ratent aussi).

Pousser droit malgré la présence quotidienne d'un parent pathologique narcissique est possible. Plusieurs facteurs y contribuent :

- la présence gratifiante de l'autre parent (ou d'un beau-père ou d'une belle-mère) ;
- la présence d'un grand-parent, d'une tante ou d'un oncle qui compense les carences affectives ;
- un esprit critique assumé (« bon sens ») ;
- une confiance en ses perceptions et ses jugements ;
- une prédisposition génétique : tempérament, énergie psychique, énergie physique, absence de maladie mentale…
- une tendance naturelle à l'optimisme et à appréhender le bonheur quoi qu'il arrive ;
- des soutiens intellectuels et affectifs extérieurs ;
- etc.

Valérie n'avait que 15 ans lorsqu'elle m'a écrit. Elle venait de terminer la lecture de *Les manipulateurs et l'amour*. Voici ses propos d'alors :

À cause du divorce de mes parents, mon père a obtenu ma garde un week-end sur deux. Mais il vit dans un studio avec sa compagne de…

18 ans ! Il en a 45 ! Il me reproche de ne pas venir suffisamment souvent, il dit que ma mère essaye de me monter contre lui.

1) Ma mère m'oblige à y aller ; je déteste aller chez lui.

2) Je ne peux pas dormir là-bas, étant donné le peu de place qui m'est laissé pour respirer.

3) Quand je suis chez lui, il est rarement là et je passe mes journées à lire ou à regarder la télévision (quel épanouissement !).

Dès qu'il y a quelqu'un dans l'entourage, il se plaint de ne pas me voir assez souvent, il est triste à cause de moi, il est malheureux et devient malade… Mais une fois que je suis chez lui, hop, il m'oublie !

J'ai toujours su me défendre de ses manipulations depuis que je suis toute petite… Enfin, pas vraiment me défendre, mais rester au-dessus de ce qu'il me disait. Je me fichais éperdument de ce qu'il me disait et je restais silencieuse. Il croyait que mon silence était une approbation ou je ne sais quoi ; bref, il a toujours cru que j'étais de son côté.

Mais bon, est venue l'adolescence, la fameuse crise d'identification, d'affirmation de soi… et un jour, j'ai en ai réellement eu marre. Je lui ai tout craché à la figure ; ça a duré des heures : je lui ai tout déballé. Ça a donné quelque chose du genre : « J'ai bien compris que tu voulais que tout tourne autour de toi et j'ai toujours essayé de subvenir à tes besoins ! Ne me dis pas que je suis égoïste parce que si je viens chez toi, c'est pour TOI ! Moi je déteste venir chez toi, tu fais comme si je n'existais pas, t'as oublié que je suis tout de même une partie de toi ? N'essaye pas de faire revenir la faute sur maman ! Là, je parle de toi, de toi seul, t'es pas parfait ! Tu n'es pas la personne cultivée et réfléchie, sentimentale et compréhensive que tu laisses croire aux autres ! Tu n'es rien, tu ne sais rien ! Essaye de te rendre compte que tu n'es pas l'homme parfait auquel tu veux croire ! J'en ai marre de venir chez toi et qu'à chaque fois, tu me sortes la même rengaine : que c'est ma faute, que c'est à cause de maman ! Ça fait une dizaine d'années que je sais que tout ce que tu dis n'est que mensonges ! J'ai toujours su que tu ne disais jamais la vérité. Tout ce qui sort de ta bouche ne peut être que méchanceté ou ironie. Tu ne sais pas vivre seul, tu ne sais prendre AUCUNE responsabilité ! J'ai toujours souhaité que tu changes, on te tendait des perches pour que tu puisses changer, mais non, tu es bien trop intelligent pour cela, c'est toi qui es parfait et ce sont les autres qui ne se rendent même pas compte que tu es génial ! Si tu étais si génial que ça, tu saurais te remettre en question, tu saurais t'exprimer sans utiliser la violence verbale ou physique !» Et j'ai conclu en disant que c'était un manipulateur.

Enfin, depuis cette dispute (qui a tout de même duré quelques heures), je ne vois plus mon père, mais il téléphone encore chez ma mère. Il fait des appels anonymes, nous harcèle, mais comme il voit que de toute façon, on s'en fiche, il arrête petit à petit.

Vous ne pouvez pas savoir à quel point ça peut faire du bien de raconter sa propre histoire (ou du moins en partie) à quelqu'un qui peut comprendre ce qu'on ressent et qui connaît les masques des manipulateurs. Voilà… il n'y a pas grand intérêt à ce message mais qu'est-ce que ça fait du bien !

Valérie, m'a réécrit 10 ans plus tard. J'aimerais vous faire part de la suite des événements :

J'ai fini par espacer mes visites, à ne plus lui donner de nouvelles pour tenter un éloignement définitif, changer de numéro et faire la morte.

Je sais que pour beaucoup, ça paraît fort lâche, mais pour une fois, j'ai pensé à moi. J'étais trop jeune pour l'affronter, j'avais probablement trop peur aussi. Mais je n'avais qu'une envie, me distancer de ce père bourreau et manipulateur et profiter de la nouvelle famille que ma mère et mon beau-père m'offraient, une stabilité, un confort familial que je n'avais jamais connu. Et parfois, la solution la plus simple est la meilleure : je voulais qu'il oublie mon existence, alors j'ai tout fait pour être oubliée.

De façon intermittente, il «flambait», c'est le terme que ma mère et moi utilisions pour définir ses comportements violents et explosifs : il venait jusque chez nous, hurlait dans la rue, nous insultait, tapait sur les voitures garées, nous appelait au milieu de la nuit (il avait réussi, d'une manière ou d'une autre, à connaître notre numéro de téléphone fixe) sans dire un mot... Pendant quelques mois, c'était le calme plat, puis il revenait à la charge.

Pendant plusieurs années, j'ai laissé le temps et le silence faire leur travail. Je n'ai plus eu de nouvelles, à part quelques coups de fil anonymes que je lui ai toujours crédités.

Il y a encore eu des rebondissements car son comportement n'a jamais dérogé à la règle des manipulateurs : il a superposé plusieurs relations en même temps, quitte à se mettre « en garde alternée » ! Il allait une semaine sur deux chez l'une de ses compagnes et la semaine suivante chez une autre. Il a réussi à faire accepter cette situation à des femmes parfois très intelligentes, mais complètement tombées sous le charme de ce charlatan.

Je ne veux plus le voir. Je me porte mieux depuis qu'il n'est plus dans mon entourage. J'ai l'impression de m'épanouir enfin.

Il m'a cependant laissé des cicatrices psychologiques indubitables. Je suis méfiante de toute forme d'attachement, tout homme me paraît douteux car possiblement manipulateur. Je mets des années à faire confiance à quelqu'un, lorsque j'y arrive.

Mais je suis tellement heureuse d'avoir su m'en défaire. On a souvent l'impression qu'il est trop tard pour se détacher de ce genre de personne, qu'il nous a déjà trop brisés. C'est tellement faux. Il est toujours temps, chaque année qui passe, je respire mieux que l'année précédente.

Quand un enfant se sacrifie

Les deux plus grandes victimes des personnalités narcissiques sont le conjoint et l'enfant (les enfants). Comme nous l'avons évoqué dans un chapitre précédent, certains jeunes détectent l'aspect aberrant, fou et anormal des propos et des actes de leur parent, sans pouvoir imaginer qu'il existe un diagnostic correspondant. Pourtant, ils se montrent parfois plus rapides à réagir que leur autre parent qui, lui, subit les foudres et l'écrasement au quotidien. C'est ainsi que certains enfants réclament avant l'âge de 15 ans le divorce de leurs parents. Et dans un cas de séparation, ils n'ont pas l'intention de se domicilier chez le parent pathologique. Enfin… le plus souvent! Car il existe des enfants qui se sacrifient.

Ce sont ceux qui manquent de conscience et de discernement (ce qui est courant à l'enfance, évidemment), qui sont souvent plus privilégiés que le reste de la fratrie (ils reçoivent plus d'attentions positives de la part du parent manipulateur); enfin, ils se sentent coupables de tout. En général, ils se sentent l'unique responsable du parent! Pour ne pas laisser le parent seul, ils demanderont à habiter avec lui, quitte à se séparer de leur fratrie pourtant sécurisante. Les conjoints de telles personnalités qui ont des enfants et se séparent redoutent qu'un de ces derniers soit «aliéné» par la manipulation mentale de l'autre. Ils n'ont pas tort. Le jeune mineur qui arbore le plus de comportements apaisants est à risque de ce que l'on appelle l'aliénation parentale. Il hait les conflits au point de vouloir y échapper à tout prix. Le parent hypernarcissique fait valoir des arguments laissant penser à sa progéniture qu'il sera totalement abandonné et ruiné, à la rue, au bord de la déchéance, voire de la mort, si l'enfant «l'abandonne» aussi lors de cette séparation conjugale. L'enfant de moins de 15 ou 16 ans a encore beaucoup d'imagination et se sent, de façon irrationnelle, responsable de ce qui arrive aux membres de la famille. Certains pensent même avoir une responsabilité dans la rupture parentale. Trop jeunes, ils ne perçoivent pas avec clairvoyance que cette rupture est une rupture conjugale; celle d'un couple; celle d'un homme et d'une femme. Le parent pervers narcissique va alors tenter d'inclure ce jeune dans le processus de séparation, comme s'il s'agissait d'un ami ou d'un confident. Informer son enfant que l'on va divorcer ou se séparer est une chose juste; lui montrer des documents juridiques ou l'informer étape par étape de la procédure est au-delà de ce qu'un jeune peut absorber. D'autant qu'il n'a aucun pouvoir d'influence sur un futur jugement (sauf s'il réclame d'être entendu par un juge). Autrement dit, le parent qui se permet de lui faire suivre « l'affaire » sur le plan juridique avec menus détails le met dans une situation d'impuissance et crée donc chez lui un sentiment diffus d'anxiété et d'inquiétude.

Chaque situation doit être évaluée en émettant des hypothèses les plus adaptées à la réalité. D'une part, tous les enfants ne sont pas manipulables; d'autre part, il est encore possible de convaincre un jeune qu'il ne doit se sacrifier pour aucun parent. Seul l'intérêt personnel d'une personnalité narcissique compte, mais l'enfant ne l'envisage pas. Il ne se méfie pas, ne juge pas. Il faut alors expliquer qu'un parent est un adulte et que ses ressources sont beaucoup plus importantes que celles d'un jeune, même adolescent. On peut lui expliquer qu'un adulte fait des choix, alors que les enfants sont encore dépendants et n'ont pas la maturité suffisante pour prendre des décisions de cette envergure. Les jeunes n'abandonnent pas les parents au sens littéral du terme. Lui démontrer que l'autre parent a des ressources cachées est une nécessité. Encore faut-il que le parent l'ait lui-même compris assez tôt pour ne pas se laisser envahir par la culpabilité de quitter quelqu'un de pathologique!

Comment aider un enfant à ne pas se laisser manipuler?

La réponse à cette question se résume ainsi: **en développant son esprit critique**.

Dès l'âge de trois ou quatre ans, le petit va affirmer des inepties entendues par un parent pathologique. L'enfant croit à la vision de la vie qu'on lui offre. Il intègre les valeurs prioritaires de ses parents sans se poser de questions. Et justement, augmenter l'esprit critique d'autrui consiste à **lui poser des questions qui le confrontent à sa réalité** afin qu'il y réponde. Le parent qui manipule invente des mensonges, même les plus ahurissants. L'enfant reproduit ces propos auprès de l'autre parent. Ce dernier est médusé et suffoque à l'idée que son enfant croie fermement à de telles aberrations, calomnies ou contre-vérités. Son premier réflexe est soit de protéger l'estime personnelle de son enfant, soit de se défendre en prouvant son innocence. Il fournit des explications en étant irrité, voire véhément. Cette réaction est instinctive. Mais dans le cas où le parent accusé injustement réagit vivement, l'enfant se raidit, incapable de contre-argumenter face à une réplique qu'il ressent comme agressive. Or, il est plus efficace de poser des questions à l'enfant que d'avancer des preuves du mensonge de l'autre parent. Ainsi, le cerveau de l'enfant se met au travail! Il en déduit progressivement de façon rationnelle que la première version entendue n'avait effectivement pas de sens.

Bérénice a réagi du mieux qu'elle a pu dans cette démarche de questionnement lorsque son garçon de huit ans et demi lui a annoncé: «Papa, il dit que je suis un égoïste.»

Bérénice a répliqué:

— *«Ah bon! Et qu'est-ce que tu en penses, toi? Quand tu partages ton goûter avec Victor, comme tu l'as fait à l'étude, est-ce que tu penses que tu es égoïste?*

— *Non.*

— *Et quand on passe chercher Martin le mercredi pour l'amener au rugby, et que tu rigoles avec lui, est-ce que tu penses que tu es égoïste?*

— *Non.*

— *Et quand tu invites Édouard pour jouer à la maison, est-ce que tu penses que tu es égoïste?*

— *Non.*

— *Franchement chéri, est-ce que toi tu penses que tu es égoïste?*

— *Non.»*

Depuis qu'elle a su lui faire utiliser son discernement, son fils a également dit les choses suivantes: *«Papa, il a dû avoir un problème dans son enfance !»* et *« Ce n'est pas parce que son père à lui ne l'a pas aimé qu'il doit traiter son fils comme ça, bon sang !»*

L'approche dont je vous parle est connue sous le nom de thérapie cognitive (d'Aaron Beck), ou de stratégie rationnelle émotive (d'Albert Ellis). Elle consiste à poser des questions neutres afin de confronter une croyance, une cognition, avec le réel.

La façon dont Bérénice a questionné son fils dans l'exemple est une pratique différente de ce qu'elle aurait naturellement fait. Si vous deviez l'utiliser vous-même vis-à-vis d'un enfant qui affirme des pensées irrationnelles, je vous propose de commencer *d'abord* par être encore plus *neutre* que Bérénice. Ne suggérez pas tout de suite des faits; attendez qu'il les cherche lui-même par une question du type (selon l'exemple précédent): «Te souviens-tu quand tu as été généreux pour la dernière fois ?» puis, à sa première réponse, ajoutez: «et puis quand encore ?», jusqu'à ce que l'enfant semble changer de physionomie, transformant son émotion négative en une énergie plus positive. Alors il change de posture, se tient plus droit, recommence à sourire, et change d'intonation par exemple, puis il arrive à une conclusion contraire à la première ou réalise soudain que « c'est plutôt lui, l'égoïste !» (le père). Quand l'enfant ou l'ado s'exclame que son père (ou sa mère) ne l'aime pas (en son absence), le réflexe de l'autre parent est de le contredire. Autrement dit, l'adulte protège l'image de parent parfait de l'autre parent, pourtant très dysfonctionnel ! **Et si maintenant, vous arrêtiez de protéger l'adulte et commenciez à renforcer la perception du jeune ?** Répondre : « Malheureusement, il (elle) n'aime personne !» crée beaucoup plus de soulagement que l'on imagine. Quand un enfant devient lucide et qu'il essaie d'en parler à un adulte qui lui reproche sa perception (« Mais non, bien sûr qu'il t'aime !»), ou la nie («Tu te fais des idées !»), l'enfant se sent très seul. Il risque même de ne plus confier ses sentiments concernant son parent qui lui pose problème. Mais je pense qu'il est trop jeune pour recevoir une réplique du style : « Oui, tu as raison, il ne t'aime pas ! » Cette réponse est beaucoup trop personnalisée et l'enfant ou l'adolescent risque de la ruminer en boucle pendant très longtemps.

Pour en revenir à la méthode qui recommande de poser des questions pour contrer une idée absurde, je dois vous prévenir qu'elle va vous prendre plus de temps que si vous présentez directement les faits ou énoncez votre point de vue. Mais elle permet à l'enfant de développer son esprit critique en poussant à fond son raisonnement (grâce à vos questions) ; de la même manière, Socrate poussait ses élèves dans leurs retranchements. Cette approche s'appelle d'ailleurs le dialogue socratique. Je l'ai mentionnée à plusieurs reprises dans mes ouvrages précédents. Elle permet de garder un esprit rationnel face aux diverses manipulations mentales.

Quand il devient urgent de partir

Que les parents soient séparés ou encore ensemble ne change rien au fait que les jeunes souffrent silencieusement (pour la plupart) dès qu'ils vivent sous le même toit que leur parent pervers narcissique. Les cadeaux ou les bons repas des premiers jours (en cas de divorce) ne changent pas l'hypervigilance que doivent mettre en place tous ces enfants. Par expérience, ils savent que la trêve ne dure pas plus de trois jours !

Cette suradaptation est épuisante et douloureuse. De nombreux enfants et adolescents pleurent dans leur chambre. Beaucoup ont des idées suicidaires (peu passent à l'acte, heureusement !) qu'ils livrent à leur journal intime. Ils rêvent d'une autre vie. Et vite !

Lucie et son frère se sont effacés de la vie de leur mère de deux manières différentes ; l'une étant dramatique et irréversible :

Pour échapper à la cruauté de ma génitrice, c'est sans amour que je me suis mariée en abandonnant mon frère de trois ans et demi mon aîné à la cruauté mentale de notre mère. Pourtant, notre amour l'un pour l'autre était fraternel et fusionnel. Mon frère, n'ayant pas supporté mon départ, s'est jeté d'un train alors qu'il projetait passer 10 jours de vacances. Je suis convaincue que sa mort violente est due à la morbidité de ma mère, qui s'est empressée d'ailleurs de me rendre responsable de cet acte…

Nous ne savons pas actuellement combien de suicides seraient dus à des relations insupportables avec des pervers. Je les soupçonne d'être majoritaires…

Les humains sont dotés de nombreuses ressources psychiques pour survivre à beaucoup d'épreuves, quelles qu'elles soient. La fuite est la stratégie la plus répandue. Soit elle est mentale (ce qui est inefficace sur le long terme car toute communication sincère est bannie), soit elle est physique – le plus souvent géographique ! Beaucoup d'enfants de mères manipulatrices ont mis spontanément des centaines ou des milliers de kilomètres entre eux. Question de survie ! Cependant, tous n'ont pas compris sur le moment pourquoi ils étaient allés vivre si loin…

Françoise, l'a compris sur le tard :

Je pensais que mon envol à 25 ans était une décision libre et réfléchie de ma part. Mais il y a peu de temps, en me remémorant les événements, je me suis souvenue que rien n'allait correctement. Avant mon départ, j'avais arrêté de faire la bonne à tout faire au domicile de mes parents, de faire le ménage, le repassage, etc. Si j'avais le malheur de demander d'aller voir mon futur époux, en général le mercredi quand il rentrait de déplacement, je déclenchais leurs foudres. Des cris, des reproches de la part de ma mère, et mon père, excédé, en rajoutait. Mon futur époux avait décidé d'emménager seul, mais 15 jours avant qu'il le fasse, je lui ai proposé d'emménager avec lui. La raison, qui est pour moi évidente à présent, était de fuir l'emprise destructrice et insupportable de mes parents.

Une fois les obligations scolaires achevées, il tarde aux enfants d'une mère hypernarcissique de partir au plus tôt. Il est fréquent de constater, parmi les témoignages, que des filles et des garçons ont quitté le foyer dès l'âge de 16 ou 17 ans ! En revanche, cela ne semble pas être le cas des enfants uniques. N'oubliez pas que les femmes manipulatrices qui ont plus d'un enfant mettent en place, lorsque ceux-ci sont très jeunes, un ensemble de procédés afin que chacun devienne autonome très tôt (entre 12 et 16 ans). Ainsi, lorsque les jeunes partent, chacun y trouve son compte…

Malheureusement, comme nous l'avons vu précédemment, dans le cas d'un jeune enfant dont les parents se sépareraient, un enfant de la fratrie devenu adulte peut se sacrifier et « prendre soin » de son parent lâchement *abandonné* par les autres ! Est-il alors dévoué d'emblée à cette tâche si généreuse de rester le confident, le parent de son parent ? Ce phénomène existe même si la mère manipulatrice est en couple.

Quand la famille se retourne contre vous

Lorsque les manœuvres tordues de la mère manipulatrice ne fonctionnent plus à souhait auprès d'un de ses enfants adultes, la sanction tombe ! Certes, elle rompt la communication en boudant, comme à son habitude, si on la contrarie ; mais elle est prompte à aller au-delà par besoin de vengeance, pour rétablir son idée toute personnelle du pouvoir et pour reprendre la maîtrise de la situation. En quelques heures, elle raconte aux autres membres de la famille la situation de confrontation qui a dégénéré avec vous. Manquant volontairement d'objectivité, elle narre l'événement à son avantage, en se victimisant, afin que l'on comprenne que VOTRE comportement ou VOS propos ont été belliqueux et inadmissibles et que vous avez lancé les hostilités ! Si les membres de la famille n'entendent pas votre version dans les heures qui suivent le désaccord, ils intègrent la première narration entendue comme la seule vérité. Sachez que celui qui partage et qui communique en premier sur une « affaire » familiale (qui n'est le plus souvent qu'anecdotique) donne une preuve de confiance à celui qui l'écoute. Ce dernier peut se sentir honoré d'une telle confiance et prendre très rapidement parti pour celui qui a osé lui parler.

Pour empêcher l'influence des médisances ou des rumeurs à votre encontre, vous avez intérêt à téléphoner dans l'heure aux membres de votre famille et à votre entourage (et non pas quelques jours après, car la manipulatrice aura appelé avant !). Cela vous évitera sûrement ce qui est arrivé à Françoise :

Il y a trois ans, je me suis disputée avec ma mère à propos de son « pouvoir » sur mon fils et de son « droit de le traiter de menteur ». Le soir même, elle a déformé la réalité en ma présence lorsqu'elle a raconté l'histoire à mon père qui venait dîner chez mon mari et moi. C'est alors que j'ai décidé pour la première fois de dire à ma mère que sa présence n'était plus souhaitée en ma demeure. Cette décision radicale m'a coûté une rupture totale avec toute la famille.

J'ai appris que le soir même, elle a également rapporté des propos exagérés, déformés ou carrément inventés à ma sœur et à mon frère. Des rumeurs sur mon compte ont couru pendant plus d'un an. Elle m'a fabriqué une nouvelle réputation auprès de nombreuses personnes (pas si proches de moi finalement), dont la communauté portugaise de ma ville. Ma mère a aussi tenté d'entacher mon image auprès de la famille de mon époux, mais heureusement sans succès. Eux m'ont permis de traverser l'ensemble de ces épreuves. Pendant trois ans, je suis devenue une pestiférée pour ma famille proche et plus lointaine, le voisinage, les commerçants (j'ai habité ma ville natale pendant plus de 40 ans). Pour bon nombre, j'étais la fille ingrate qui abandonnait sa mère, « la pauvre handicapée » devenue veuve !

L'un des derniers mariages auquel j'ai assisté a été celui du fils de mon oncle paternel, récemment décédé. Ma tante, qui a été très proche de ma mère ces dernières années, et que je soupçonne d'être également manipulatrice, m'a ignorée durant tout le mariage, comme une partie de la famille de mon père. Nous étions des parias, tout comme la sœur du marié, car elle s'était mariée la même année que son frère ! Ma tante nous a placés à table avec des personnes totalement inconnues, loin des tables de notre famille. Même durant les séances photos avec les mariés, ceux-ci ne nous ont pas adressé la parole. C'est le premier mariage où je n'ai pas dansé, moi qui adore pourtant ces moments de légèreté. Nous sommes partis très tôt, d'un commun accord avec mon époux.

Ce phénomène de « mise au placard » d'un groupe a été étudié dans le milieu professionnel. La médisance, les rumeurs, le rejet du groupe sans que le bouc émissaire n'en connaisse la véritable cause, l'ignorance dans lequel on le tient au sujet de tout ce qui concerne le groupe (tel qu'une réunion) ou ses membres (l'absence prolongée de quelqu'un ou un changement significatif, par exemple), sont les formes habituelles que prend le *mobbing*.

Heinz Leymann a décrit dans ses recherches ce phénomène d'exclusion d'un de ses membres par presque tout un groupe, selon 45 agissements possibles[9].

J'appelle ainsi « *mobbing* familial » l'exclusion sans raisons personnelles d'un membre par le reste de la famille. Ce qui peut paraître ahurissant, c'est que cela provient des manigances d'une mère vis-à-vis d'un de ses propres enfants. Nous avons vu que le manque de véritable amour associé à un égocentrisme exacerbé pour tenir un semblant d'équilibre identitaire en sont sûrement l'explication la plus plausible.

Françoise continue :

Chaque réunion familiale (proche ou plus éloignée) est devenue un véritable calvaire, pour moi et les miens, et ce, depuis trois ans maintenant.

---

9. Heinz Leymann, *Le mobbing – La persécution au travail*, Seuil.

Malgré le recul acquis au fil du temps, ces moments accentuent les intrigues familiales, les rejets des uns ou l'ignorance des autres. La souffrance est dans le mobbing *et les rejets vécus, mais surtout, dans la remise en question de tout un passé, qui m'avait semblé heureux et sans soucis. Quelle dégringolade !*

L'exclusion liée au *mobbing* familial implique qu'on ne vous informe plus de ce qui vous intéresse depuis toujours : ce qui arrive à votre clan.

Les mauvaises et les bonnes nouvelles vous sont cachées par votre mère manipulatrice. Florence, dont la mère et la sœur sont toutes deux dotées d'une personnalité narcissique aux effets dévastateurs, résume parfaitement bien le processus :

Ma sœur aînée, manipulatrice tout comme ma mère, m'a d'abord coupée de ses filles ; puis de ma mère de plus en plus. Ni ma mère ni ma sœur ne m'informaient des réunions de famille telles que les enterrements de mes tantes, des maladies des membres de notre famille, des mariages (sauf une fois qu'ils étaient passés), de l'enterrement de la mère de mon beau-frère, m'isolant aussi de mes cousins, faisant état de mensonges, de rumeurs ou aggravant la vérité et ne donnant pas mes coordonnées lorsque ces derniers demandaient de mes nouvelles.

Françoise poursuit par un autre exemple. La configuration pathologique de sa famille ressemble à celle de Florence : sa mère et sa sœur sont manipulatrices.

J'ai appris le décès de mon oncle paternel sur Facebook, grâce à un cousin au troisième degré domicilié au Portugal ! Ni ma sœur ni ma mère ne m'en ont informée. En revanche, mon frère qui vit en Irlande a tardé mais m'a envoyé un SMS pour me prévenir. Je ne sais pas si j'étais plus attristée par le décès de mon oncle ou par la réaction incompréhensible de celle que j'ai appelée pendant longtemps ma « petite sœur », qui a été incapable de surmonter son ressentiment, même dans des moments aussi douloureux. Eh oui, malheureusement, j'ai aussi une sœur manipulatrice…

Ainsi, dans les deux exemples précédents, on observe le même réflexe de ces deux femmes perverses narcissiques : ne pas informer celle qui se distingue, la fille pour l'une, la sœur pour l'autre.

Un contrecoup se produit à votre insu et à votre détriment : n'étant pas informé d'un décès, d'une naissance ou d'un mariage, vous passez pour incivil, discourtois, irrévérencieux, voire insolent ! En effet, comment auriez-vous pu remercier vos proches de l'invitation jamais transmise par votre mère ? Comment auriez-vous pu vous rendre aux funérailles à temps ? Mais personne ne semble soupçonner que votre mère ne vous en a jamais avisé, tout en ayant promis bien sûr de retransmettre l'invitation…

Denis en a été témoin :

Ma mère sait très bien que feu son mari aimait beaucoup sa cousine germaine. Pourtant elle ne l'a pas avertie du décès de mon père ! J'ai été choqué de ce choix et je le lui ai dit. Sans effet…

La cousine germaine n'est pas venue à l'enterrement de son cher cousin ? Quelle impolitesse ! Quel mépris ! Que s'est-il passé de si grave entre eux ? Il serait logique que les personnes en présence lors des funérailles soient troublées d'une telle absence. Elles peuvent douter alors de la bienveillance ou de la personnalité de la cousine. Sans compter que cette dernière souffrira du regret de ne pas avoir accompagné son cousin bien-aimé dans sa dernière demeure. Une seule personne a créé ce drame…

Renouer avec une partie de la famille

Sabrina a vécu un *mobbing* familial :

Ma mère, manipulatrice perverse de caractère à 27 caractéristiques sur 30, nous a rendus, mon père et moi, seuls responsables de ses malheurs aux yeux de presque toute ma famille ! Au bout d'un an de rupture et après qu'elle eut déménagé sans me prévenir, elle a demandé à ma tante de me contacter par Internet. Les courriels que m'a envoyés ma tante étaient remplis d'accusations de tout genre : j'étais une fille indigne qui avait abandonné sa mère malade ! Celle-ci refusait de se soigner et ma tante m'exhortait de m'occuper d'elle au lieu de vivre « égoïstement » ma vie. Je lui ai simplement répondu que mes tentatives d'aide avaient toutes échoué et que ma mère devait apprendre à s'en sortir seule, comme je l'avais fait, en se remettant notamment en question. Cela m'a valu encore plus d'insultes dans les deux courriels suivants ! Bien que j'aie tenté d'expliquer le malaise que je ressentais vis-à-vis de ma mère, je me suis rendu compte qu'il s'agissait d'un dialogue de sourds et j'ai fini par ne plus répondre. Je persévère à rester moi-même, à apprendre à vivre en paix, avec le soutien de gens qui m'apprécient comme je suis, et à améliorer mon estime de moi. Enfin, j'ai eu la joie de réaliser que tout le monde ne me jugeait pas dans la famille ! Une de mes cousines a gardé le contact avec moi, virtuellement uniquement, car nous savions quelle foudre elle encourrait si elle me fréquentait réellement. Dans son dernier message, elle m'a expliqué que ma mère l'a harcelée pour qu'elle me dise à quel point je me trompais et que ce que je disais dans mes courriels était faux ! Ma mère a parallèlement fait la même démarche auprès de la mère de ma cousine, la seule de mes tantes qui soit toujours restée à l'écart des conflits familiaux. Toutes les deux ont refusé d'intervenir. Ma cousine m'a alors proposé de nous revoir, sans tenir compte désormais des opinions du reste de la famille. Pour moi, c'est une grande marque de reconnaissance de sa part. Ne plus être jugée, être simplement acceptée telle que je suis, avec mes défauts aussi bien qu'avec mes qualités, est un soulagement indéfinissable…

Contrairement à ce que croit la majorité des victimes de *mobbing*, tout l'entourage n'est pas acquis à la cause de la manipulatrice. En effet, certains membres cachent leur vision critique des agissements d'un individu associé au groupe et qu'ils ne cautionnent aucunement. Or, dans l'esprit de la plupart d'entre vous, « qui ne dit mot, consent ». Il n'y a rien de plus faux dans le contexte qui nous intéresse : fuir la confrontation est un réflexe des gens sages qui savent d'instinct qu'une prise de position sera inefficace et perçue comme belliqueuse. De plus, combien d'entre vous sont confus, démunis, estomaqués ou sidérés en présence d'attitudes aberrantes d'un individu pathologique ? J'ajouterais à la décharge des membres de la famille qui n'auraient pas manifesté spontanément leurs positions et leur désaveu, qu'il ne leur est pas évident que vous, l'enfant de son parent, ayez ouvert les yeux d'une part et que vous soyez critique vis-à-vis de votre géniteur d'autre part. Comment le sauraient-ils si vous ne leur en parlez pas d'abord ?

Par ailleurs, bon nombre d'humains confondent la critique et la médisance. Comme ils ne veulent pas passer pour médisants, ils s'abstiennent d'émettre une quelconque critique même s'ils n'en pensent pas moins.

Ne vous arrêtez pas aux apparences : **certains membres de votre famille vous plaignent en secret depuis longtemps...**

Françoise a profité de funérailles pour reprendre contact :

Je me suis rendue aux obsèques de mon oncle paternel, même si je ne l'ai pas vu souvent et qu'il ne m'a pas adressé la parole aux obsèques de mon père quelques mois plus tôt – tout comme mes autres oncles d'ailleurs. Cela a été malgré tout un des meilleurs choix que j'ai faits depuis longtemps. J'ai discuté avec une partie de ma famille paternelle. J'ai découvert qu'elle s'interrogeait sur le comportement de ma mère ; qu'elle comprenait et qu'elle respectait mon choix d'éloignement géographique. J'ai alors retrouvé un sentiment d'appartenance.

J'ai renoué des liens qui avaient été cassés directement ou indirectement par ma mère.

Le sentiment de rejet est selon moi le pire que puisse ressentir un être humain. Le processus de *mobbing* familial est donc l'un des plus pervers qu'utilisent les personnalités narcissiques. Elles prennent le risque de diviser la famille en clans et n'hésitent pas à évincer toute protection autour d'un membre que l'on isole. Et pas n'importe qui : sa progéniture !

Des séparations récurrentes à la rupture définitive

Nous avons établi que le réflexe général de tous ceux qui côtoient un manipulateur consiste à s'adonner à des comportements d'apaisement (exemple : rire de ses blagues, sourire à ses propos, le flatter, lui offrir des cadeaux, etc.) le but étant d'éviter le conflit ouvert malgré la tension qui peut devenir insoutenable. Ce sont le plus souvent des comportements dits d'évitement. Autrement dit, moins vous voyez ou vous échangez avec l'individu perturbateur, mieux vous vous portez ! Soit ces comportements sont déjà installés en prévention du contact (par exemple : « Si elle est là, je ne viens pas »), et dans ce cas, il s'agit d'un évitement total ; soit un autre type d'évitement est mis en œuvre alors que le contact est établi : l'évitement subtil.

Parmi les évitements subtils efficaces lorsque vous devez recevoir ou visiter un parent (ou un grand-parent) manipulateur, vous pouvez agir des façons suivantes :

- allumer la télévision pour faire diversion ;
- jouer à un jeu de société où vous avez peu de chances de discuter, donc de vous disputer : le Scrabble remplit bien cette mission ;
- feuilleter des albums photos ;

- mentir ou omettre de donner certaines nouvelles;
- prévoir des visites touristiques avec des horaires préétablis (sinon on risque de ne pas bouger du domicile);
- présenter des articles de journaux et de magazines afin de les commenter;
- faire venir une tierce personne qu'il ne connaît pas (et qu'on aura prévenue du caractère séducteur et trompeur du personnage).

« Agir » un évitement peut sembler paradoxal. Éviter implique de ne pas passer à l'action le plus souvent. Mais pas seulement cela. En effet, je préconise que l'évitement soit anticipé et préparé concrètement. L'idéal est d'élaborer plusieurs scénarios d'évitement afin de diversifier les activités de la journée et d'éviter l'implosion (la vôtre) ou l'explosion. Autrement dit, ces conduites sont cogitées, sélectionnées et activées afin de vous permettre une relative maîtrise de la situation (repas, visite, journée, événements traditionnels, hébergement, et au pire, vacances).

Martine nous partage une de ses stratégies pour éviter que sa mère l'envahisse également à sa résidence secondaire:

Je me donne l'obligation de faire semblant, comme par exemple, de ne pas montrer à ma mère que ça m'ennuie de l'emmener encore à la campagne. J'ai cherché des ruses pour échapper au système dans lequel elle m'engluait: au lieu d'y aller en voiture, je prends le métro, puis le train, puis le bus pour aller à la campagne! Ce trajet lui est impossible à son âge, si bien que je ne l'emmène plus chez moi.

Élaborer de telles stratégies demande de l'originalité, mais surtout de l'énergie. Car, somme toute, il s'agit bien de gérer une situation que l'on sait potentiellement explosive. Vous allez devoir être hypocrite pendant quelques heures (de grâce, évitez les vacances!), tout en sachant que cela va vous épuiser. D'où le soulagement ressenti quand le manipulateur quitte les lieux.

Le but de mettre en place les évitements subtils, en plus des comportements d'apaisement (ne pas relever les inepties et les mensonges en sont encore d'autres), est de garder une maîtrise somme toute relative et d'empêcher que le moment passé ensemble soit gâché.

D'un autre côté, si vous trouvez que votre approche d'apaisement est inefficace, il vous reste celle de l'évitement total: ne plus voir le manipulateur. Certains d'entre vous devront se libérer de leur culpabilité de mettre une telle distance…

C'est elle ou lui qui vous... quitte!

Dans les propos précédents, je vous suggère des attitudes pour mieux maîtriser l'ambiance des moments passés avec une personnalité narcissique. Néanmoins, vous pouvez décider de ne plus revoir un parent aussi toxique ou destructeur (ou un autre membre de la famille souffrant de la même pathologie).

Or, il arrive aussi fréquemment qu'un parent de ce profil ne vous donne plus signe de vie! Autrement dit, c'est le manipulateur qui vous évite totalement! Le piège commence: vous souhaitez depuis longtemps limiter ou abolir tout contact, mais au moment où cela se produit sans votre consentement direct et que la décision ne vient pas de vous, cela vous perturbe. Qu'avez-vous donc fait ou dit de si horrible, de si insoutenable? Est-ce qu'il (elle) fait la tête? Est-ce à vous de le rappeler? Cet état de fait n'est pas nécessairement un piège tendu volontairement. Malgré tout, cela peut être un test pour vérifier si vous allez de nouveau faire le premier pas, comme pour demander pardon. Mais je pense à une autre hypothèse: **vous ne l'intéressez pas**! Son ego n'étant plus suffisamment nourri par vos soins, il (elle) ne pense tout simplement pas à prendre de vos nouvelles! Les deux hypothèses sont plausibles. La mère de Denis procède ainsi:

Depuis des années, c'est moi qui l'appelle environ une fois par semaine. Mais quand je suis très en colère contre elle à la suite d'une visite ou après une conversation téléphonique, je ne l'appelle plus pendant trois semaines, voire trois mois. Même si je n'appelle pas pendant un certain temps, elle ne décrochera le téléphone pour m'appeler qu'une fois tous les six mois. Selon les discussions, elle me raccroche au nez. Il m'arrive aussi, beaucoup plus rarement, de lui faire subir la même chose. Par ailleurs, elle ne m'écrit jamais.

Il existe des mères qui changent de vie, de métier, de domicile, de pays, de numéro de téléphone et qui n'en informent nullement leurs propres enfants (ou seulement quelques-uns d'entre eux). Encore un comportement très normal, n'est-ce pas ?

Pour prolonger nos observations de leurs attitudes bizarres, elles sont autant capables de revenir sur la scène de votre vie des années plus tard. Là encore, elles jouent les victimes abandonnées qui ne comprennent pas ce qui leur arrive… En attendant, ces années vous ont peut-être permis de faire enfin le deuil d'une relation normale avec ce parent. Milena constate qu'elle a pris beaucoup de recul :

Un jour, j'ai reçu un appel de Grèce d'une cousine germaine. Elle m'a informée que ma mère, dont je n'avais plus de nouvelles, était justement là-bas et travaillait. Etant donné que ma mère a décidé de sortir de ma vie sans me prévenir, ni me parler de ses projets en Grèce, j'ai changé mon numéro de portable pour qu'elle ne puisse plus me joindre.

Quatre ans et demi plus tard, lors de l'enterrement de mon père, dont elle était divorcée, elle a eu le culot de se pointer au cimetière ! Son but était de me voir et de m'assaillir de questions, mais sur un ton gentil et mielleux : « Pourquoi tu n'appelles pas ? Pourquoi tu ne m'as pas appelée ? Pourquoi tu refuses de me voir ? Pourquoi tu refuses tout contact avec moi ? Est-ce que c'est à cause de la maison (elle croyait que je m'étais rapprochée de mon père à cause de sa superbe maison !) ? J'ai ma maison à moi ! Est-ce qu'on va se voir ?» Je lui ai répondu que je ne savais pas si on allait se voir, mais comme elle insistait, j'ai dit que j'allais y réfléchir. Évidemment, je ne l'ai pas appelée, même si j'ai pris son numéro de téléphone. La voir au cimetière ne m'a fait ni chaud ni froid. Pour moi, elle n'existe plus et elle ne fait plus partie de ma vie. Quelle outrecuidance de me reprocher le manque de contact alors que c'est elle qui a décidé de sortir de ma vie ! Comme je connais le personnage, j'ai décidé de ne pas m'énerver.

Plus tard, j'ai découvert par d'autres sources qu'elle était rentrée en Bulgarie depuis la Grèce pour régler les papiers pour sa pension et partir pour l'Allemagne avec son mari. J'ai appris par la famille qu'elle a dit «vouloir m'aider dans la gestion de la maison», dont je suis l'unique héritière (de mon père) ; je comprends alors que l'appartement où elle habite avec son mari est trop petit pour qu'elle y soit à son aise... Elle a toujours aimé vivre dans une maison et avoir un jardin. C'est l'occasion en or pour elle...

Je remercie l'Univers de m'avoir envoyé ces informations. J'ai eu tout de suite la confirmation de ses manœuvres : elle veut utiliser ma maison pour se rapprocher de moi. Je la sais capable de s'y installer ! Elle veut me manipuler : si je suis en contact régulier avec elle, j'aurai l'obligation de la prendre en charge quand elle sera malade, etc. Cela peut aller très loin...

J'ai assez donné, beaucoup trop ! Même si elle est ma mère et que ça me rend parfois triste d'avoir eu affaire avec ce genre de personnalité/personnage, je préfère de loin la distance, le détachement et ignorer son existence.

Malheureusement, je suis obligée de refuser aussi tout contact avec une cousine de mon âge pour éviter toute fuite d'information. Je fais tout pour qu'elle ne sache rien de ma vie. Être à plus de 3000 km d'elle m'arrange vraiment beaucoup...

Faire le deuil de la relation idéale est une nécessité. Faute de quoi, l'espoir et la souffrance demeurent.

Pardon difficile, oubli impossible

On entend dire parfois : « Je pardonne mais je n'oublie pas. » D'autres diront : « Je n'oublie pas mais je ne pardonne pas non plus. » Il paraît que seul Dieu pardonne... Il paraît aussi qu'on ne pardonne qu'à ceux qui le demandent...

Les voies du pardon ne sont pas du ressort du psychologue, mais celui du religieux et du spirituel. Chacun prenant la voie qui lui convient, le pardon est, ou non, l'objectif d'un « travail sur soi » quand on a été l'enfant d'une personnalité narcissique. Je ne suis d'aucun conseil sur ce chemin, mais je peux vous dire que pardonner enfin à ceux qui nous ont fait du tort est un soulagement psychique non négligeable.

Pour le thème qui nous concerne, je constate que bon nombre, sinon tous les enfants de pervers narcissiques, ont fait leur maximum depuis leur enfance pour changer les attitudes de leur parent toxique. Outre les comportements d'apaisement des uns, les confrontations verbales ou écrites des autres, les pleurs, les supplications, les cris, les suicides ratés ou réussis, les séparations, les menaces, les avertissements, les éloignements ou les ruptures définitives, aucun de ces messages n'a touché son but : faire prendre conscience au parent en question que son attitude générale de destruction devait cesser. **Rien ne l'a fait changer ! Fondamentalement changer...**

Combien d'entre vous, avant d'accepter une telle conclusion, ont donné une deuxième, puis une troisième, puis une quatrième chance de se rattraper à leur parent manipulateur après des ruptures de plusieurs mois ou années ? Pourquoi tant de ténacité à réparer sans cesse les pots cassés ?

Une des raisons les plus admises est que tant que les victimes de ces personnages ne donnaient pas de nom à cet ensemble d'attitudes et qu'elles ne connaissaient pas la nature pathologique de cette personnalité, elles étaient en droit de penser que chacun est capable de se remettre en question et donc de changer pour le mieux. D'autres raisons ont été énoncées au chapitre 1 (l'apparente normalité du manipulateur, ses qualités avantageuses, vos croyances, la culpabilité, le manque d'esprit critique, etc.). Ces dernières renforcent la première et maintiennent à long terme un lien aliénant et dévastateur avec un tel parent.

Alors qu'est-ce qui produit le déclic « ça suffit » ? En dehors d'une information claire venue de l'extérieur (un livre comme celui-ci, un thérapeute, un membre de votre famille, un ami, les médias, une conférence), le déclic se fera grâce à votre **observation de la récurrence, voire de la résurgence des attitudes passées.**

Françoise raconte comment ce déclic s'est produit pour elle et son mari :

L'objet de notre dernière dispute avec ma mère (quatre mois après le décès de mon père et après lui avoir rouvert ma maison sans conditions, tentant d'effacer tout le mal qu'elle m'avait fait, et malgré deux années de rejet familial !), concernait un énième mensonge maternel, cette fois pour de l'argent qu'elle nous avait soi-disant prêté. Ce qui était risible et absurde, je savais qu'elle ne m'avait rien prêté. Elle insistait pourtant : « Si, si, tu me dois quelque chose car ton père a remis à ton mari un chèque de 1000 euros lorsque vous posiez le parquet, pour vous aider dans les travaux de la maison. » Ma première réaction a été la surprise. J'étais étonnée et dépitée de ne pas en avoir été informée par mon époux. Je n'avais aucun souvenir de cela, mais je me suis dit que la mémoire nous fait parfois défaut après sept ou huit ans. Vérification bancaire faite et après une confrontation avec mon époux, elle maintenait sa version ! Cela a mis celui-ci dans une rage folle (alors qu'il est très calme et très respectueux en principe). Il est devenu hors de contrôle, au point que le pire (violence physique) aurait pu se produire si je n'étais intervenue pour la mettre à la porte ! Il fallait enfin que je réagisse face à ses remarques incessantes et toujours plus toxiques.

Ainsi, malgré deux années compliquées de rejet, disputes, brouilles familiales puis d'éloignement/évitement de ma part, les funérailles de mon père ont apporté une trêve très courte de quatre mois, durant lesquels j'ai pris en charge à mon domicile une semaine sur deux ma mère hémiplégique. Mais à quel prix ? Au fil du temps, j'ai découvert qu'elle continuait de médire à mon sujet : tout ce qui se passait ou se disait à la maison était rapporté à mon frère, ma sœur, etc.

Si, grâce à vos stratégies d'évitement et d'apaisement, vous détectez un changement, vous constaterez que le château de cartes s'écroule au bout de deux mois et au maximum quatre mois ! Ce qui semblait être enfin un changement n'était qu'une trêve pour vous endormir, c'est-à-dire éteindre votre vigilance, faire baisser votre garde qui l'empêchait quelque peu de nourrir son ego. Le cycle de ses attitudes toxiques revient. En réalité, il ne disparaît jamais. La phase de paix dure plusieurs mois, c'est tout. Cette récurrence, malgré vos efforts pour trouver un équilibre de relation et une harmonie, vous dispensera un choc électrique qui vous rendra la tâche du pardon difficile. On pardonne généralement à quelqu'un qui a fauté dans le passé et qui ne semble plus menaçant pour notre intégrité.

De plus, comment « oublier » une telle souffrance qui se rappelle à nous au-delà de trois ou quatre heures de contact (certains parlent de minutes seulement), puisque les attaques persistent.

Sabrina en a fait la difficile expérience :

Pendant que je cherchais un appartement, après avoir rompu avec mon compagnon, ma mère m'a proposé de réemménager chez elle. Je logeais encore chez mon ex car nous nous entendions bien, mais ma mère m'a incitée à venir chez elle, arguant que cette situation devait « être intenable pour moi ». Je savais que sa motivation était plus le fait qu'elle déteste la solitude. Elle venait aussi de rompre avec son compagnon, avec qui elle vivait depuis sept ans. Pour moi, la situation avec mon petit ami ne me posait aucun problème, mais j'ai accepté sa proposition par compassion. Le hasard a voulu que, pendant les préparatifs de mon déménagement, j'aie une conversation téléphonique avec un ex-petit ami avec qui j'entretenais encore des relations amicales sporadiques. Lorsque je lui ai annoncé ma décision, il m'a fait part de son scepticisme et m'a demandé si j'étais certaine que ma mère avait vraiment changé. J'aurais dû réaliser mon illusion à ce moment-là. J'étais persuadée qu'après toutes ces années, je n'avais plus rien à craindre d'elle. Ça a été une terrible erreur. À peine avais-je emménagé chez elle que son ancien caractère a refait instantanément surface. Elle venait de se casser le poignet et ne pouvait plus conduire. Après mon travail, j'allais donc la chercher à son magasin pour la ramener à la maison. Outre ses plaintes constantes sur sa situation, elle ne cessait de critiquer mon style de conduite ou de me décrier sur des broutilles. À la maison, elle me mettait la pression pour que je fasse le ménage tous les week-ends, sans tenir compte de mes envies de souffler de temps en temps. Chaque fois que l'occasion se présentait, quand elle rencontrait des connaissances dans la rue, elle insistait sur son malheur, se faisant plaindre par tout le monde, y compris le reste de la famille. C'est alors que, petit à petit, j'ai commencé à sombrer dans la dépression sans en avoir conscience. Elle se traduisait essentiellement par une fatigue de plus en plus difficile à gérer. Une seule fois, j'ai osé lui expliquer que je me sentais vraiment épuisée, ce à quoi elle a répondu que ce n'était pas vrai, mais qu'elle, par contre, avait de vraies raisons d'être fatiguée de devoir travailler dans son état !

Quand j'ai commencé à sortir avec un garçon, je l'ai confié à ma mère. J'avais avec ce garçon une intimité relationnelle extraordinaire. La seule réaction de ma mère fut un « Ah » dit sur un ton froid. Ensuite, ça a été la descente aux enfers. Elle s'est mise à critiquer mon petit ami, alors qu'elle ne l'avait jamais rencontré ! Elle me harcelait par SMS pendant nos rendez-vous pour me demander sèchement à quelle heure je comptais rentrer, par exemple. J'en étais arrivée à être complètement angoissée à l'idée de rentrer à la maison après une sortie. Lors d'une confrontation, ma mère m'a traitée de pute pour la seconde fois, simplement parce que je sortais avec un garçon… La coupe était pleine. J'ai donc fini par m'en aller et rompre définitivement tout contact avec ma mère.

Dans le cas de ceux et celles qui ont choisi la rupture définitive depuis des années, l'oubli est tout autant impossible. Toute possibilité de contact, lors d'un événement familial par exemple, réactive la menace. Les victimes ne sont pas paranoïaques. Elles connaissent son *modus operandi* grâce à leurs expériences. Elles évaluent les probabilités et prédisent les agissements de la manipulatrice au cours des heures. La procédure est tellement stéréotypée et récurrente qu'elles peuvent même avertir l'entourage de son déroulement. Fortes de cette prédiction réaliste, elles sont alors plus à même de décider si elles prendront ou non le risque de la rencontre. Si leur présence à un événement familial est nécessaire, elles réenclencheront les comportements hypocrites qui inhibent quelque peu l'agressivité et les tensions que générera tôt ou tard leur mère manipulatrice si celle-ci est également présente à l'événement.

Si l'oubli était de mise, comment aurais-je pu obtenir autant de détails dans les dialogues, les réflexions entendues provenant de situations si anciennes lorsque j'ai demandé des témoignages écrits ? J'ai été surprise d'obtenir cinq fois plus de témoignages d'enfants de *mères* manipulatrices que d'autres membres de la famille, ce fait m'aide à comprendre que ce vécu-là ne s'oublie jamais.

Apprendre à se déprogrammer

Il n'est guère aisé d'éliminer spontanément un schéma cognitif tel que « **il est indispensable pour un adulte d'être aimé, approuvé, estimé et apprécié par toutes (ou presque) les personnes, importantes ou pas, de son entourage** ». Il génère un besoin impérieux de plaire et surtout de ne pas déplaire, ni contrarier autrui. Ce schéma nous empêche de nous affirmer devant les autres en général.

Le deuxième schéma cognitif le plus fréquent chez les victimes de manipulateurs est : « **Il faut être profondément compétent, capable d'atteindre ses objectifs dans tous ses aspects positifs pour pouvoir se considérer comme valable.** »

La simple prise de conscience que l'on détient un de ces schémas irrationnels ne suffit pas à le dissoudre. Cette prise de conscience est nécessaire mais non suffisante.

La thérapie cognitive et la thérapie comportementale associées semblent donner de très bons résultats. Les groupes d'affirmation et d'estime de soi que je mène travaillent sur la peur de déplaire, celle du rejet si on s'affirme et la perception de ses qualités afin de cesser l'autodépréciation. En quatre mois de travail intensif (des tâches au quotidien sont demandées et vérifiées par le thérapeute), la majorité des personnes se libère du schéma numéro 1 (il faut plaire à tous). Quant au schéma numéro 2 (celui du perfectionnisme), je constate qu'il met plus de quatre mois à se désagréger chez les participants perfectionnistes du programme. Ils y « travaillent » mais se font plus longtemps rattraper par l'idée que s'ils abandonnent leurs exigences de perfection, ils vont soudain basculer dans la médiocrité. Ce fonctionnement cognitif est typique du perfectionniste : la pensée binaire. Tout ou rien, extraordinaire ou nul, exceptionnel ou carrément médiocre… Le travail cognitif devient alors prioritaire : on doit vérifier les questions suivantes : « Si je fais légèrement moins en termes qualitatifs ou quantitatifs que d'habitude, vais-je obligatoirement être nul ou produire quelque chose de médiocre ? » ; « Si je ne suis pas au niveau de mes exigences habituelles, est-ce réellement inadmissible ? irresponsable ? irrespectueux ? insupportable ? » ; « Toute autre personne que je trouve imparfaite est-elle sans valeur ? Peu estimable ? », etc.

Ce type de questionnement devrait être répété sur plusieurs mois. Adaptez vos questions selon chaque contexte dans lequel le schéma se manifeste.

Par ailleurs, la lecture du livre de Lucien Auger, *S'aider soi-même*[10], va bousculer fortement vos schémas cognitifs ancrés depuis longtemps. Je le trouve très efficace. Y sont décrits 10 schémas découverts par Albert Ellis, pionnier aux États-Unis de l'approche cognitive pour traiter les émotions négatives (anxiété, dépression...). Parmi ces 10 schémas, certains ne vous concerneront pas (exemple: «Le plus grand bonheur humain s'atteint par l'inertie et l'inaction»), mais si vous vous reconnaissez dans le schéma numéro 1 ou/et numéro 2, ce petit livre fera sûrement son effet!

N'oubliez pas: tout manipulateur capte instinctivement vos croyances, vos principes, vos valeurs personnelles, et ces deux schémas, car ils sont un terrain fertile aux émotions.

S'échapper et se reconstruire

Si vous voulez vous guérir d'un tel vécu, la façon se trouve déjà dans le sous-titre: échappez-vous le plus vite possible!

Nous avons parlé à plusieurs reprises des évitements volontaires, totaux ou subtils. C'est donc la meilleure des réponses que je puisse fournir.

Si vous ne pouvez ou ne voulez pas éviter totalement le manipulateur, c'est-à-dire rompre complètement avec lui (dans le cas où le parent manipulateur n'aurait pas déjà amorcé cette rupture), vous pouvez **contre-manipuler**.

Pratiquez la contre-manipulation

La contre-manipulation est une forme de communication pour... ne rien communiquer! J'ai énoncé dans mes deux pre-

10. Lucien Auger, *S'aider soi-même*, Éditions de l'Homme.

miers ouvrages sur la manipulation une série de réflexions manipulatrices et provocatrices afin que vous vous exerciez à y répondre par écrit. Sachez toutefois que la majeure partie du temps, la contre-manipulation se pratique oralement. C'est ce qu'on appelle « avoir de la répartie ». Cela s'apprend et les résultats sont plus rapides que ce que vous imaginez. **Le principe de la contre-manipulation est de répondre à des réflexions désagréables en se montrant détaché émotionnellement.**

Il y a quatre styles possibles, en fonction de votre personnalité et de celle du parent concerné :

1. le style neutre (ex : « C'est possible. ») ;
2. l'humour (adapté au contexte) ;
3. l'autodérision (ex : « Et encore, tu n'as pas tout vu ! ») ;
4. « l'ironie (ex : « Les chiens ne font pas des chats. »).

N'oubliez pas que **tout manipulateur se nourrit de vos réactions émotives** (sauf celles de la joie). Donc moins vous vous montrez impliqué dans la discussion ou indigné par les propos, moins le manipulateur s'intéresse à communiquer avec vous. C'est ce que vous recherchez, non ?

Voici des exemples de phrases qui ont été prononcées par des pères ou des mères manipulateurs, suivies des réponses possibles. Vous devez adapter votre style selon le rapport que vous entretenez avec le parent concerné et selon son degré d'humour général.

AFFIRMATION : Tu as une nouvelle voiture ? Eh bien, tu ne t'en fais pas !
RÉPONSE : Qui te dit que je ne m'en suis pas « fait », justement ?

AFFIRMATION : On ne voit que toi avec ton manteau rouge !
RÉPONSE : C'est fait pour !

AFFIRMATION : Comme tu peux être rigide !
RÉPONSE : Je sais que quand je suis organisée et que je note les choses, cela t'agace.

AFFIRMATION : On ne peut pas parler avec toi !
RÉPONSE : C'est réciproque.

AFFIRMATION : Tu veux toujours avoir raison.
RÉPONSE : Eh oui, on ne peut pas toujours avoir tort…

AFFIRMATION : Tu as vraiment une drôle d'allure.
RÉPONSE : Au moins j'en ai une !

AFFIRMATION : Tu n'as aucun humour !
RÉPONSE : Je cherche encore le tien !

AFFIRMATION : Je te souhaite bien du bonheur !
RÉPONSE : Si seulement c'était un vrai souhait…

AFFIRMATION : Je te dis cela, c'est pour ton bien.
RÉPONSE : Je n'en doute pas.

AFFIRMATION : Tu n'en fais qu'à ta tête !
RÉPONSE : J'en ai une, je m'en sers !

AFFIRMATION : Si je suis restée avec votre père, c'est pour vous.
RÉPONSE : Papa… il le sait ?

AFFIRMATION : Tu es trop sévère avec tes enfants.
RÉPONSE : Il faut savoir l'être parfois.

AFFIRMATION : Tu es trop laxiste avec tes enfants.
RÉPONSE : Il faut savoir l'être parfois.

AFFIRMATION : Qu'est-ce que tu peux être agressive !
RÉPONSE : Il doit y avoir une raison. Ça se passe surtout avec toi.

AFFIRMATION : Tu ne penses qu'à toi !
RÉPONSE : Tu peux le penser, mais mes amis me connaissent bien.

AFFIRMATION : Je ne peux jamais compter sur toi !
RÉPONSE : C'est une bonne chose que tu me le dises : je vais donc arrêter de te rendre service puisque c'est ta conclusion.

AFFIRMATION : Crois-en mon expérience.
RÉPONSE : Ne t'en fais pas pour moi.

AFFIRMATION : Je trouve que ton mari a de « bonnes excuses » pour éviter d'être avec toi et les enfants !
RÉPONSE : Ah bon ? Il te manque ?

AFFIRMATION : Il n'y a pas de fumée sans feu.
RÉPONSE : Tout dépend de qui a gratté l'allumette…

AFFIRMATION : Toute ma vie je me suis sacrifié pour vous.
RÉPONSE : Il est temps d'arrêter alors !

AFFIRMATION : Tu n'en veux plus (un plat) ? Tu n'aimes pas ce que j'ai fait ?
RÉPONSE : J'en ai pris deux fois. Je me réserve pour le dessert.

AFFIRMATION : Vous n'êtes que des ingrats !
RÉPONSE : Change de disque !

AFFIRMATION : Tu es bien la fille de ton père !
RÉPONSE : Tu l'as choisi, donc tu dois le savoir…

AFFIRMATION : Tu vas me faire mourir…
RÉPONSE : Vu le ton que tu utilises, tu en es loin.

AFFIRMATION : Tu ne vas tout de même pas vivre si loin ? Et nous alors ?
RÉPONSE : Vous allez survivre, vous allez voir.

AFFIRMATION : Faire des brunchs, c'est trop cher. Et puis, c'est démodé !
RÉPONSE : Mon Dieu, c'est démodé ? Il fallait me le dire plus tôt, j'aurais arrêté mes invitations !

AFFIRMATION : Tu n'as aucun goût !
RÉPONSE : Pas le tien, en effet.

AFFIRMATION : Je ne te souhaite pas d'avoir une fille comme toi !
RÉPONSE : Alors dis-toi que je ne me souhaite pas d'être une mère comme toi.

AFFIRMATION : Qu'est-ce que tu peux être susceptible !
RÉPONSE : Bien sûr ! C'est fou ce que je peux me vexer pour un rien…

D'autres réponses peuvent être plus adaptées à vos situations, à votre humeur du moment, à votre rapport au manipulateur et à l'enjeu en cours. Bien souvent, c'est votre intolérance à l'idée qu'on vous croie incompétent, idiot, égoïste, mauvais parent vous-même, etc. qui vous induit des réactions émotionnelles envahissantes. Les plus extravertis d'entre vous ont un réflexe de défense de leur dignité lorsqu'ils se justifient, en attaquant en retour et en voulant rétablir coûte que coûte la vérité bafouée. C'est une erreur ! D'une part, vous consommez votre énergie. D'autre part, vous êtes tombé dans le piège que tend tout manipulateur à son entourage, juste pour le plaisir de provoquer. Ainsi, le provocateur ne cherche pas à connaître la vérité sur vous et ne s'intéresse pas à votre réponse. Il vous accuse injustement de défauts et de comportements que vous n'avez pas. Le plus souvent, il projette ce qu'il fait ou pense lui-même ! De plus, la vérité n'a pas d'importance à ses yeux, si bien qu'il se contredit sans cesse. Un jour, il peut dire à sa fille qu'elle est trop sévère et rigide avec ses enfants, et le lendemain, la trouver trop permissive. Quelle est sa véritable opinion ? Il n'en a pas ! Sur l'instant, il a envie de piquer et de faire réagir pour savourer son pouvoir, même si pour cela, il doit déstabiliser…

Utilisez une phrase intérieure

Chez les victimes, le simple contact avec le manipulateur fait augmenter le niveau de stress. Cela peut se manifester sous forme de colère, de frustration, d'anxiété, de peur ou de toute autre émotion négative. Sur une échelle subjective de 0 à 10, les victimes évaluent l'intensité de leurs émotions et sentiments négatifs entre 8 et 10. Or, à ces niveaux d'intensité émotionnelle, la partie préfrontale du cerveau (celle qui « réfléchit consciemment ») n'est plus correctement activée. Cela a pour conséquence que beaucoup de gens ne trouvent pas la bonne répartie à la réflexion toxique émise.

Comme moyen antistress à déployer en urgence, je vous propose celui-ci : Ayez à l'esprit une phrase de rappel quant à la qualité sournoise, toxique, minable, pathologique ou malade du manipulateur face à vous, au téléphone ou qui vous écrit. Puis, ajoutez-y une auto-injonction pour ne pas perdre votre concentration ni votre axe de stabilité. Voici quelques exemples :

- Je sais qui tu es, mais tu ne sais pas que je le sais.
- Je t'ai repéré. Tu ne m'auras plus !
- J'ai compris ton jeu. Ça ne marche plus !
- Je te connais maintenant. Tu ne m'impressionnes plus !
- J'ai compris qui tu étais. Tu ne me fais plus pitié !

À vous de trouver celle qui vous convient le mieux. Testez-la en situation réelle. Évaluez son efficacité sur le plan de vos émotions. Si celles-ci, dès le départ, n'atteignent pas une intensité de 8, 9 ou 10/10, c'est qu'elle est efficace. Ne vous attendez pas à éliminer toutes les émotions négatives en vous retrouvant à un stade de 0/10. En effet, je pense qu'il est préférable de garder une certaine vigilance avec ces personnes toxiques quand bien même il s'agit de votre père ou de votre mère. L'authenticité et la spontanéité ne sont plus de mise et ne le seront plus.

Cette phrase intérieure doit rester silencieuse et ne jamais être divulguée au manipulateur. Il s'agit de votre arme secrète.

Faites une liste de résolutions

D'autres solutions sont opportunes, selon les cas. Ainsi, Martine a mis en place des stratégies concrètes à la suite de deux stages thérapeutiques (affirmation et estime de soi en groupe sur 14 séances et un séminaire « Faire face aux manipulateurs ») :

Je suis de plus en plus muette sur mes faits et gestes.

À la campagne, j'ai embauché tout l'été une dame de compagnie pour ma mère ; j'étais plus libre.

J'ai pu lui dire fermement ce que je pensais sur deux sujets qui concernaient des rapports humains (avec ma sœur et avec sa dame de compagnie).

Je me mets moins souvent en contact avec elle. Par exemple en n'acceptant plus les fraises qu'elle m'achète en plein hiver sans me demander si j'en veux. Je regroupe les sujets à voir avec elle. Je dois être fine équilibriste pour ne pas la rendre malheureuse, car ce n'est pas mon intention non plus.

J'utilise, comme nouvelle pensée logique en mode de stratégie rationnelle émotive : « Ma mère a été bien gâtée toute sa vie, désormais elle peut l'être MOINS. » Cette phrase m'a été soufflée par ma sœur Sophie (qui témoigne dans ce livre – NDLA) *et elle est assez efficace, car elle laisse moins de prise à la manipulation culpabilisante. Ou bien je me dis : « Qu'elle se prenne un peu en charge, malgré ses 87 ans : elle a encore sa tête et ses jambes qui fonctionnent parfaitement, donc si elle veut vraiment… »*

J'envisage à nouveau de déménager pour m'éloigner physiquement d'elle et de l'immeuble familial (nous vivons à deux étages de distance). Ce n'est pas la première fois que j'y pense et j'y arriverai, mais ce n'est pas facile.

C'était un exemple de liste de décisions. Chacun devra faire la sienne.

Une réelle reconstruction

Le parent manipulateur ne construit pas correctement l'estime de soi chez son enfant (sauf parfois chez l'enfant unique). Certes, d'autres parents non pervers narcissiques sont également faillibles sur ce plan. Il n'en reste pas moins qu'une vie psychique et affective difficile se trame pour l'enfant grandissant. Il est donc courant de reconnaître chez les enfants adultes de manipulateurs (de mère et pire, de père) **un trouble sérieux de l'estime de soi.** Dans cette notion nous incluons **l'amour de soi, la vision de soi, la confiance en soi** et **l'image de soi**. Les trois premières instances sont des bases fondamentales qui se construisent pendant l'enfance. L'image de soi est liée à la fois à l'image de son corps, à son acceptation tel qu'il est, mais aussi à l'image sociale que l'on renvoie.

L'amour de soi est un respect inconditionnel pour sa propre personne. J'existe sur cette terre, donc je suis aussi valable que les autres et je mérite d'être heureux et respecté. Si j'ai une profonde considération pour mon intégrité, je me respecte et je ne laisserai quiconque, ni même un parent ou un conjoint, me détruire (psychologiquement et physiquement). Je prends soin de moi : mon corps, mon état psychique, affectif et émotionnel, ainsi que mon environnement.

La vision de soi concerne ma perception subjective de mes qualités, dons et talents, ainsi que mes défauts et mes lacunes. Autrement dit, je connais mes qualités et mes défauts avec précision et justesse. Je pourrais même les énumérer. Si j'ai une bonne vision personnelle, je ne minimise pas mes qualités pour augmenter exagérément le nombre de lacunes ou de défauts. Je peux me considérer davantage en termes positifs que négatifs. Je ne m'invente pas des qualités, comme le font les manipulateurs. Cette conscience de mes atouts me permet de les placer au service de la communauté humaine sans complexes inutiles. Une bonne vision de moi fait que je ne m'écroule pas sous la honte (par perfectionnisme mal placé) lorsque je reçois des critiques, ou même, paradoxalement, des compliments. Je peux parler de moi sans émotions et sans fanfaronnades, notamment lors d'un entretien d'embauche.

La confiance en soi est ma perception de ma capacité à agir, à apprendre, à confronter des nouvelles situations sans avoir acquis la compétence absolue. Autrement dit, si je ne sais pas faire quelque chose mais que je tente de le faire (c'est là qu'opère la confiance en soi), je vais alors acquérir de l'expérience. Je suis donc prêt à passer toutes les étapes de l'apprentissage. La confiance en soi s'acquiert principalement par l'afflux d'expériences concrètes. Et donc par les actions passées. Si mes parents m'ont empêché diverses expériences pourtant accessibles, je n'aurai pas acquis suffisamment de confiance. Cependant, cela peut se rattraper grâce aux personnes croisées sur mon chemin et aux expériences nouvelles de l'adolescence. Si à l'âge adulte, je n'ai toujours pas confiance en moi, je ne pourrai toujours pas agir face aux situations nouvelles. Au contraire, je vais figer et demander aux autres de le faire à ma place, et 50 ans plus tard, je ne saurai toujours pas faire grand-chose, sauf dans mon domaine professionnel, et rien n'aura changé pour ce qui est de ma confiance. Pour s'en sortir et redémarrer les circuits, **il faut s'obliger à s'activer d'abord seul et confronter la nouveauté, le cœur battant et sans assurance**. Suivez les modes d'emploi, demandez conseil, faites-vous superviser (et non pas remplacer) pour accomplir une nouvelle tâche. Autrement dit, « amusez-vous » à vous confronter à la vie courante avec des défis techniques et osez aborder les gens inconnus en tant que défis relationnels. Reprenez l'évolution qui a été suspendue dès l'enfance ou l'adolescence, même si vous ressentez la crainte de ne pas réussir.

Une mère ou un père manipulateur entache l'un ou l'autre de ces aspects de l'estime de soi générale. Parfois tous. Un travail avec un **thérapeute spécialisé en estime de soi**[11] vous fera grand bien. C'est une des meilleures façons de guérir et de se remettre debout.

Anne a voulu se soigner de cette grande mésaventure de vie et elle a réussi :

Le fait de découvrir que mes parents souffraient d'un trouble de la personnalité m'a permis de me détacher d'une culpabilité qui était encore présente : je n'avais rien fait pour mériter cela ! D'autre part, je me suis détachée d'un fond de colère, ils n'auraient pas pu changer, ils n'avaient pas conscience de qui ils étaient… C'est derrière moi.

---

11. Je vous suggère également la lecture de mon livre, *Approcher les autres, est-ce si difficile ?*, Éditions de l'Homme, 2004.

J'ai toujours cru en mes capacités. Et maintenant, les failles sur ma vision de moi et de l'amour que je me porte, j'en prends soin. La vie est belle !

Pour commencer à vivre et à être qui vous êtes sans vous sentir menacé par des êtres toxiques, je vous recommande **de faire ces démarches en même temps**. Soyez accompagné quelque temps par un thérapeute actif et efficace afin de ne pas être envahi et freiné dans votre évolution par la culpabilité.

Et surtout, **ne supportez plus les relations malsaines** !

Conclusion

Nos croyances représentent un terreau fertile pour les semis du manipulateur. Alors qu'il laisse penser qu'il dépose de l'engrais dans le terreau de sa progéniture pour l'aider à grandir, à s'épanouir, à se solidifier, le parent manipulateur y dépose du poison. Mais tout poison ne tue pas. Il est des terrains naturellement résistants, des organismes défensifs face à toute forme d'agents destructeurs. Certes, ces organismes sont déstabilisés, affaiblis et malades un temps, mais soudain, ils reprennent une force insoupçonnée pour résister aux éléments toxiques. Ainsi, chaque enfant va réagir selon son caractère, son tempérament, sa perception, ses pulsions de vie et ses valeurs personnelles.

Ce qui nous asphyxie peut n'agir qu'un temps si on décide enfin de s'en extraire. L'humain a les ressources nécessaires pour s'en dégager définitivement et revivre sainement. Encore faut-il repérer l'éventuelle existence d'un schéma de pensée tout aussi venimeux pour empêcher le changement. En voici un : « *Notre passé a une importance capitale et il est inévitable que ce qui nous a déjà affecté profondément continue à le faire pendant toute notre vie.* » Il s'agit d'un schéma cognitif relevé par le psychologue américain Albert Ellis. Il transforme une influence en un déterminisme et scelle ainsi notre destinée. Là réside le piège.

L'idée répandue est que les séquelles de la maltraitance morale effectuée par le parent nous interdisent tout espoir de vivre un futur épanoui et heureux. Si on persiste à donner une valeur à cette croyance, nous nous privons de l'expérience de découvrir une autre vie : la nôtre. Le parent manipulateur s'est autorisé dès notre naissance à nous définir selon ses intentions, conscientes ou non, et ses besoins égocentriques. Or, par ce schéma de pensée susmentionné, nous nous endoctrinons nous-mêmes, au point de ne pas vérifier par l'épreuve du réel que nous ne sommes pas du tout ce qu'annonce la prophétie !

Il vous revient de décider dès à présent de ne plus cautionner le parent manipulateur. Vous savez maintenant qu'il est structurellement pathologique et que ses comportements n'ont jamais eu à voir avec ce que vous étiez dans votre identité profonde.

Par ailleurs, il n'est pas rare de constater l'existence de familles dont l'arbre « psycho-généalogique » recèle des personnages à la personnalité narcissique. Une dimension génétique ou héréditaire justifierait-elle l'existence (voire la prolifération dans certaines familles !) de telles personnalités pathologiques ? Aucune étude ne l'a encore démontré. Au moment de la publication de cet ouvrage, la science ne bénéficie pas du budget nécessaire à la mise en place de recherches longitudinales. Je ne doute pas que cela se fasse un jour… Il n'en reste pas moins que, malgré le manque d'explication scientifique, on observe des familles où ce profil pathologique se retrouve à différents niveaux des étages de la lignée. Il n'est donc pas surprenant à l'heure actuelle d'entendre des témoins déceler plusieurs manipulateurs dans leur famille (qui répondent sans équivoque à la description d'au moins 14 des 30 caractéristiques).

Si les lecteurs concernés par un parent manipulateur se posent la question du risque d'avoir un enfant dans le même registre, je ne peux pas nier cette éventualité. J'en suis évidemment désolée. Par contre, il n'est pas raisonnable de croire que, parce que l'on a un parent à la personnalité narcissique, on le deviendra aussi. Cette inquiétude est courante. On ne veut pas ressembler à celui ou à celle qui nous a blessé et qui fait tant de dégâts autour de lui. Les adultes et les enfants jeunes qui ont témoigné dans cet ouvrage ne ressemblent en rien à leur géniteur hypernarcissique, dénué de compassion et d'amour.

Si vous décelez un profil de manipulateur chez l'un de vos enfants et que vous souhaitez m'en témoigner les aspects et les conséquences, j'accueillerai volontiers votre témoignage. Je peux envisager un futur ouvrage très documenté sur les jeunes manipulateurs dont l'évolution serait observée sur le long terme. Je ne parle pas des enfants qui manipulent pour obtenir satisfaction de leurs désirs ni de ceux qui se mettent à mentir à une certaine période de leur enfance. Les enfants auxquels je m'intéresse répondent au minimum à 14 des 30 critères du manipulateur.

Une autre inquiétude que j'entends fréquemment est d'épouser un homme ou une femme du même profil que son parent. Longtemps, la psychologie (la psychanalyse en l'occurrence) a voulu imposer un lien de cause à effet. Autrement dit, le précepte est que si vous avez un parent pathologique, vous allez nécessairement espérer le « réparer » de façon inconsciente dans le choix d'un futur conjoint également pathologique. Vous irez donc, si on suit cette interprétation, revivre avec un manipulateur car vous reconnaîtrez parfaitement son fonctionnement. Je n'ai pas du tout fait cette observation sur le plan clinique : de nombreux enfants de manipulateurs ont épousé ou vécu longtemps avec des hommes et des femmes aux comportements ni pathologiques ni destructeurs. De plus, nous n'avons pas de vraies statistiques confirmant cette affirmation que je crois être purement théorique. En revanche, je repère qu'environ 60 % des témoins que je rencontre ayant une relation durable avec un conjoint manipulateur ont effectivement un parent du même profil. Ce taux serait à vérifier en interrogeant chaque victime dans le domaine conjugal. Je dispose depuis des décennies d'un nombre très important de témoins, mais j'avoue avoir négligé l'organisation d'une procédure systématique afin d'obtenir une réponse plus précise confirmant ou infirmant mon impression clinique. Les hypothèses théoriques pures n'ont aucun intérêt dans notre sujet.

Pour terminer, je veux démentir la croyance suivante : « *On ne peut donner ce que l'on n'a pas reçu.* » Certes, elle est joliment formulée et sonne bien, mais elle est fausse ! Des centaines de milliers d'enfants de parents manipulateurs, voire de pervers de caractère, sont empreints de compassion pour autrui, de générosité franche et deviennent eux-mêmes des parents aimants, respectueux et sincèrement attentifs envers leurs enfants, et ce, sans effort particulier, car cela leur est naturel… Oui, on peut ne pas avoir reçu d'amour et déborder d'amour ! Qu'on se le dise enfin…

Remerciements

Je souhaite remercier tout particulièrement les participants à mes séminaires, mes patients et les lecteurs de mes précédents ouvrages. Nombre d'entre eux ont désiré témoigner de leur vécu avec un membre de leur famille manipulateur. J'ai retenu pour cet ouvrage les témoignages concernant les mères et les pères manipulateurs tant ils étaient volumineux. Je garde précieusement les autres témoignages et je prie aux personnes sollicitées de m'excuser de ne pas exploiter leurs confidences dans ce présent ouvrage. Ainsi, je remercie vivement tous ceux qui ont fait l'effort de m'écrire tant d'anecdotes douloureuses…

Ce livre est le fruit d'un travail de deux ans et demi. Je remercie mes éditeurs Erwan Leseul et Pierre Bourdon à sa suite de m'avoir toujours soutenue toutes ces années.

Je souligne l'efficacité de l'équipe des Éditions de l'Homme à Montréal ainsi que son sens de la synchronisation ; en particulier Liette Mercier, Pascale Mongeon pour le suivi attentif et ses apports dans ma composition puis Brigitte Lépine pour la révision et la correction et Fabienne Boucher pour la coordination.

J'honore la créativité de François Daxhelet, de l'équipe graphique de Diane Denoncourt, pour avoir réalisé la couverture de cet ouvrage. Je la trouve littéralement géniale !

Je remercie Julia Marois, ma dernière photographe pour avoir accepté des prises de vues à l'extérieur pour me faire plaisir et malgré une journée d'été frisquette… !

J'apprécie l'excellent travail et la motivation de mes attachées de presse Sylvie Archambault (au Canada) et de Cécilia Castagné (à Paris) avant même la parution du livre.

Je remercie Roxane Vaillant, Joëlle Sévigny, Laurence Hurtel et bien d'autres aux Éditions de l'Homme qui ont participé dans l'ombre…

Quant à la partie française de l'équipe, je salue le travail et le soutien d'Hélène Murphy-Aubry, de Marie Bisso et d'Anne Da Cunha-Guillebault, pour leur gentillesse, leur accompagnement dans mes projets et leur disponibilité depuis des années. Merci de m'avoir donné vos avis pertinents !

Enfin, j'embrasse mon assistante Anny-Paule Benaïm, fidèle au poste pour pourvoir aux demandes et aux tâches de mon bureau à Paris, surtout lors des périodes d'écriture et de révision !

Publications

Les manipulateurs sont parmi nous, Montréal, Éditions de l'Homme, 2013, 2004 et 1997.

Les manipulateurs et l'amour, Montréal, Éditions de l'Homme, 2013, 2004 et 2000.

Je suis comme je suis, Montréal, Éditions de l'Homme, 2008.

Approcher les autres, est-ce si difficile ?, Montréal, Éditions de l'Homme, 2004.

Table des matières

Suivez-nous sur le Web

Consultez nos sites Internet et inscrivez-vous à l'infolettre pour rester informé en tout temps de nos publications et de nos concours en ligne. Et croisez aussi vos auteurs préférés et notre équipe sur nos blogues !

EDITIONS-HOMME.COM
EDITIONS-JOUR.COM
EDITIONS-PETITHOMME.COM
EDITIONS-LAGRIFFE.COM

Achevé d'imprimer au Canada
sur papier 30 % recyclé
sur les presses de Imprimerie Lebonfon Inc.

procédé sans chlore

30 % post-consommation

archives permanentes